李银河 2011 年 7 月 10 日

第一次看到冯唐的文字是他的《活着活着就老了》，当时有受惊的感觉。因为这样美好的文字并不多见。只是在看王小波、李敖和李零的文章时有过类似的感觉。

冯唐是一九七一年生人，跟我几乎差了一代，跟我们这代人对这个世界的关注点也不大一样。我们这代人生长于动乱年代，关注的往往是国家的前途，社会的弊病；而他们这代人生活在平淡小康的年代，注意力转向自身。这个转向并不全是坏事，它使他们的写作转向了更根本的生存问题：人生的意义、生活的乐趣、审美的追求。而这才是当今社会中人更感兴趣的话题。

冯唐的文字如此出色是一个谜：他是怎样练就这样的文字的呢？我猜是他在古文上下过不小工夫，我不敢说他的古文功底比李零、李敖还好，但是肯定好过王小波和我。该好好学古文的年代，我们净搞革命了。尽管如此，我并不同意他对王小波文字的评价（见本书《王小波到底有多么伟大》一文）。王小波是练过字的（他的导师许倬云是个文字绝佳的人，他在看了王的小说后提出"还要练字"的要求，后来许对小波的文字亦相当赞许）。王小波的文字更多受到现代白话文翻译家和诗人的影响，虽然说不出好在哪里，但是不用看作者名字，只要一看文字就能知道是他写的，这不是一般的写作者能做到的。

本来这本书是为我主编的《知识分子文丛》约的稿，可一看稿子，跟所有其他作者都不一样，主要是关注的问题不一样，说实话，文字也好出太多，于是决定独立成书出版。希望读者和我一样，共同享受阅读冯唐文字的巨大快感，共同见证中国又一位杰出写作者的诞生。

目录

耕读

琴鹤

饮食

男女

文字打败时间——我的文学观

纯从个人认识出发，我的人生观是我感受到、我理解、我表达。文字打败时间，这是我一辈子要做的事情。不再当妇科医生之后，初恋二婚之后，就这么一点人生理想了。基于此，我的文学观有三点内容。

第一，感受在边缘。

码字人最好的状态不是生活在社会底层。没有一间自己的房间或者被豢养在一个施主的房间，等着下一张稿费汇款单付拖欠了半年的水电杂费、儿女上学期的学费、父母急诊的药费，去另外一个城市或者国家，和另外一群人交谈已经是十年之前的事情了。这种状态，容易肉体悲愤、仇恨社会，不容易体会无声处的惊雷，看不到心房角落里一盏鬼火忽明忽暗，没心情等待月光敲击地面、自己的灵魂像蛇听到动听的音乐、闭着眼睛檀香一样慢慢升腾出躯壳。

码字人最好的状态不是生活在风口浪尖。上万人等着你的决策，上百个人等着见你，一天十几个会要开，在厕所里左耳朵听着自己小便的声音右耳朵听着手机。日程表以五分钟一档的精密度安排，你的头像登在《华尔街日报》头版上半页，你的表叔在使劲盘算如何在小学门口绑架你儿子。这种状态，不容易体会布衣暖、菜根香、诗书滋味暖心房。牛逼太大了，阳具进去空荡荡的没有任何感觉，容易看不到月亮暗面，容易忘记很多简单的事实，比如人都是要死的、眼里的草木都会腐朽、没什么人记得和孔丘同朝的第一重臣叫什么名字。

码字人最好的状态是在边缘，是卧底，是有不少闲有一点钱可以见佛杀佛见祖灭祖独立思考自由骂街，是被谪贬海南的苏轼望着一丝不挂的雌性女蛮人击水在海天一线，是被高力士陷害走出长安城门的李白脑海里总结着赵飞燕和杨玉环的五大共同特点，是被阉的司马迁暗暗下定决心没了阳具没了卵蛋也要牛逼千百年姓名永流传。

第二，理解在高处。

文字里隐藏着人类最高智慧和最本质的经验。码字人可以无耻，可以浑蛋，但是不能傻逼。码字人要能够抓着自己的头发把自己提升到空中，抚摸那条跨越千年和万里、不绝如缕的金线，总结出地面上利来利往的牛鬼蛇神看不到、想不明、说不清楚的东西。让自己的神智永远被困扰，心灵永远受煎熬。码字人，钱可以比别人少，名可以比别人小，活得可以比别人短，但是心灵必须比其他任何人更柔软流动，脑袋必须比其他任何人想得更清楚，手必须比其他任何人都更知道如何把千百个文字码放在一起。如果你要说的东西没有脑浆浸泡、没有心血淋漓，花花世界，昼短夜长，这么多其他事情好要，还是放下笔或者笔记本电脑，要要别的吧。

第三，表达在当下。

　　动物没有时间观念，它们只有当下感，没有记忆，不计划也不盘算将来，只领取而今现在。在表达的内容和着力点上，码字人要效法动物，从观照当下开始，收官于当下。写项羽，我或许写不过司马迁和班固，写二十一世纪的街头流氓、野鸡、民营企业家和海龟白领，未必。

中文小说：体会时间流逝中那些生命感动

中文小说整体水平低下

开篇明意，首先表达我的观点：中文小说先天不足，整体上无甚可观。

无论从质量还是数量上讲，中文小说和西文小说整体上都不在一个重量级。美国现代图书馆评选二十世纪英文小说一百强，争得不亦乐乎，反反复复定不下来。之后，亚洲周刊跟风效颦，推出二十世纪中文小说一百强，很快尘埃落定，各路英雄座次排定，鲁迅《呐喊》第一，二月河《雍正皇帝》第一百。读到这则消息，我第一感觉想乐，好像听到清华大学拼命选出清华校园美女一百强，第四名就开始觉得长得像女傻强。第二感觉凄凉，"世无英雄，方使竖子成名"。第三感觉振奋，好像项羽看见嬴政坐着大奔逛街，"彼可取而代之"。跟我老妈讲了我的感受，老妈说，你改不了的臭牛逼。

这么多年过去了，我的意见还是和鲁迅当初一样：如果喜欢小说，多读外文小说，少念或是不念中文。

中文小说整体水平低下有两点原因，第一是中国文字太清通简要，难负重。第二是中国文人外儒内庄，不吃苦。

中文是象形表音文字。一张图画的信息量抵过千言万语，所以宇宙飞船带给外星人看的信大量使用图表，所以一张电子春宫比几万字的《灯草和尚》更占硬盘空间，所以中文没有必要写得那么长。另外刚有中文的时候，纸张还没有发明，写字要用龟甲和兽骨。野兽会跑，乌龟会咬人，龟甲兽骨不易得到，文人不得不清通简要。英文是单纯表音文字，英文成形以后，纸张就出现了，没有了太多限制，英文就倾向于唠叨。点滴积累，岁月沉淀，这种唠叨渐渐有了体系和力量。

中国文人从小讲究的是乐生和整体和谐。他们从不为了理想引刀自宫，他们很少悲天悯人，他们在陋巷没事偷偷快乐。他们故意打破逻辑或者让逻辑自己循环论证，他们说"悠然心会，妙处难与君言"，他们说路上有狮子。但是好小说需要丝丝入扣的逻辑、毫发毕现的记忆和自残自虐的变态凶狠，需要内在的愤怒、表达的激情和找抽的渴望。我们的文人怕疼。

小说阅读是非常个人化的东西

简单地说，小说阅读没有任何道理可言。天大的理，抵不过自己喜欢。掩卷书味在胸中，和张三、李四，或者隔壁的王胖子没有任何关系。仿佛饮食男女，有人喜欢吃辣，有人喜欢吃甜。有人喜欢小腿细细的小嘴紧紧的，有人喜欢面如满月笑如大芍药花的。没有任何道理可言。

小说阅读没有高低贵贱。给艺术排名次本身就是一个很滑稽的事。如果你对着雪地里一泡狗尿想象出一块熟糯橙黄的琥珀，只能说明你的功力不凡。如果你喜欢上一个聋哑的姑娘，觉得她没有任何欠缺，其他女人不是言语过分恶毒就是心胸过分狭促，只能说明你是情圣。

小说阅读没有禁忌。再吃牛肉也是变不成母牛，看八遍《鹿鼎记》你身边也不会冒出七个老婆的。我们都已经太老，很难改变。现在有了互联网了，什么东西拐弯抹角都能找到了，不用等太阳落山再去偷偷找书摊王大爷借《查泰莱夫人的情人》了。我们不要怕怪力乱神。神农吃了大毒草之所以没有暴死，是因为他一口气吃了一百种大毒草。我学医的时候，上公共卫生课，那个教课的小老太太，小鼻子小嘴，干净利落，她说她健康的秘诀就是每个月找东单街头最脏最乱的国营餐馆吃一盘京酱肉丝，如此保持肠胃的菌群平衡。

■

在小说的阅读中体会时间流逝里那些生命感动

到底什么是好小说？好小说的标准应该是什么？坏小说各有各的坏法，但是好小说具有一些共性。

文字妙曼。好小说的文字要有自己的质感，或浓或淡，或韧或畅，或是东坡肘子或是麻婆豆腐，但是不能是塑料裹脚布。好文字仿佛好皮肤，一白遮百丑，即使眉眼身材一般，一点脑子都没有，还是有人忍不住想摸想看。所以南方女孩比在沙尘暴里长大的北方姑娘好嫁，所以诺基亚只给手机换个金属外壳就多要两千块。

结构精当。好故事仿佛好脸蛋，好结构仿佛好身材。长久而言，好身材比好脸蛋更动人。好故事只是个好脸蛋，看过了，知道怎么回事儿，不复想起。好结构转承起合，该凸的凸、该仄的仄、该紧的紧、该疏的疏。让人从头看到脚，再从脚看到头，从胸看到臀，再从臀看到胸，感叹天公造化。

才情灿烂。才情不是思想，好小说不是论文，可以不谈思想，只谈才气纵横、心骛八极。就像好姑娘可以胸大无脑，但是不能不解风情、不知体贴。好的小说家用肚脐眼看天下，从另一个角度拿捏你的痒处或在你毫不设防的时候给你一记断子绝孙撩阴腿。就像一些有气质的姑娘，肤如五号砂纸、平胸没臀，但是见月伤心、听歌剧涕泪横流、主动问你能不能抱她一下，还是能迷倒一片。

讲到最后，小说文字不好不重要，结构不好不重要，才情不好不重要，小说最重要的是让你体会到生命感动，就像姑娘最重要的是让你体会到爱情，听到激素在血管里嗞嗞作响或是心跳。在读到足够数量的好小说之前，我不相信任何鬼怪灵异。但是，好小说简简单单透过白纸黑字，将千年前万里外一个作者的生命经验毫不费力地注入我的生活，让我体会生命中不灭的感动。我开始怀疑灵魂的存在。

二十二种美丽，二十二种感动

我在下面列了一张中文小说书单，它们曾经给我不同的生命感动。小说的兴起是继秦始皇焚书坑儒之后，对中文最重要的变革动力。虽然我们先天不足，但是我们上探先秦，外采欧美，前途还是光明的。

列单说明如下：

1. 纯属个人观点。

2. 排名不分先后。

3. 有些人杂文、散文强出其小说太多，未入围不等于我不敬仰其文字。这些人中包括鲁迅和李碧华。

4. 外举避仇，内举避亲。仇雠和亲朋好友以及我自己的东西，不在推介之列。

《战国策》

有逻辑，有故事，有人性，有冲突，够贱。像北京的士司机一样关心世事，像管理咨询顾问一样慎思笃行。熟读半部，在街面上混个肚圆不是问题。

《世说新语》

和《史记》一起构成我的文字师承。刘伶和阮籍到北京不会无聊，三里屯有高价假酒，紫云轩和芥末坊都有曾经沧海媚眼如丝的老板娘。

《红楼梦》前四十回

小时候喜欢看林黛玉吃醋和贾宝玉处理三角关系，长大了从中读到齐家治国平天下，读到如何平衡利益，给足面子。不知道是曹雪芹隐藏得太深还是世界把我变得太庸俗了。

《水浒》

要看金圣叹评点的版本。细节处理独步，满布机锋。太多的元素在里面：凶杀、奸情、同性恋、生活在别处、生活在低处、追求理想、遁世、幻灭、创业、战略决策、战术处理、兼并重组、儒道禅合流。让人不得不喜欢。

《肉蒲团》

当初没有互联网，看的是从外教借来的英文翻译版。同期看的还有冯梦龙的三言和意大利的《十日谈》。感觉《肉蒲团》是我见过的行文最干净利落的中文长篇。

《金瓶梅》

写尽市井人情，建议中小企业主管精读。同《肉蒲团》比较，其色情描写添加得极为生硬，疑为后人伪作。

《牛天赐传》

北京那一辈人，没谁都可以，不能没有老舍。没有老舍，北京今天不会有这么多闲人，房地产也不会这么热。如果老舍生在今天，王朔就泡不着文学女青年了。

《围城》

钱锺书写老海龟的这篇小说至今时髦。只是读者通常没有以前那种旧学和西学的底子，领会他那些精致的笑话有些障碍。老天如果有眼，把他和张爱玲弄成一对，看谁刻薄过谁。

《十八春》

张爱玲是个异数。你可以不爱读，但是挑不出任何短处。张爱玲巨大的旗袍阴影之下，新锐女作家不脱，如何出头？

《边城》

沈从文只念过小学，对汉语的贡献比所有念过中文博士的人加起来还多。

《洗澡》

同样写知识分子生活，同《围城》是夫妻篇。钱锺书比杨绛元气足，是更好的小说家。杨绛比钱锺书更懂得收敛和控制，是更好的文体家。

《白金的女体塑像》

天妒英才，二十七岁就早逝了。这一篇的调停布置比郁达夫那篇著名的课桌文学《沉沦》不知道强多少。

《台北人》

出手便知家学和幼功深厚，这样的文笔，如一手漂亮的瘦金体毛笔字，不知道以后到哪里找。

《绿化树》

如果那一拨人里没出来更多这样的文字，都是四人帮的过错。

《鹿鼎记》

韦小宝是比阿Q更典型的中国人物。刘邦、刘备、朱元璋在基因上和血缘上一定是韦小宝的近亲。

《大人物》

古龙的自传，那时候好像没有太大的出活压力，写得难得地从容。古龙有一支有魔力的笔，绝对是个大人物。

《受戒》

明末小品式的文字，阅读时开窗就能闻见江南的荷香。但是一百年后评价汪曾祺的成就，首推的很可能是剧本《沙家浜》。

《棋王》

再看感觉有些做作，没有他现在的随笔精气内敛。文笔太内敛太老到也有问题，仿佛奶太稠，挤出的产量严重受限。最令人钦佩的还是阿城的态度，写不出来就不写，珍惜羽毛爱惜名声。

《在细雨中呼喊》

余华最早的长篇，他最好的东西，也是他那拨人中最好的长篇。我不相信他这辈子能够超越这一篇中达到的高度。不如学学格非，找个名牌大学去教书，培养下一代文学女青年。

《动物凶猛》

有时候一部几千万字关于"文革"的论著不如几万字的一篇小说更说明问题，《动物凶猛》就是一个例子。写得太急了，有些浪费了一个好题材。如果当初沉一沉，就这个题目写个长篇，垫棺材底儿的资本就有了。

《黄金时代》

生命灿烂，人生美好，即使是四人帮也不能破坏。好在有小波在，要不大家都认为王朔就全权代表北京精神了呢。

《窗外》

　　"文章憎命达"，要是琼瑶阿姨考上大学，世界将会怎样？还记得林青霞演《窗外》时的样子，双手托腮，仿佛一朵莲花绽开。现在莲花谢了，结了莲子，自己也搞得不男不女了。

是意淫古人的时候了

读书是每个人都可以喜欢的事情。有人先入道，有人后开始读，后来人自然就有对读书理论的需求：知道前辈们如何读书，省却好些弯路。前辈们也乐得提供："好为人师"、"含饴弄孙"和"饮食男女"一样的根植人心。但是，晚辈们要千万小心，擦亮眼睛，在笃信前辈们的结论之前，考量结论的语境和作者的心境。

五四以来，在读书理论里，最正统、最嚣张、最深入人心的就算"不读中国古书论"了。

最正统。因为是由鲁迅首倡。一九二五年一月，《京报》副刊征求"青年必读书"十部的篇目，鲁迅因此写了一篇《青年必读书》的短文。鲁迅的答案很短："从来没有留心过，所以现在说不出。"但是有个挺长的附注，附注里说："……我以为要少——或者竟不——看中国书，多看外国书。……"鲁迅当时讲的中国书，即指中国古书，这层意思，他又在一年后的《写在〈坟〉后面》和《古书与白话》等文章里反复阐明。

最嚣张。四人帮说批孔，破四旧，亲切地直呼孔丘为孔老二，暗示孔丘是春秋战国时代著名的鸡鸡。书评大家曹聚仁明确提出"爱惜精神，莫读古书"，并且写了一连串的文章：《我的读书经验》、《要通古书再等一百年》、《无经可读》、《劝世人莫读古书文》等，洋洋洒洒，够出一本专辑。

最深入人心。懒人说，路上有狮子，这么难认的文字，不读中国古书当然好了。书店里有《中国可以说不》、《WTO手册》的民族意气和全民牛逼，有金庸、古龙的拳头，有卫慧、棉棉、九丹、木子美的枕头。书店外有网吧卡拉OK，有茶楼酒吧，有发廊影院。信息时代了，事烦时窄，难做的事情，前辈大家说不做就当然不做了。

现在看来，没有比"不读中国古书论"更荒谬的了。

鲁迅说"不读中国古书"是因为他是鲁迅。不提他的私塾幼功，单是他自一九一二年到北平教育部任职开始，至一九三六年于上海逝世为止，数十年间，购书读书，每年日记都以一篇书账结束。从现在的人口构成看，能认全鲁迅书账上所有汉字的，百无一人，能了解一半书目内容的，千无一人，看过一半书目所涉书籍的，万无一人。简单地说，如果杜牧和柳永痛心疾首地对你说，歌寮夜总会无聊之极，小蛮腰小肥屁股无聊之极，你要打个大大的折扣。另外，鲁迅说"不读中国古书"是因为一九二五年。那年月，中国上下，摆不稳一张书桌，"昔宋人议论未定，辽兵已渡河"，还是学些造船造炮，金融会计这类的西学，然后做起来富国强兵要紧。

曹聚仁说"不读中国古书"是因为他犯了一个

逻辑错误。曹聚仁笃信颜李学派读书论。颜元说："读书愈多愈愚惑，审事机愈无识，办经济愈无力。"李塨说："纸上之阅历多，则世事之阅历少。笔墨之精神多，则经济之精神少。宋明之亡以此。"曹聚仁的推理如下：颜李认为"开卷有害"，颜李是中国古人，颜李读的当然都是中国古书，所以颜李认为应该不读中国古书。其实颜李只是认为"开卷过多有害"，知行应该平衡。另外，曹聚仁把读古书看得太神圣了，一定要读真经，一定要从考证甚至考古入手，一定要懂古文家今文家宋学家汉学家的异同，才能读古书。简单地说，再大的美人也要大便。《诗经》里"行迈靡靡，中心摇摇，知我者谓我心忧，不知我者谓我何求，悠悠苍天，此何人哉"，和崔健的"我曾经问个不休，你何时跟我走"，没有本质区别，都是情动于中，而形于言。作为后生小子，意淫古人，读断读通就好，摸着想象中的手心驰神荡就好，不必知道古人的界门纲目科属种。

无论是靠写字补贴家用的还是不靠写字补贴家用的，都是意淫古人的时候了。

不靠写字补贴家用的，必然是经世济民的好手。简单地说，去美国读两年MBA不如恶补两年明史、清史，小白菜比小甜甜布兰妮可爱，廷议比课堂案例凌厉，明史清史比美国教科书讲中国的事情更通透。

靠写字补贴家用的责无旁贷，是文字就应该是你的原材料，掌握之后煎炒烹炸，上至三代铭文，下至隔壁王寡妇叫床，不该避讳。撇开祖宗几千年积累下来，狡猾可喜的文字，是渎职，是犯罪。不要言必谈五四时期的反叛，那是中国新文字的青春期，一定要杀死父亲才能知道自己姓什么。李锐讲："从严复、林纾的时代算起，总共才一百年多一点。但是，这一百多年是方块字的文学变化最巨大、最深刻的一百年。在这一百多年里，我们先是被别人用坚船利炮逼迫着改变自己，接着又用一场又一场的革命改变自己。这一百多年，我们几乎一直是在急于改变自己。"现在是该上上祖坟的时候了，检点一下，祖宗有什么好东西。

给不服气的人举一个例子，几十年来，有没有重新出现过类似记录人类经验的中国文字："夜来月下卧醒，花影零乱，满人衿袖，疑如濯魄于冰壶。（李白）"

小品文的四次浪漫

到底什么是小品文，有多种说法。这个词可能最早现于南北朝，指佛经缩写本。《世说新语》刘孝标的注释提到："释氏《辨空经》，有详者焉，有略者焉，详者为《大品》，略者为《小品》。"我望文生义，用我自己的定义。小品文第一要小，篇幅小，少则一二十字，多不能过几千字。小品文第二要有品、有性有情，妙然天成，"求之不必得，不求可自得"。小品文第三要是文，不是诗不是词不是曲，不谈韵脚，没有定式，天真烂漫，无法无天。

小品文第一次烂漫是在先秦，庄周、孔丘、老聃、吕不韦、以及那些凭舌头吃饭的苏秦张仪们（他们的臭贫被详细记录在《战国策》）。这里面文采最盛的是庄周。他细致时，逻辑之缜密不让十七八世纪的那帮德国哲学家。他灵动时，鱼在瞬间变成大鸟，人在瞬间变成蝴蝶，比卡夫卡的《变形记》更牛。少年时读到"天地与我共生，而万物与我为一"，我正在困惑自己从哪儿来又要到哪儿去，庄周立刻成了我的青春偶像。在之后的岁月里，我知识越多越反动越来越不明白，不知道拿自己这块料该怎么办，还是庄周的小品给我提示。庄周说他得到一个硕大无比的葫芦，无可处置，最后决定把硕大无比的葫芦放到硕大无比的海里，一无是处的自己坐在里面到处漂着。

小品文第二次烂漫是在明朝，李渔、张岱、余怀、三袁、金圣叹、王季重等。这里面邪气最足的是李渔，别人因为吃喝玩乐身败名裂，李渔靠吃喝玩乐安身立命。有一阵子，我把庄周和博尔赫斯掺着看。越看越觉得世界古怪，山非山，水非水，我问我妈："您是我妈吗？我爸前世是外星人还是北溟的八爪鱼？"我妈当时一句话没说，骑车就去学校找我老师谈话去了。后来，我把李渔和亨利·米勒掺着看，发现生活真的像席慕容说的似的：天是这么蓝，草是这么绿，生活本来可以如此简单和美丽。亨利·米勒说：实在想不清楚就找个姑娘干。李渔在他唯一的长篇小说中简洁明了，说未央生要先做成世间第一才子和娶到天下第一佳人之后才能皈依佛祖。爬到山上，跳进水里，山还是山，水还是水。

小品文第三次烂漫是在民国，周作人、林语堂、周树人、梁遇春。这帮人，小时候在私塾被灌四书五经唐诗宋词，长大被送到东洋西洋学物理数学植物人体。小时候摸过小脚，长大近距离闻过洋婆娘的香水味道。世道动荡，摆不稳一张书桌，这些人所有幼时功夫成年阅历都挥洒在小品文上，不惊天地泣鬼神也难。周作人的小品文更是臻于化境，白话文五百字，从从容容把一个大问题说得清清楚楚，不带一丝火气，难得的涩味和简单。俗话说，文人相轻，文章是自己的好，老婆是人家的好。但是记者问周树人，当今谁的小品文好，周树人还是做出如下排序：周作人，林语堂，周树人。

小品文第四次烂漫是在现在，阿城、黄集伟、李敬泽、李碧华、王小波、张弛、布丁、狗子、冯唐（排名不分先后，具体排名见二〇一一年一月一日各大报纸杂志文学副刊）。时代好呀，文人好像又可以自由思想和自由表达了。一方面，"礼崩乐坏"，旧思想旧体制在改革中被打破，没人替你想了，大家不得不自己动脑子了。另一方面，那么多的报纸杂志冒出来，有人付钱给你让你好好想想，不一样地想想。最后，现在都后现代了，人们时少事烦，没精力按过去的方式仰观天象俯思人生。再短一点，再快一点，方便面、麦当劳、流行歌曲、一夜情，小品文正好满足大家的要求，出个彩儿，晃你一下，就好了。然后你打开电脑，又该干正经工作了。

小品文从来不登堂入室。小品文不是满汉全席，不是金钟大吕，不是目不斜视的正室夫人。小品文是东直门的香辣蟹麻辣小龙虾，是《五更转》、《十八摸》，是苏小小不让摸的小手，是董小宛不让上的小床。文人们不可能靠小品文当一品大员或是进作家协会，但是他们靠小品文被后人记住。当他们的尸骨早已经成灰，他们的性情附在他们的小品文上，千古阴魂不散。

雪夜枕边读禁书

■
一、我的禁书生涯

　　世界原本是一盆清水，人类是一团墨汁儿。人类长在世界里，就像一团墨汁儿入清水，随着时间流逝，总是越来越浑，不会越来越清。不用看几百万年或者几十万年，回看我自己过去的二三十年，就知道这种混浊的过程有多快。

　　和现在这个后现代社会相比，过去的岁月总是简单、干净，所以美好。电视是小学高年级之后才有的东西，一个叫《敌营十八年》的五集电视剧是中国第一个电视连续剧，傻和不傻的人都追着看，仿佛二〇〇五年看超女。电影绝对主旋律，除了女特务，衣着都是大妈，没有一个女性角色可以入春梦。在街上抽烟闲逛的小孩儿都被定义为流氓，能搞来录像带和大饭店洗发水的都被定义为老大。录像带基本没有毛片，能辗转借来的毛片基本都是被翻录了四次的，基本上都是毛毛点点的画面，比马赛克还马赛克，基本上都是越南女人冒充中国女人，日本男人冒充禽兽。看这样的毛片需要超强的想象力，隔壁家的流氓兄弟刘二和刘三告诉我，他俩看多了这样的毛片，对光与影的感觉同梵·高一样敏感，看着春风里阳光下的杨树林，树影婆娑、毛毛点点，下身也能硬起来。电脑一直是新鲜玩意儿，高中时学BASIC编程，画个三角画个圆，到机房上机，要脱鞋，要换拖鞋，我人生第一次发现，不止男生脚臭，女生也脚臭。到了大学，十块钱买了第一张五寸软盘，我脸盘子那么大，我捧在手里，觉得真是高科技，不可思议，一个人一辈子写的文章都能装进里面去。实验室里拨号上网，163，拉上窗帘，打开视窗3.1，初次体验互联网，速度慢得出奇，半个小时，两百K的金发碧眼大乳美女还是只传过来上半身，我下半身硬了又软。

在那简单、干净、美好的过去岁月里，最丰富的情色教育来自于图书。

首先是语文课本。老师讲贾谊，《过秦论》，振长策而御宇内，说，策就是鞭，长策就是长鞭。我们班上的坏孩子接下茬，说，我鞭长莫及。学夏衍的《包身工》，"在离开别人头部不到一尺的马桶上很响地小便"，"半裸体地起来开门，拎着裤子争夺马桶"，我们班上的坏孩子告诉我，他没体会到包身工们的苦难生活，他闭着眼想象，觉得很淫荡。

其次是古籍。搞成简体横排出版的，一定都是删节版，删得文气全断，一只兔子，本来剪掉小鸡鸡就好，结果尾巴和耳朵都没被放过。二十册的李渔全集，有三册是李渔评金瓶梅，删节得几乎成了《论语》之类语录体文本。我发现的第一个漏儿是上海古籍出版社影印的三言二拍，因为影印所以没有删节，因为贵（硬皮装帧，五本一套），坏孩子买不起只有老干部买得起，所以没删，什么金海陵纵欲亡身，什么隋炀帝逸游召谴，都在。我跟我老妈说，我要买影印的三言二拍。我老妈问，为什么？我说，学习古汉语。我老妈问，学习古汉语为什么不买《十三经注疏》？我说，不能拔苗助长，汉语有演化的进程，由上古到中古到近古，诗经先秦散文汉赋唐诗宋词元曲明清小说，我要逆流而上，把握汉语的文脉，循序渐进，先看近古，也就是明清小说。我老妈问，为什么不买便宜的简体平装版？我说，要原汁原味，杨贵妃穿个带"劳动标兵"四个字的跨栏背心就勾引不了安禄山和李太白了。我老妈说，好，给你五十块，我一个月工资，别丢了。古籍读多了的好处是，我认识了繁体字，我读古汉语不用查字典了，我知道小鸡鸡三十种以上的小名，我看着繁体字的古汉语硬了起来，我不担心语文考试了。坏处是脑子搞坏了，相信因果报应，相信行房有害健康，相信手淫罪大恶极。

还有就是手抄本和西方小说。手抄本都不长，基本上在一万字以内，造福社会的坏孩子，一边抄一边硬，硬了又软，软了再硬，如是十几次，也就抄完了。手抄本，基本上都是抄在浅蓝色底儿的作业本上，这种作业本到了二十一世纪的北京，被小资必去的那些餐馆当成菜单，用来写满"陆羽飘香"、"非典岁月"之类菜名酒名。手抄本里，有的字，写得真好，甚至看得出家学，看得出敦煌小楷经书体的风骨。版本极其复杂，大体相近，细节千变万化，成因基本上就是抄写的人，抄得兴起，进行了二次创作，"乱扯小衣"四个字被心驰神荡地扩充成四百字。五四一代老翻译们老去之后，汉译西方文学名著基本不能看了，我被逼着读英文。王府井利生体育用品商店以南一点，有家外文书店，一楼卖正版字典，二楼卖盗版影印原文小说。小说印得很烂，但是便宜，不删节。站着看英译《十日谈》中，把魔鬼放进地狱的故事，二楼外面是初夏的午后，时间糨糊一样黏稠而缓慢，我忽然想起《诗经》曾经达到的好色而不淫的境界，街上人来人往，人人怀揣着一个善良的心和困惑的淫具，他们会因此发生各种事情，我感觉人生丰富而美好。

二、我的禁书理想

人过了三十，世事渐明，发现企业家基本是骗子，科学家基本是傻子，过去的理想都渐渐泯灭了，唯一不切实际的想法是，这辈子，我要写十本小说，其中一本是黄书，我想，这个功德，无量。

我上医学院的时候，管宿舍的王大爷一直喜欢古龙，不喜欢金庸，喜欢假古龙胜过真古龙。王大爷说，古龙比金庸会搞女人，金庸谈恋爱，古龙搞女人，恋爱没有女人久远，古龙更好看。王大爷说，假古龙，碰巧了，基本就是黄书啊，比真古龙好看。后来王大爷中了风，过了恢复期之后，言语更加无忌讳，劝我弃医从文。他看过我写的十页假古龙，他对我说，你行，你写凶杀色情都行。不写，浪费了。男怕入错行，女怕嫁错郎。你改行还来得及。比当医生还造福，能让那么多人高兴呢。要不毕业就先干几年皮科，治治性病，或者男科，看看阳痿，长长见识再改行。要不一边当医生，一边写，你肯定行，凶杀色情都行。你知道怎样叫有本事，写的东西能到街上报摊上卖，有本事。写凶杀，让我想磨菜刀，就练成了。写色情，要是让我还能，哈哈，儿子，你就练成了。江湖上你就能随便行走了。

我上完医学院之后的七年里，倒是写了两三个长篇小说，但是讲的都是被王大爷所不齿的爱情。有一天接到一个电话，张口说，他是我大爷，说他在我师弟们的宿舍里翻到我的书，封面太难看了，鸟屎绿，鸡屎黄。鸟屎绿的是《猪和蝴蝶》，鸡屎黄的是《十八岁给我一个姑娘》。王大爷说，什么给我个姑娘，到最后才脱下裤子，靠，脱的还是自己的裤子。王大爷问，你之后写什么啊？我说，没想好，一个想法是写些历史，从时间上看人性。王大爷说他不懂，他说，他再过一年八十大寿，他要我写本黄书送他。

我能想到的一个长篇黄色小说的题目是《色空》，写一个鱼玄机和一个方丈，小说的第一句话是：鱼玄机对色空长老说，要看我的裸体吗？小说单数章节写色，双数章节写空。我不知道，如果真写完给王大爷，他会不会明白这个奥妙，用他的第三条腿，跳着看。

黄书在哪里都是不能在街面上流淌的，我想，我可以把它放生到互联网，仿佛顺着河流放生一条金黄的鲤鱼，不署任何名字。所以，过五百年，文学史上，会说二十一世纪初期的冯唐，只有九部长篇传世，而不是十篇。

三、我的禁书书单

我列了之后，才发现好看的黄书是那么少，我开始理解王大爷的苦闷，开始觉得自己的禁书理想伟大。

1、《查泰莱夫人的情人》

高二的时候在书摊上第一次看到，湖南文艺出版社出的，印得极差，借出去两三次就散架了，怀疑是盗版。小说的结构精巧：以性交为结构骨架，九次性交，由初相见到高潮，由地升天，前无古人后无来者。

"她完全沉浸在一种温柔的喜悦中，像春天森林中的飒飒清风，迷蒙地、欢快地从含苞待放的花蕾中飘出……在她千丝万缕互相交汇的身体里，欲望的小鸟正做着美好的梦。"那时候初读，看到屈原从窗边走过，带着他那些穿兰蕙佩香草和他关系暧昧的女祭祀们。二〇〇〇年，读过亨利·米勒之后再读，觉得劳伦斯事儿逼，难怪早夭。

湖南文艺那版，很快就被禁了。二〇〇四年人民文学又出了一版，而且在三联书店卖。经过十几年改革开放，谁能说我们没有进步。

2、《亮出你的舌苔或空空荡荡》

一九八七年中间的一期《人民文学》，真的吓了我一跳。除了马建这篇《亮出你的舌苔或空空荡荡》，还有一篇我记不得的中篇，写种猪场的故事。

在写西藏的汉语里，最好的就是这篇《亮出你的舌苔或空空荡荡》，还有格非的《相遇》，而《相遇》是格非自己不可能超越的高度，他买再好的音响，再听交响乐，也没用。

最大的好处是，马建的这篇中篇仿佛用的不是汉语，写的环境仿佛不是人间，写的色情仿佛是担水吃饭。

3、《金瓶梅》

朴素老实，人情练达，世事洞明，我喜欢。《红楼梦》和它相比，就仿佛是琼瑶的《心有千千结》和简·奥斯汀的《傲慢与偏见》相比。一个文学女青年姐姐看完了问我，世界有这么坏吗？我说，不是坏啊，人就是这个样子啊。你现在走到大街上，如果掀开男人女人的脑子，掀开房间的屋顶，不会比《金瓶梅》那个时代纯净多少。

姿势齐全，角色齐全，了无忌讳，我喜欢。宿舍里流传过一个精华本，就是把齐鲁书社和人民文学版删节出去的内容集中起来放在十七页A4纸上。时间紧的时候，这个版本是很好的自摸伴侣。但是时间不紧的时候，看上去感觉如同扒光了的一小堆瓜子仁或者没了壳的蟹肉团，感觉有些嚼蜡。

4、《肉蒲团》

当初没有互联网，看的是从外教那里借来的英文翻译版。同期看的还有冯梦龙的三言和意大利的《十日谈》。后来出版的《李渔全集》里也没有《肉蒲团》，中文版最终是在互联网上补看的，感觉《肉蒲团》是我见过的行文最干净利落的中文长篇。

个人更喜欢《金瓶梅》。《肉蒲团》里，扒了裤子就干，肉的比例太多，会太腻，就像我老妈说的，即使包全肉的饺子，也要加大葱，这样才会香。《肉蒲团》里也有添加料，但是基本上是说教，啰里啰唆，为他写黄书的正义性找理论依据："……单说人生在世朝朝劳苦事事愁烦，没有一毫受用处，还亏那太古之世开天辟地的圣人制一件男女交媾之情，与人息息劳苦解解愁烦，不至十分憔悴。照拘儒说来，妇人腰下物乃生我之门，死我之户。据达者看来，人生在世若没有这件东西，只怕头发还早白几年，寿还略少几岁……"这些说教不是大葱，是猪油，比我老妈还老妈。还有就是不如《金瓶梅》丰富，姿势单调，基本上都是动下半身，不动口。内容单调，未央生的理想简单而无聊：要做世间第一个才子，要娶天下第一位佳人。从第三回开始，理想的前半截就基本不涉及了。

5、《北京故事》

最初在网上读的，真希望看到作者把这个好故事，加入细节，扩充成长篇。

看过电影《蓝宇》之后又重读了一遍。文章比电影好，文章里的文字粗糙得划眼睛，仿佛手抄本，但有真情在。真情不分男的和女的上床还是男的和男的上床，真情没有道理。电影好像用的是台湾的制作班底，精致了好多，但是真情淡了好多。奇怪的是，同样的故事，看粗糙的文字的时候，一点不觉得脏，看细致的电影画面，心里多少有些恶心。总之，北京的事儿，没在北京沉浮过几十年的人，拍不出那种绝对不寒碜的粗糙。

6、《在巴黎的屋顶下》

传说是一九四一年，洛杉矶书商以一页一元美金的报酬委托亨利·米勒写下此书，亨利·米勒用书款付了一年的房租，但是他从来没有公开承认过《在巴黎的屋顶下》是自己的作品。我翻前十页就知道，一定是这个老流氓，没跑。有些人有气质，无论怎么写，无论写什么，都是他们自己，喜欢他们这一口儿的人，都没办法拒绝。

亨利·米勒一辈子，思考，嫖妓，写作。写作的时候，基本搞不清楚自己是小说家还是思想家，后期作品尤其如此，比较难看。从这点上看，《在巴黎的屋顶下》非常干净，基本上就是小说家笔法，没什么思考，基本就是嫖妓。

好色而淫，悱怨而伤

　　小时候读古书，再大些读洋文，遇到不认识的字，我从来不查字典。如果不认识的字少，看看上下文，蒙出个大概意思。如果不认识的字多，索性大段跳过，反正不是高考试题、新婚必读，也不是我家的族谱。

　　《诗经》也是这样读的，连蒙带猜读《国风》，大段跳过《大雅》、《小雅》。《国风》写得真好，"有女怀春，吉士诱之"。和冯梦龙编的《挂枝儿》一样好，"怎如得俺行儿里座儿里茶儿里饭儿里眠儿里梦儿里醒儿里醉儿里想得你好慌"。和中学操场边上的厕所墙壁一样好，"校花奶胀，我想帮忙"。

　　之后看关于《国风》的书评，说《国风》"好色而不淫，悱怨而不伤"，心中充满疑问。如果"青青子衿，悠悠我心"不是"好色而淫"，"行迈靡靡，中心摇摇。知我者谓我心忧，不知我者谓我何求。悠悠苍天，此何人哉？"不是"悱怨而伤"，我真的不知道什么是"好色而淫，悱怨而伤"了。或许书评人是白痴，不知道长期"好色而不淫"是要憋出前列腺癌的，不知道长期"悱怨而不伤"是要促成精神分裂症的。或许书评人只是心好，珍爱文字，担心被封杀，给这些鲜活的文字续上一个光明的尾巴，不至于太明目张胆。

有一点是可以确定的，《国风》之后，这样"好色而淫，悱怨而伤"的文字在主渠道再也看不到了。《红楼梦》只是"好色"，《金瓶梅》、《肉蒲团》只是"淫"。杜牧、李商隐只是"悱怨"，屈原只是"伤"。现在的苏童、余华、贾平凹什么也不是，他们的文字扫过去，感觉好像在听高力士和杨玉环商量用什么姿势，真性情真本色的东西不知道什么时候早已被骗掉了。曾国藩的才气精力耗在了治世，文章实在一般。但是他大山大河走过，大军大事治过，见识一流。他说文字有四象，"所谓四象者，识广即太阴之属，气势即太阳之属，情韵少阴之属，趣味少阳之属"。其实，太阳、太阴的文字是治世的文字，与传世无关，与狭义的文学无关。如果纯看传世的文字，"好色"是少阴，"淫"是少阳，"悱怨"是少阴，"伤"是少阳。趋势是，上古以来，阴气渐重，阳气渐少，一言不合拔刀相向、两情相悦解开裤裆的精神越来越淡了。

《国风》之后，这样直指人心的文字继续隐忍恬退地生长在酒肆歌寮、床头巷陌、厕所墙壁、互联网络。

日本的文字是个特例，芥川龙之介、川端康成、三岛由纪夫，仿佛日本的庭院山水，相比中国本土，更好地继承了战汉盛唐的筋脉气血。

喜欢川端康成的沉静、收敛、准确、简要。"好色而淫，悱怨而伤"集中体现在他的《千只鹤》。茶道大师的儿子睡了父亲临终前钟爱的女人以及他同父异母的妹妹。后来那个女人相思太苦，死了。那个妹妹相思太苦，走了。那个阴魂不散的志野陶茶碗，碎了。一百页出头的文章，一上午读完，天忽然阴下来，云飞雨落，文字在纸面上跳动，双手按上去，还是按不住。那句恶俗的宋词涌上心头："问世间情是何物，直教生死相许？"

读书误我又一年

　　日复一日的上班下班，如厕吃饭，长胡子又刮脸，感觉自己原地转圈，世界无聊静止。但是一些小事物提醒你，世界其实是运动的，比如银行户头里逐渐减少的存款，比如脸皮上逐渐张大的毛孔，比如血管里逐渐下降的激素水平，比如脑海里逐渐黯淡的才气，比如心中逐渐模糊不清的一张张老情人的面孔和姓名。其实，自己是在原地下坠，世界无情运动。

　　街头竖起了圣诞树，编辑写电子邮件说，年终了，做小结了，一样提醒我，世界其实是运动的，一转眼一年就又没了。

　　二〇〇二年的读书，误我又一年。

　　二〇〇二年的读书让我更加怀疑读书的意义，感觉上比写书更加荒诞。写书至少反映自恋，至少意淫，至少宣泄。读书好像听房，心理阴暗而没有新意。二〇〇二年的读书，听到的声音嘹亮而不淫荡，古怪而不灵动。

　　也就是说，多数是垃圾。

第一种，洋垃圾。《魔戒》、《哈利·波特》，从洋文翻译过来并不证明不是垃圾。就像古龙抄袭《教父》写了《流星蝴蝶剑》，我不知道《魔戒》有没有抄袭《西游记》。可是好莱坞就是霸道，就着一本没头没尾的书，拍了一处没头没尾的电影，一大群人看了之后，没头没脑地找那个不存在的头和尾巴，电影没出来，于是买书看。我问老婆有什么观感，老婆说：魔戒耶！然后和我讲解钻石的4C，然后上网货比三家，然后要我的信用卡号码，然后没两天大钻戒就戴在手上，然后说，拔不下来了，魔戒耶！

第二种，画垃圾。"几米绘本"、《我的野生动物朋友》、《你今天心情好吗》，不说话并不证明不是垃圾。书商拿捏人性弱点，读图省力省心，半小时一本，"不能说我没读书呀？不能说我没提高呀？"街上很多美女从读图悟出真理，脸蛋打扮得漂漂亮亮的，头发散开来顺顺滑滑的，可以美目盼、巧笑倩，就是不开口说话。男生看上去也省力省心，不用谈人生谈理想谈国际国内形势，直接谈价钱就好。更恶心的是配上文字的图画书，比如曹聚仁的《湖上》、沈从文的《边城》。原文不错，至少明丽干净，图也不差，至少是山水。但是配在图片旁边的文字实在是太差了，让人想起来八十年代末、九十年代初浙江地区出的日记本，纸通常呈肉粉或屎绿色，封面印着"温馨"、"真情"之类的文字，每页都有一句闷骚的话，比如："你的心海是我的湖泊，每个夜晚我泛舟荡漾、浅吟低唱，每个清晨你会记得昨夜的梦吗？"

第三种，肉垃圾。《流星花园》、《周渝民》、《周杰伦》、《河莉秀》，还有假借人体艺术名义出版的各种人体画册（妇女们个个浓妆艳抹、胴体横陈，在深圳街边书报摊可以打散后零张单买）。《流星花园》最伟大的社会意义是解放了人们的思想，让人们认识到，男色，和红色、绿色、黄色、女色一样，也是一种颜色。爱美无罪，好色有理。

垃圾不如不读，人不如归去。可能是年纪大了，越来越死吃两三家小馆，一周两次，不醉不归。越来越守着十几年的老朋友，两周一次麻将，不"立（方言，即输光）"不归。越来越贪恋反复读过的老书。宋人说，半部《论语》安天下。闲的时候自己拉了个书单，十部而已，堆在床头，睡前翻翻。将来留给儿子，告诉他，读熟领会后，就能行走江湖，闯些浮名，挣些散碎银子。

王小波到底有多么伟大

最早读王小波，是七年前的事情了。书名《黄金时代》，华夏出版社出版，恶俗的封面，满纸屎黄。那时候的出版社编辑好像就这点想象力，书名叫《黄金时代》就得满封面鸟屎黄，书名叫《倩女幽魂》就得满封面鸡屎绿。一个叫王小波的汉子印在扉页上，就是那张日后满大街满书店都见得到的照片：太阳当头照，他站在莎士比亚故居门口，皱着眉，咧着嘴，叉着腰，穿着一件屎黄的T恤衫。简介上说这个王小波是个文坛外的文章高手，说还得了一个台湾的什么大奖。一个文学口味不俗的师姐把小说扔给我，说："值得一看，挺逗，坏起来和你挺像。"这个师姐曾经介绍我认识了库尔特·冯尼格和菲利·普罗斯，余华刚出道的时候，就被她认定是个好小伙子。我当时正在上厕所，我大便干燥，我老妈说因为我让她难产所以老天就让我大便干燥。我就在这种不愉快的干燥中一口气读完了《黄金时代》。当时，我有发现的快乐，仿佛阿基米德在澡堂子里发现了浮力定律，我差一点提了裤子狂奔到街上。

小波的好处显而易见。

第一，有趣味。这一点非常基本的阅读要求，长久以来对于我们是一种奢侈。好的文字，要挑战我们的大脑，触动我们的情感，颠覆我们的道德观。从我们小时候开始，写小说写散文写诗歌的叔叔大婶们患有永久性欣快症。他们眼里，黑夜不存在，天总是蓝蓝的，太阳公公慈祥地笑着。姑娘总是壮壮的，如果不是国民党特务的直系后代，新婚之夜一定会发现她还是黄花闺女。科普书多走《十万个为什么》、《动脑筋爷爷》一路，只会告诉你圆周率小数点之后两百位是什么，不会告诉你偷看到隔壁女孩洗澡为什么会心跳加快、手心出汗。王小波宣布，月亮也有暗面，破鞋妩媚得要命。读小波的文字，又一次证明了我的论点：女人没有鼻子也不能没有淫荡，男人没有阳具也不能没有脑子。男人的智慧一闪，仿佛钻石着光、春花带露、灿烂无比、蛊惑人心。

第二，说真话。这一点非常基本的做人作文要求，长久以来对于我们是一种奢侈。明白事理之后，我很快就意识到，如果我们将真实的生活写出来，只能被定性为下流文字，谢天谢地我们还有手抄本、地下刊物和互联网等大众传播形式。如果我们把真实的生活拍成电影，只能让倒霉的制片人将血本赔掉，好在我们还有电影节和世界各地的小众电影市场及艺术院线。中国前辈文章大师为子孙设计职业生涯，无一例外地强调，不要在文字上讨生涯，学些经世济民的理科学问。我言听计从，拼命抵制诱惑，不听从心灵召唤，不吃文字饭。所以才能口无遮拦，编辑要一千五百字，我淋漓而下两千字，写完扔给编辑去删节，自己提笔而立，为之四顾、为之踌躇满志。小波老兄，你为什么不听呢？否则何至于英年早逝，让鼠辈们少了让他们心烦的真话听？

第三，纯粹个人主义的边缘态度。这一点非常基本的成就文章大师的要求，长久以来已经绝少看到。文章需要寂寞，文章自古憎命达。生活在低处，生活在边缘，才能对现世若即若离、不助不忘，保持神志清醒。当宣传部长，给高力士写传，成不了文学大师。被贬边陲，给街头三陪写传，离文学大师近了一步。塞林格躲进深山，性欲难耐时才重现纽约街头，报摊买本三级杂志，给杂志封面上著名的美人打电话："我是写《麦田守望者》的塞林格，我想要和你睡觉。"小波也算是海归派鼻祖，八十年代就回国了，他不搞互联网公司圈钱，不进外企当洋买办，他只在北京街头浑身脏兮兮地晃悠。他写得最好的一篇杂文是《我为什么写作》，在那篇文章里，他从热力学熵定律的角度，阐述了做人的道理：有所不为，有所必为。

今年四月十一日，是王小波逝世五年祭。小波生前寂寞潦倒，死后嘈杂热闹。这些年，这些天，报纸杂志互联网拼命吹捧，小波的照片像影视名人商贾政要似的上了《三联周刊》的封面，一帮人还成立了"王小波门下走狗联盟"。我这个本来喜欢小波的人，开始产生疑问：小波到底有多么伟大？

小波的不足显而易见。

第一，文字寒碜。即使被人打闷棍，这一点我必须指明，否则标准混淆了，后代文艺爱好者无所适从。小波的文字，读上去，往好了说，像维多利亚时期的私小说，往老实说，像小学生作文或是手抄本。文字这件事，仿佛京戏或杂技或女性长乳房，需要幼功，少年时缺少熏陶和发展，长大再用功也没多大用。那些狂夸王小波文字好的，不知是无知还是别有用心。小波是个说真话的人，我们应该说真话，比如我们可以夸《北京故事》真情泣鬼神，但是不能夸它文字好。我们伟大的汉语完全可以更质感、更丰腴、更灵动。

第二，结构臃肿。即使是小波最好的小说《黄金时代》，结构也是异常臃肿。到了后来，无谓的重复已经显现作者精神错乱的先兆。就像小波自己说的，他早早就开始写小说，但是经常是写得断断续续、反反复复。小波式的重复好像街道协管治安的大妈、酷喜议论邻居房事的大嫂，和《诗经》的比兴手法没有任何联系。要不是小波意象奇特有趣，文章又不长，实在无法竟读。几十年后，如果我拿出小波的书给我的后代看，说这是我们时代的伟大杰作，我会感觉惭愧。

第三，流于趣味。小波成于趣味，也止于趣味。他在《红拂夜奔》的前言里说："我认为有趣像一个历史阶段，正在被超越。"这是小波的一厢情愿。除了趣味，小波没剩太多。除了《黄金时代》和《绿毛水怪》偶尔真情流露，没有见到大师应有的悲天悯人。至于思想，小波和他崇拜的人物，罗素、福柯、卡尔维诺等等，还有水平上的差距。

第四，缺少分量。小波只有三四本书遗世，而且多为中篇。虽然数量不等于伟大，但是数量反映力量。发现小波之后，我很快就不看了。三万字的中篇，只够搞定一个陈清扬，我还是喜欢看有七个老婆的韦小宝。

总之，小波的出现是个奇迹，他在文学史上完全可以备一品，但是还谈不上伟大。这一点，不应该因为小波的早逝而改变。我们不能形成一种恶俗的定式，如果想要嘈杂热闹，女作家一定要靠裸露下半身，男作家一定要一死了之。我们已经红了卫慧红了九丹，我们已经死了小波死了海子，这四件事，没一件是好事。

现代汉语文学才刚刚有了真正意义上的开始，小波就是这个好得不得了的开始。

《万物生长》初版后记

简单地说，这部小说是个失败。

本来想写出一个过程，但是只写出一种状态。本来想写出一个故事，但是只写出一段生活。本来想写出一个可爱的人物，但是这个人物总体上沾沾自喜、自鸣得意，一副欠抽的样子。

成长（时间）是长期困扰我的一个问题。在《万物生长》里，我尽力想描述一个成长过程，阐述过去、现在和将来的关系。我笔力有限，没能做到，我只表现出一种混沌状态，一个过程的横断面。想到的唯一解决办法，是在《万物生长》所处生长环节之前和之后，再各写一部长度相近的小说，三种状态，三个横断面，或许能给人一个完整过程的感觉。

至于没写出一个完整故事和一个可爱人物，不全是笔力不逮。我在满足读者阅读期待和还原生活之间，徘徊许久，最后选择了后者。真实的生活中，多数的故事并不完整，多数没发育成熟的人物有各种各样浑蛋的地方。即使造出来时间机器，重新过一遍充满遗憾的年少时光,不完整的故事还是不完整,混蛋的地方还要混蛋。所有的遗憾,一点不能改变。

对于描述长期困扰于心的东西,有两种截然相反的观点。一种认为,描述过后,脓水流尽,得解脱,得大自在。另一种认为,描述之后,诊断清楚,这种困扰,水流云在,成了一辈子的心症。我无法评说哪种观点更加正确。

如果你读完这本文字,回望或是展望自己的青春,感觉烦躁异常,感觉山非山、水非水,说明我的失败还不是彻底的失败,这本文字所做的努力,还有些存在的价值。

《万物生长》再版序

《万物生长》成书的过程很长。

"鸡头"开在一九九八年的夏天。当时刚念完八年的医学院，在七月的北京无聊地等着八月去美国体会资本主义的腐朽没落。那个夏天很热，死了好些白毛老头和小脚老太太，我在呼啸的电风扇前，想，写个什么吧，写了就忘了，到美国就是一个新开始。

"猪肚"填在一九九九年夏天。我在新泽西一个古老的医疗仪器公司实习，替他们理顺全球投标流程，小组里最年轻的莫妮卡比我大十五岁，公司的主要产品长期占领了世界百分之五十以上的市场，莫妮卡大姐对我说了一句很国企的话："你不要那么使劲干，否则我们压力很大。"所以我上班的时候上网，看新浪新闻，泡两个叫"新大陆"和"文艺复兴"的论坛。名字叫卡门的老板娘不懂中文，鼓励我："仔细看，中国医疗耗材的潜在市场很大。"公司在新泽西北部，是著名的白区，好的意大利餐馆到处都是。唯一一个号称中餐的馆子，大厨和伙计都是越南人冒充的，一句中文都不会，只会做酸辣汤和左公鸡，让我想起初中看的《金瓶梅》录像，也是越南人演的，里面的潘金莲除了微笑和叫床，一言不发。一个地方，如果没有便宜的小馆子可以喝大酒，喝完酒没有姑娘可以拉着手，口无遮拦，对于当时的我，就是监狱。所以我下班的时候，躲在饭店里写《万物生长》。

"猫尾"收在亚特兰大，用的是二○○○年冬天的三周假期。我给当时为我做出版代理的《格调》先生、师奶杀手、出版家石涛写电邮，说，下雪了，我窗外的松鼠们还没冻死。石涛说，他想起他在辛辛那提写作的时候，说，如果觉得文气已尽，当止就止。写完，我回到北京，当时电子书大佬"博库"还笔直地挺着，在长城饭店旁边的小长城酒家新春团拜，有酒有肉，我第一次见北京的作家们，感觉自己像是在凤凰窝里的一只小鸡。我第一次和作家们喝酒，就被一个叫艾丹的，一个叫张弛的，和一个叫狗子的，灌得平生第一次在睡觉以外的时间失去意识，停止思考。去协和医院洗胃，周围十几个医学院同学围着，我心想，将来这些人都是名教授大医生啊，我真牛啊。我事后才知道，这三个家伙，在公认的北京酒鬼好汉榜上分别排名第一、第二和第十一。石涛后来说，我倒下之前，拨了三个手机号码，一个接到留言机，一个说人在上海，最后一个没有通，他想知道，这三个人都是谁。艾丹后来说，我根本就不是他们灌的，是我自己灌的自己，两瓶大二锅头，一个小时就干了，心里不知道有什么想不开的事儿。

《万物生长》出书的过程同样漫长。二十几家出版社的编辑看过叫好之后，摇摇头说，"想骗成太监都不行，浑身都是小鸡鸡"。好事的勉强通过，呈送上级继续审批，我于是知道了出版社的组织结构和审批流程：编辑，编辑部主任，主编，社长。每个环节，都可以毙掉一本书。二十几家走过的好处是，在这个小圈子里有了口碑，一半以上的编辑写信，说，"真遗憾，下本书，收敛些，我们一定合作"。一年之后，纸书终于出来了，删改得尼姑不像尼姑，和尚不像和尚，封面为了掩人耳目，配合书名，做得好像教导群众如何施肥养花的科普读物。

现在回想写《万物生长》的时候，好像曾国藩初带兵，"不要钱，不怕死"，我心中了无羁绊、我行我素、无法无天。我甚至忘了早已经学会的好些小说技巧，后来回看我高一写的一个长篇，远比《万物生长》行文老练干净，更像能在《收获》发表的样子。我想，我是土鳖，别太苛求自己。跟生孩子一样，肚子里有要表达的东西，猫三狗四人十月，一直挺着，到时候自然有东西出来。写出来的东西，仿佛生出来的孩子，"儿孙自有儿孙福"，成什么样的气候，是他自己的造化了。

写完寄给我的医学院时候同宿舍的下铺，他当地时间早上五点给我打电话，说，看了一晚，决定留到女儿长到十八岁，给她看，原来老爸就是这样长大。寄给我过去的相好，她打来电话，一句话不说，停了一响，挂了。我当时想，《万物生长》不是我最好的东西，也一定不是我最差的东西，要是有十本类似的东西，我就不算是土鳖了吧，和作家们喝酒的时候也不用觍着脸皮不知羞耻了吧？

过了两年，初版的《万物生长》已经断货。E书先生、少妇杀手、出版家熊灿好事，说有热情出全本，让更多的人知道，有些人这样长大。我想，害别的书商也是害，不如害个有热情的。唯一提了一个要求，再版，原作一个字不能删，该是尼姑的地方是尼姑，该是和尚的地方是和尚。

是为序。

《十八岁给我一个姑娘》序

从时间上说，这篇东西是《万物生长》的前传。从内容上说，与《万物生长》没有任何关系。之后会写一篇《万物生长》的后传，写一个从北京到美国，混不下去再从美国回到北京的庸俗爱情故事，题目暂定为《北京，北京》。

《十八岁给我一个姑娘》的写作动机非常简单，在我完全忘记之前，记录我最初接触暴力和色情时的感觉。

十七八岁的男孩，斜背一个军挎，里面一叶菜刀。腰间挺挺的，中横一管阳物。一样的利器，捅进男人和女人的身体，是不一样的血红。

那时候，杂花生树，群莺乱飞。激素分泌正旺，脑子里又没有多少条条框框，上天下地，和飞禽走兽最接近。但是，这些灵动很快就被所谓的社会用大板砖拍了下去。双目圆睁、花枝招展，眼见着转瞬就败了。有了所谓社会经验的我，有一天跑到南京玩，偶然读到朱元璋写莫愁湖胜棋楼的对子："世事如棋，一着争来千古业；柔情似水，几时流尽六朝春。"当下如五雷轰顶：我操，又被这帮老少王八蛋们给骗了，朱元璋的对子白话直译就是：控制好激素水平，小心安命；埋首任事，老老实实打架泡妞。朱元璋是混出名头的小流氓，聚众滋事，娶丑老婆，残杀兄弟，利用宗教，招招上路而且经验丰富，他的话应该多少有些道理。

那时候，在北京晃荡，最常见的一个汉字就是"拆"。刷在墙上，多数出自工头的手笔，白颜色的，平头平脑，字的周围有时候还有个圈、打个叉。"拆"不是"破"，"拆"比"破"复杂些，不能简单地一刀捅进去，需要仔细。本来想抓来做书名，反映当时的活动和心情。但是书商嫌名字太平，而且也被一些现代艺术家反复使用。既不抓眼，又不原创，于是算了。

那时候，听崔健的歌，看他一身行头，像动不动就号称帮我打架的大哥。记得他有一句歌词，说有了一个机会，可以显示力量，"试一试第一次办事，就像你十八岁的时候，给你一个姑娘"。我感觉，改改，是个好的小说题目，决定拿过来用用。

《欢喜》代序：差一点成了忧伤的仲永

　　我写《十八岁给我一个姑娘》的初衷是，在我完全忘记之前，记录我最初接触暴力和色情时的感觉。但是，当我写到三分之一的时候，我发现，已经写晚了。尽管我有小时候的八本日记，有二十三岁的时候写的一个两万字中篇小说，但是，我想那个姑娘的时候，心跳再也到不了每分钟一百二十次，手指再也不微微颤抖。王朔写《动物凶猛》的时候，也反复在正文里怀疑并否定自己记忆和叙述的真实性，以致息淹雄心，把一个长篇的好素材弄成个中篇，硬生生结了尾巴。

　　我想到的补救办法是，全篇引入成年后回望少年时代的视角：书中的少年人偷窥当时周围的世界，写书的中年男子二十几年后偷窥书中的少年。姜文拍《阳光灿烂的日子》，在结尾用了一点点这样的处理：加长凯迪拉克转上建国门立交桥，长大了的混混们喝着人头马XO，看见儿时的傻子骑着棍子走过，傻子对他们的评价依旧：傻逼。

《十八岁给我一个姑娘》初稿完成，我换了工作，换了城市。原来在北京的房子大，四壁都是书架。香港的房子比我原来的厕所大点有限，睡了人就不能再放书。我把所有的书装了四十四个大纸箱，四吨多，堆到大哥家某间十几平方米的空房。

"地板禁得住嘛？"我问。

"没问题。塌了也砸死楼下的。"我哥说。

我大哥赋闲在家，我说，别无聊，你每年打开一个书箱，全部读了。四十四箱书读完，你就成为一个幸福的人，一个脱离了低级趣味的人，一个快要告别人世的人。

在书籍装箱的过程中，我找到自己一堆手稿，搞不清楚是过去的情书还是无病呻吟的文字，反正都没兴趣，飞快收拾起来，免得老婆看见生事儿。有过教训：我一个学计算机的朋友，被老婆发现他大学时代写给其他姑娘的情诗，勒令三天之内写出十首新情诗献给老婆，要比舒婷写得好，诗里还不能有"0"或"1"。

修改《十八岁给我一个姑娘》的时候，我明白，这是我最后一个机会谈论这个主题，忽然想起那些手稿，想找出来看看有哪些素材可以废物利用。于是，二〇〇四年三月，在我满三十三周岁之前，我发现了一部我十七岁时候写的长篇小说：蓝黑钢笔水写满的三百二十七页浅绿色稿纸，封存在一个巨大的牛皮纸袋子里，竟然是个结构和故事极其完整的长篇小说，不可割断，不可截取，《十八岁给我一个姑娘》几乎一点也用不上。

奇怪的是，十六年之后，我对这本长篇小说的记忆几乎丧失，什么时候写的？为什么写？当时的情景如何？那个女主角叫什么名字？为什么全部忘记了？我无法回答，甚至那些蓝黑钢笔水的字迹和我现在的字体都有了本质的差别，要不是小说结尾清晰写着八九年九月，要不是手稿沉甸甸攥在我手里，我不敢相信这个东西是我的。我心虚地举目四望，周围鬼影幢幢，我看见我的真魂从我的脚趾慢慢飘散，离开我的身体，门外一声猫叫。

我托人将手稿带给出版家熊灿，他说找人录入。他是个有明显窥阴癖倾向的人，在录入之前就偷偷看了手稿。打来电话："你丫小的时候，写的小说很有意思。有种怪怪的味道，说不出来。"

"我打算友情出让给我的小外甥王雨农，让他用这本书和他七岁的傲人年纪，灭了韩寒和郭敬明，灭了王蒙的《青春万岁》。"

"不好。浪费了。要你自己用。简直就是《阳光灿烂的日子》的阴柔纯情版哦。"

"你觉得比《十八岁给我一个姑娘》还好？"

"比《十八岁给我一个姑娘》真实哦，简直就是活化石，恐龙蛋，有标本价值。你现在和王朔当年一样，记忆都有了变形。嘿，总之，比《十八岁给我一个姑娘》强。"

"你是说我这之后的十六年白活了，功夫白练了。日你全家。"

"你的孤本在我手上哦，语言要检点哦。毁了之后，没有任何人能再写出来哦。"

"北京是个有所有可能的地方，我的手稿少了一页，就找人剁掉你一个指头，少了十页，就剁掉十个指头，少了十一页，就剁掉你的小鸡鸡。"

择了个吉日，我重新校对了一遍。我不相信熊灿的判断，我自己的判断是，优点和不足同样明显。小说语言清新，技巧圆熟，人物和故事完整，比我现在的东西更像传统意义上的小说。对少年的描写，细腻嚣张，是我在其他地方从来没有见过的，我现在肯定写不出。但是，思想和情感时常幼稚可笑，如果拿出来，必然被满街的男女流氓所伤害。

我有过多次冲动，想动手修改这篇少年时的作品，按照现在的理解，掩饰不足，彰显优点。但是每次尝试都以失败告终，稍稍动手就觉得不对劲儿。思量再三，决定放弃修改，仿佛拿到一块商周古玉，再伤再残，也绝不动碾玉砣子，防止不伦不类。等到我奠定了在街面上的混混地位或是四十多岁心脏病发作辞世，再拿出来，一定强过王小波的《绿毛水怪》和《黑铁时代》。随手给这个长篇起了个名字，叫做《欢喜》。也只有那个年代和年纪，有真正的欢喜。

最后，打电话给大哥，开箱翻书的时候一定留神，要是再发现整本的手稿一定要告诉我。没准在那四十四个大箱子里，还隐藏着我少年时代写成的另外三四个长篇小说。幸亏这些小说当时没有在街面上流行，否则作者现在就是另外一个忧伤的仲永。

《不二》代后记：我为什么写黄书

有某个女性读者朋友问："我不奇怪你会写黄书，但是你为什么要写黄书？只是为了发泄吗？为什么啊？啊？"

有某个女作家一针见血地指出："你的核心读者群是三十五岁到五十五岁的中年妇女，他们正在相夫教子，和绝经和绝望搏斗，渴望爱情。她们需要的是浪漫爱情和到深情拥抱为止的性幻想，不是黄书，你这样转型，是自掘坟墓。"

实际情况是，从二十多年前我倒腾汉字开始，我写作从来不是为了功名利禄、经世济民、传道解惑、净化心灵，从来都是为了发泄，从来都是被使命驱动、神鬼附体、龙蛇入笔，从来都是为了一些细碎的、肿胀的、一闪一闪无足重轻的原因。瞬息间我也羡慕过靠写作一年挣成岭成山的银子，名气大到需要戴墨镜上街，签名售书时千万双手在面前挥舞，被扔臭鸡蛋、可口可乐或花朵的人，但是那些只是瞬息间。更多的时候，我告诫自己，最不能忘记的是写作带给我的单纯的细碎的离地半尺的快乐。我的脑袋是炼丹炉，不是必胜客的烤箱。刘勰评价作为最好中文之一的《乐府》，"志不出于淫荡，辞不离于哀思"。欧阳修评价自己，"书有未曾经我读，事无不可对人言"。我告诫自己，淫荡书卷，这样的志向已经够高了，我没有更高的志向。

总结我写黄书的动机如下：

第一，自《肉蒲团》之后，过去二百年中，没有出现过好的汉语黄书。即使是李渔的《肉蒲团》，也是唠唠叨叨，认识水平低下。总共二十章，论证自己是佛教启蒙读物而不是黄书就用了前三章，论证使用女人伤身体又用了三章，论证因果报应又用了三章。

第二，写黄书不易。写得不脏，和吃饭、喝水、晒太阳、睡午觉一样简单美好，更难。手上正在写的这个《不二》是按这个要求做的一个尝试。

第三，小时候壮烈装逼成长时，常看文艺片，惊诧于人类头脑的变态程度，也常看毛片，听说自摸严重危害健康而惶恐终日。总想，为什么暴风雨不能来得更猛烈些呢？为什么美好的文艺片和美好的毛片不能掺在一起？这样，会不会给人们一个关于美好生活的全貌？具体操作时，才发现，这是一个巨大的挑战，灵肉过渡的别扭程度，远远大于清醒和入睡，稍稍小于生与死。

第四，眼看快四十岁了，现在不写，再过几年，心贼僵死，喝粥漏米，见姑娘只想摸摸小手，人世间就再也不会有这样的十万字了。现代医学看得仔细，男人也有绝经期，"老骥明知桑榆晚，不用扬鞭自奋蹄"。

第五，我们下一代这么美好，如果都靠看非我族类的日本ＡＶ和非我教义的基督教派的《查泰莱夫人的情人》和《巴黎屋顶下》启蒙，作为中文作家，我内疚。

第六，希望在过程中自我治疗好过早到来的中年危机和抑郁症。

至于这本黄书的风格，我是经过反复摸索的。

首先，写完《北京，北京》之后，我决定不再写基于个人经历的小说了。基本意思已经点到。对于成长这个主题，《北京三部曲》竖在那里，也够后两百年的同道们攀登一阵子了。

在成长之外，我决定写我最着迷的事物。通过历史上的怪力乱神折射时间和空间范围内的谬误和真理。先写《子不语》三部。第一部，《不二》，着重于"乱和神"，色情和宗教，背景是初唐。第二部，《天下卵》，着重于"力"，凶杀和色情，背景是辽金元。第三部，《安阳》，着重于"怪"，医学、巫术和古器物制作，科学的诞生，背景是夏商。

开始构思《不二》的时候，想分甲乙卷，甲卷写禅宗在中晚唐的西安，乙卷写禅宗在中晚唐的敦煌。甲卷纯色情，乙卷纯精神。甲卷色情到估计在网上也贴不了了，乙卷精神到或许只有北医六院（简称"神六"）的病友能有耐心从头读到尾了。但是写作过程中，越来越觉得这样太装逼，太"二"了。决定还是按现在这个样子，合在一起写，淋漓而下，意进而止。听说二月十四日也被定成了国际癫痫日，看来人同此心，心同此理。

过程中发现，我一不留神，又把黄书写成了情书，恰恰符合可以正式放到报纸标题的那个词汇"情色"。看来读者群的确存在细分，《肉蒲团》服务于手淫，《不二》服务于意淫。我不和李渔争夺反革命手淫犯了，我也争不过。

过程中发现，这本书的流传很可能让我多了一种精神和世俗掺杂的死法：被没参透的佛教徒打死。这个世界，任何时候，参透的佛教徒都远远少于没参透的。如果我写的不是佛教而是回教或者基督教，这种死法的可能性几乎是百分之百。我甚至梦见，我被棍僧乱棍打死在中非的草原上，秃鹫就在天空飞。

过程中发现，编故事，其实不难，难的还是杯子里的酒和药和风骨，是否丰腴、温暖、诡异、精细。

是为后记。

一个人的二十四史

一、时代

    过了三十五岁之后，一年里会有一两天，再累也睡不着觉，还有好些事儿没做却什么都不想做，胡乱想起星空、道德律、过去的时光和将来的无意义等等不靠谱的事情。这样的一天晚上，我坐在上海人民广场旁边一家酒店的窗台上，五十几层，七八米宽的玻璃窗户，下面灯红酒绿，比天上亮堂多了，显示我们中华崛起过程中的繁荣，仿西汉铜镜造型的上海博物馆更像个有提梁的尿壶，射灯打上去，棕黄色的建筑立面恍惚黄铜质地。

    心想，这是一个什么样的时代啊，没有比现在的人类更变态的物种了。夜晚应该黑暗，眼睛发出绿光仰望天空，现在的人发明了电灯。双腿应该行走，周围有花和树木，现在的人发明了汽车。山应该是最高的，爬上去低下头看到海洋，现在的人发明了高楼。人应该凑在一起，坐在相对宽敞的户外，头上有天，心里无事，没有主题地聊天，现在的人发明了互联网。

二、历史

我不喜欢旅游，喜欢读历史。旅游仿佛如船行海面，基本不知道下面有什么。看看天海苍茫，感叹一下，或者晕一下船，说自己经历了痛苦。历史里杀人越货、怪力乱神，有虚假和夸张，也说不清楚对错和美丑，但是读多了，真相重叠，我能明白它要说什么。

我老妈喜欢旅游。我问："为什么啊？"我老妈说："以后别人问起来，去过纽约吗？去过！去过华盛顿吗？去过！去过欧洲吗？去过！"我问："去过又怎么样呢？"我老妈想了想："去过，懂吗？你去过吗？他去过吗？我去过！"后来，我开一辆二手别克车，拉我老妈走八十号公路北上，到华盛顿和纽约，一路上她在车后排睡觉，到了地方照相，然后就吵吵着要回去。再后来，她自己参团，欧洲十日十三国游。我给她买了个数码相机，设置成最傻瓜，反反复复教，回来之后，所有的照片还是曝光过度、焦距模糊。"你瞧瞧你这个傻逼破相机，但是我去过了，欧洲！"我老妈说。

看历史的习惯形成得很早。小学后三年的数学和语文是一个大右派恩师教的，他文革前就是高中数学高级教师了，文革时候发现出身太差而且习惯性勾引妇女，没在城市挨打，被下放到小学。那时候，毛泽东诗选和李白诗集和鲁迅骂人话是优秀汉语的标准品。我恩师说，别总背诵这些骂人话和诗了，很容易变成疯子、傻子和白痴的。也别看经、子、集，除了两三个人的几百句话，其他基本都是缺少独立精神、自由思想，基本都是庸人和死人写的。中国的历史记录牛逼，没有任何其他一个民族能比，从东周开始，每个月都有相当明确的记录。看过去的东西，着重看事实，不要看过去文人的总结归纳分析判断，自己动脑子做自己的思考。我于是开始从《史记》开始，读《二十四史》。

读史的习惯形成前后，对我造成三个长期的影响。

第一影响是曾经中了封建主义帝王将相的毒，一个恍惚，还是往疯子、傻子和白痴的方向出溜，脑子里涌出壮丽而空洞的句子，"立德立功立言"，"男儿何不带吴钩"，"生当作人杰，死亦为鬼雄"，"得志则行天下，不得志则独善其身"等等。把历史书当成练习题集读，看完情景描述，大殿上大臣禀报，掩住后面，自己脑子里总结利弊，先做判断，再看历史上真实的决定是什么，后果是什么。一个额外的发现是，好的史笔需要无动于衷，不能在描述情景时就表现出倾向性，暗示答案，仿佛好的习题集不能这样编撰。十几年这种历史习题集的训练之后，我再去读美国的商学院，发现除了一些名词和金融会计知识，其他是如此的小儿科。

第二个影响是爱上古器物。最开始是玉器。主要目的是为了更好地理解不同的朝代，那时候的中国人怎么想象、怎么审美、怎么操刀，实物在手，容易体会。玉器是中国人灵魂级工艺品，比青铜早，比文字早，从新石器到夏朝到民国，绵延不绝，相当主流。在中国文化中，没有其他任何器物有类似的特质，青铜器和陶器汉代以后就基本不用了，瓷器是宋代以后才开始，硬木家具要到明朝才兴盛。玉器另外一个好处就是便于携带，脖子上、手上、腰间，过机场安检，警报不响，摸上去和千年前一样温润，一个恍惚，左脚踏进唐初长安的春明门。后来喜欢上实用器，文房、家具、象棋、围棋、麻将。乾嘉盛世，大清国仿佛现在的美国，GDP占全球的百分之二十以上，吃有机食品，用心用功做平常用的物件。

第三个影响是长久地迷恋文章。写文章的过程中，历史感在最开始是潜意识的。写《万物生长》是"为了忘记的纪念"，写个十来万字，忘记一个人，一段时间。等写《十八岁给我一个姑娘》和《北京，北京》的时候，就已经在写自己的改革开放史了。从公元一九八五年到二〇〇〇年，十五年改革开放，一个少年从十五岁长到三十岁，外部是飞快变化的三环路、北京和中华人民共和国，内部是飞快生长的肉身，中间被锻轧锤炼的是情感、情欲、人生观、世界观。正是这种无意识的历史写作，解除了我帝王将相的毒。历史就像成年人打架，每个人都有每个人的道理，彼此的道理没有大小，胜负成败和道理没有关系。个人和体制相比，永远弱小。鸡蛋和石头相比，鸡蛋永远呆傻。不如归去，换了浅吟低唱。好的文字，从现在直到千百年后，和古玉等古器物一样，冷僻但是绵延不绝。甚至更好携带，脑子里、心上、裆下，过测谎仪，警报都不响，一个恍惚，跨进另一个人的肉身。小就是大，弱定胜强，让强大得不能弱小的人去做国师吧。

■

三、一个人的二十四史

所以在《北京三部曲》之后，我决定有意识地用自己的方式书写历史，一刀切下去，只管自己，不管他人和市场，只管瞬间圆满，不管往高处带人，只管宿命，不贪财名，不怕死。

至于写作的顺序，本来的设想是先挑口最重和我最着迷的题材写三个长篇，构成《怪力乱神》三部曲。第一部，《不二》，着重于"乱和神"，色情和宗教，一个禅宗和尚的得道，背景是初中唐。第二部，《天下卵》，着重于"力"，权利斗争，一个太监的专权，背景是辽金元。第三部，《安阳》，着重于"怪"，医学、巫术和古器物制作，一个贞人的使命，背景是夏商。然后再在剩下的朝代里，挑个感兴趣的人物，挑他十几个让我内心肿胀的瞬间，一朝一朝，按照我一个人的理解，恶狠狠地写下去，比如创立战略管理咨询公司的孔丘，比如小资产阶级色情享乐狂李渔，比如呕心沥血管理国企的李鸿章，比如跨满清和民国两个世界，站着和坐着一样高大的袁世凯。这样一来，就有《二十四史》加现代史和当代史需要书写，我就有了两辈子也做不完的事情。

《不二》的预付稿酬早就收了，答应在二〇〇九年底交稿。利用假期，躲在美国乡下赶稿子，写完了《不二》的中篇梗概。我老妈在院子里种黄瓜，忽然问："我死了，你会想我吗？"声音很小，我还是听到了。我老妈没等我回答，接着问："我翻了你的公文包，除了三个电话和两个电脑之外，里面有眼药水，估计看电脑多了，眼睛累的时候滴的。还有巧克力棒，错过了吃饭，饿急了的时候吃的。还有润唇膏，开会说话多了，嘴唇裂了，抹的。还有呕吐袋，脑子使多了，想吐的时候接着。你会不会很快累死啊？"没等我回答，我老妈接着问："你哥打来电话，说你在写关于和尚的黄书，小心和尚啊，比好看姑娘和胖子更可怕。你这样敞开儿了撒了欢儿地写，发表之后，会不会被和尚闷棍打死啊？"

所以我决定，在写完《不二》之后，停下《怪力乱神》剩下两部的写作，在我老妈仙去之前，先写完《垂杨柳》这个以我老妈为中心人物的当代史。

位于北京广渠门外的垂杨柳是我的小宇宙。清朝时候这里是养鹿和养马的地方，二十世纪末的时候还有两个车站叫鹿圈和马圈。建国初，这里的定位是重工业区，重炮、吉普、坦克都可以造。北边是铁路和现在的CBD。南边是农村和水塘，有鱼、蜻蜓、蝴蝶。西边是城里，骑车几分钟就到天坛。东边是化工业区，骑车几分钟鼻子里就有氨水味道。我打算以这个地方为中心，从一九四九年写到二〇〇九年。一共六十年，一共六十章。每章开头都从那年一月一号人民日报新年社论摘一段最具时代特征的段落，之后就是我老妈唠叨，在她的记忆里，那一年的心事、家事和天下事。费了些周折，这六十年的人民日报也影印齐了。国内的图书馆，托关系走后门，死活借不出文革十年一月一号的人民日报（知耻之后，勇还有多远？），也死活借不出一九八九年一月一号的人民日报（智力水平有问题，其实该藏匿的是一九九零年一月一号的）。这些，在香港的公立图书馆都轻易补齐了。数码录音笔早就买好了，还买好了4G的记忆棒、一大盒七号电池和几箱红酒白酒，找一段相对完整的时间，我要录下我老妈对于这六十年的唠叨，然后用最不破坏气韵的方式转化成文字。

我想，理想应该充分大于现实，尽管我一定写不完我一个人的二十四史，但是最差最差，我发表了《不二》，写完了《垂杨柳》，在我老妈仙去之前，被和尚打死，成为中国历史上第一个因为宗教原因被杀掉的写作者。这样的命运，遗憾不大，我可以接受。

你一定要少读董桥

在走过的城市里，香港最让我体会后现代。我对后现代的定义非常简单：不关注外在社会，不关注内在灵魂，直指本能和人心，仿佛在更高的一个物质层次回到上古时代。

在长江中心的二十五层看中环，皇后大道上，路人如蚂蚁，耳朵里塞着耳机，面无表情，汽车如甲虫，连朝天的一面都印着屈臣氏和汤告鲁斯（大陆译为汤姆·克鲁斯）新片《最后的武士》的广告。路人和汽车，都仿佛某个巨型机器上的细小齿轮，高效率高密度地来来往往、涌来涌去，心中绝对没有宏伟的理想和切肤的苦难。绝大多数人的目的简洁明了：衣食住行、吃喝嫖赌，团结起来为了明天，明天会更美好。

所以很容易说香港没文化，是个钱堆起来的沙漠。这个我不同意。香港至少还有大胖子才子王晶、陈果，还有酷哥黄秋生、曾志伟。但是，这样的地方不容易长出像样的文字。李碧华是异数。即使中非某个食人部落，几十年也出一个女巫，善梦呓，句式长短有致，翻译成汉语，才情不输李清照。

有人会说，香港有金庸。可是，金庸有文化吗？除去韦小宝的典型性直逼阿Q，其他文字在文学史上的地位略同《七侠五义》，低于《水浒传》。而且，金庸的幼功是在大陆时练成的，和国民党的教育有千丝万缕的联系，到了香港以后，基本是输出。

还有人会说，香港有董桥。

董桥的背景灿烂：台湾外国语文学系的科班、伦敦大学的访问学者、美国新闻处《今日美国》丛书编辑、英国BBC时评员、《明报月刊》总编辑、《读者文摘》中文版总编辑、中年藏书家、英国藏书票协会会员。在海外，有苏柳鼓吹；在大陆，有陈子善呐喊。苏柳写过一篇文章，陈子善编过一本文集，题目都叫《你一定要读董桥》。如果评小资必读作家，董桥必列其中。

董桥的好处，反反复复说，无非两点：文字和古意。

董桥的文字，往好了说，仿佛涂鸦癖乾隆的字，甜腻。仿佛甜点，吃一牙，有滋味。吃几坨，倒胃口，坏牙齿。比如："笔底斑驳的记忆和苍茫的留恋，偶然竟渗出一点诗的消息。"比如："窗竹摇影，野泉滴砚的少年光景挥之不去，电脑键盘敲打文学的年代来了，心中向往的竟还是青帘沽山，红日赏花的幽情。"比如写吴姓女高官："那样的姓氏，描画的注定是唐朝当风的吴带。圜转的美姿，飘举的美服，不像出水的曹衣那般又紧又窄，像的是苏曼殊笔下静子手持那帧缋绢的仕女，一袭碧罗散发万种消息，怨不得记者会上那个俄罗斯大胡子记者忍不住问她可不可以吻她一下，她立刻用俄语说：当然可以！"比如写张国荣："古典的五官配上玲珑的忧郁，造就的是庸碌红尘中久违的精致：柔美的围巾裹着微烧的娇宠，矜贵的酒杯摇落千载的幽怨。暮色里，晚春的落花凝成一出无声无色的默片，没有剧本，不必排练，只凭一个飞姿，整座抱慈的悉城顿时激起一串凄美的惊梦……"

其实写这种东西，用不着董桥。我见过几个以写青春美文出名的东北糙汉，经常在《希望》、《女友》之类的时尚杂志上发文章。听说冬天三个星期洗一次澡，夏天两个星期洗一次澡，腋臭扑鼻，鼻毛浓重。他们张口就是："紫色的天空上下着玫瑰色的小雨，我从单杠上摔了下来，先看见了星星，然后就看见了你。"

董桥小六十的时候，自己交代："我扎扎实实用功了几十年，我正正直直生活了几十年，我计计较较衡量了每一个字，我没有辜负签上我的名字的每一篇文字。"他一定得意他的文字，写过两篇散文，一篇叫《锻句炼字是礼貌》，另一篇叫《文字是肉做的》。这些话，听得我毛骨悚然。好像面对一张大白脸，听一个六十岁的艺妓说："我扎扎实实用功了几十年，我正正直直生活了几十年，我计计较较每天画我的脸，一丝不苟，笔无虚落，我没有辜负见过我脸蛋上的肉的每一个人。"

文字是指月的手指，董桥缺个禅师帮他看见月亮。意淫的过程中，月上柳梢头，在董桥正指点的时候，禅师手起刀落，剁掉他指月的手指。大拇指指月就剁大拇指，中指指月就剁中指，董桥就看见月亮了。

董桥刻过一枚"董桥依恋旧时月色"的闲章，想是从锻句炼字中感觉到旧时的美好。旧时的美好还延伸到文字之外的东西：比如"鲁迅的小楷，知堂的诗笺，胡适的少作，直至郁达夫的残酒，林语堂的烟丝，徐志摩的围巾，梁实秋的眼镜，张爱玲的发夹"。这些"古意",又反过来渗入董桥的文章,叫好的人说恍惚间仿佛晚明文气重现。

学古者昌,似古者亡。宋人写不了唐诗,元人写不了宋词。忽必烈说:文明只能强奸掠夺,不能抚摩沉溺。周树人的文字,凌厉如青铜器;周作人的文字,内敛如定窑瓷器。他们用功的地方不是如皮肉的文字本身,而是皮肉下面的骨头、心肝、脑浆。

其实,香港的饮食业,天下第一。对于香港,不要苛求。少读董桥肉肉的文字,多去湾仔一家叫"肥肥"的潮州火锅,他们肉肉的牛肉丸实在好吃。

愤青曾国藩的自我完善之路

曾国藩牛逼。

饱暖后，思淫。精溢后，希望如何能死而不朽。鲁叔孙豹在《左传》里这样给不朽分类和定义："太上有立德，其次有立功，其次有立言，虽久不废，此之谓不朽。"而不朽到底有什么用，没人说得清楚，就像为什么姑娘长成那个样子就好看，没人说得清楚一样。应该又是上天造人的时候，在人脑操作系统里留下的一个命门，同名利财色福寿禄等等幻象一样猫抓狗刨人心，什么时候捅，都是肿痛。对于一些所谓刀枪不入的人，不朽甚至比名利财色福寿禄更厉害，不用鸦片或者大麻之类的生物碱，也让这类人上瘾和入迷。

曾国藩牛啊，把自己的肉身当成蜡烛，剁开两节，四个端点，点燃四个火苗燃烧，在通往牛逼的仄仄石板路上发足狂奔。一个人在短短六十一年的阳寿中实现了全部三类不朽。有个对联高度概括曾国藩的一生：立德立功立言三不朽，为师为将为相一完人。

立德。如果抛开时代限制，曾国藩弥补了诸多孔丘的不足，比孟轲更有资格评选亚圣。孔丘这个倔老头创建儒学的时候，办公条件简陋，手下三千门徒既懒惰又没出息，造成以《论语》传世的二万四千字理论体系有三个明显的不足。第一，没有成功人士作为理论的形象代言人。孔丘自己作为一个政治咨询顾问游走各个诸侯国，被君王们怀疑没有速效，被地痞追打，业务始终开展乏力。孔丘死后，也没有什么人因为身体力行其理论，吃上最大的黄花鱼坐上最豪华的五花牛车，没有超级成功个案的励志型理论缺乏实践吸引性。第二，没有很好的编写理论教材。《论语》是本优点和缺点同样明显的书。优点是孔丘这个倔老头的教导和体会，干贝鱼翅鲍鱼燕窝，一句是一句，全是干货，不掺一点水分，几乎每句都能通过灌水成为一部长篇小说。缺点是毫无组织，毫无主题。胡乱将这些干货分了二十章，然后从每一章第一句话中随便挑出两个字，当成本章的题目，比如"学而"，比如"八佾"，太懒惰了吧？孔丘给自己的定位毕竟不同于亨利·米勒，不能用同样的写法吧？第三，没有很好地与时俱进，根据时代的要求丰富理论的应用。孔丘那时候，没有想象到工业革命，外族入侵，邪教猖獗，帝国官僚体系庞大，鸦片梅毒随风飘扬等等一系列困扰近现代中国人的问题。后学青年曾国藩在苦修敏行孔丘儒学的基础上，拿庄周老聃来泻火，平衡心态；拿大禹墨翟来强筋，增加实用性。用他位极人臣的事实和修订精良的《曾文正公全集》，证明儒学可以致事功，儒学可以更丰富更实用，儒学可以与时俱进，漂亮地解决现代问题，从而在很大程度上弥补了孔丘时代儒学的三方面不足。尽管谈不上像德国哲学家那样构建完整逻辑理论体系，至少，普及本《曾文正公嘉言钞》有了大致准确的归类：治身，治学，治家，治世，治政，治军。

而曾国藩自己在三十八岁时编写的《曾氏家训》，也按修身、齐家、治国三门，分成了三十二目。

立功。曾国藩的简历明摆着：二十八岁，中进士，授翰林院庶吉士，散馆后授检讨(官名，正处级吧)，之后在京十年七迁，连升十级。先后任四川乡试正考官、翰林院侍讲学士、内阁学士等（应该算正厅局级吧）、礼部右侍郎，历署兵、工、刑、吏等部侍郎（应该算副部级吧）。四十三岁，组建湘军。十一年之后，曾国藩五十四岁，湘军攻陷天京。五十五岁，创建江南制造总局。六十岁处理天津教案。六十一岁，提出在美国设立"中国留学生事务所"，病死于两江督署。曾国藩为师为将为相的经历验证了两个事情，第一，通才是存在的，人事练达，世事洞明，依靠常识百事可做。无论是抓黄赌毒还是整饬经济外交军事教育，里面贯穿着一条永远闪光的金线。第二，做事是硬道理。如果想立事功，不要总在集团总部务虚，到前线去，到二级公司去，真正柴米油盐酱醋茶，对付痞子混子傻子疯子，对一张完整明确的损益表负责。我唯一好奇的是，曾国藩有没有想过进一步做秦皇汉武，仿照赵匡胤，找件黄坎肩披披。曾国藩破天京之后，有条件：天下能打的兵百分之八十是他直接或间接带出来的。有说法："春秋大义别华夷"，"志在攘夷愿未酬"。有人教唆：野史讲，李秀成被俘后，很快和曾国藩进行了对话节目，在对话中涉及联合湘军和李秀成能控制的太平天国力量，驱除鞑虏，恢复中华，并写了几万字的心得。最后的结果是，曾国藩在俘获李秀成之后十六天，没有请示总部，杀了李秀成，上报总部的数万字供词，真伪难辨。曾国藩培养出来的李鸿章是极少数有见识又有胆量能指出他缺点的人之一，"少荃论余之短处，总是儒缓"。

立言。曾国藩初到京城，太平天国还没火爆，立德又太遥远太近乎扯淡。他最初的理想是以文章闻名于朝野，一扫文坛的颓风，做个愤怒的文青："少年不可怕丑，须有狂者进取之趣，此时不试为之，则后此将不肯为矣。"他的目标很高："有所谓躬行实践者，始知范、韩可学而至也，马迁、韩愈亦可学而至也，程、朱亦可学而至也。"总之，听上去像我们小时候常唱的歌词：当阳光照耀的时候，就该梦想，就该歌唱。但是，如果心平气和地剥离开曾国藩事功道德造就的光环，他的文字文采平平。一个原因是天分有限，老天不可能把所有好事都集中到一个人身上，而且几乎所有的好事都是双刃剑，一个人语缓行迟老成持重，很容易成就事功，但是很难心骛八极笔惊天地。另外一个原因就是俗务缠身，一直没能当上职业作家："古文一事，平日自觉颇有心得，而握管之时不克殚极思，作成总不适意。安得屏去万事，酣睡旬日，神完意适，然后作文一首，以摅胸中奇趣。"曾国藩没有时间专业写专栏，但是还是能挤时间读书："早岁有志著述，自驰驱戎马，此念久废，然亦不敢遂置诗书于不问。每日稍闲，则取班、马、韩、欧诸家文旧日所酷好者，一温习之，用此以养吾心而凝吾神。""廿三史每日读十页，虽有事不间断。"长期纪律严格的阅读造成曾国藩对文字的见识强于他的写作能力，他编的文字比他自己写的文字强，他的评论比他的创作强，他的说明文（书信、日记和奏议）比他的其他文字强。曾国藩堪称说明文的大师，有话才说，意尽则止，辞足则止，绝不多添一笔。机场的书店最是势利，没市场的决不稍留书架上。身死百年的曾国藩长了一张青瓜脸，不是美女也不是美男，一张裸照也没有传世，也没用下半身流水写作也没用胸口沾水写作，还能长期占领各地机场书店的书架。无论文字如何，这本身就证明他已经立言而不朽了。

愤青曾国藩走过的是一条自我完善之路。这条路说来老套：诚心正意修身齐家治国平天下。

第一步，也是第一个修炼的要点，是诚心正意。"方今天下大乱，人怀苟且之心。出范围之外，无过而问焉者。吾辈当立准绳，自为守之，并约同志共守之，无使吾心之贼，破吾心之墙。"决心一辈子同自己心中的贼作斗争，即使心中的贼像小鸡鸡一样竖起来，也绝不安抚，绝不自摸。"功可强立，名可强成。不为圣贤，便为禽兽。莫问收获，但问耕耘。"

第二个要点，是好习惯。在生活学习上，曾国藩给自己定了一系列的规矩，而且一执行就是一辈子。比如，敬："整齐严肃，无时不惧。"比如，早起："黎明即起，醒后勿沾恋。"比如，读史："丙申年讲念三史，大人曰：'尔借钱买书，吾不惜极力为尔弥缝，尔能圈点一遍，则不负我矣。'嗣后每日圈点十页，间断不孝。"而且，还强制家人共同营造气氛："吾家子侄半耕半读，以守先人之旧，慎无存半点官气。不许坐轿。不许唤人取水添茶等事。其拾柴收粪等事须一一为之。插田莳禾等事亦时时学之。"

第三个要点，是好心境。不问收获，禁不住不梦见收获。无人的夜晚，不自摸心中的小贼，明天早上，小贼和小鸡鸡还会"咯咯"叫着迎着朝阳起床。长期的"抑然"和对名利的向往，会让人疯狂。曾国藩倚靠心理暗示活下来，反复念叨："花未全开月未圆"，"有福不可享尽，有势不可使尽"，"恬静书味"，"治生不求富，读书不求官，修德不求报，为文不求传"。曾国藩还有物质帮助："阅陶诗全部，取其太闲适者记出，将钞一册，合之杜、韦、白、苏、陆五家之闲适诗纂成一集，以备朝夕讽诵，洗涤名利争胜之心。"仿佛建筑工人枕头下面压着的《人体艺术摄影精选》。到了真的功成名就了，可以张牙舞爪了，这种心理暗示已经根深蒂固。灭了太平天国，曾国藩马上自销湘军，自树对手淮军。两年后，五十五岁，上疏请求解除一切职务，注销爵位，提前退休。

并不是说，能一辈子做到上述三点，诚心正意，以好心境遵循好习惯就能成曾国藩。做到以上三点，即使再加上生而神灵，也只是做到了人和。其他的，还有地利，如果曾国藩的江东是上海而不是倔强狠霸的湖南，我不信能有三千汉子会放弃小笼包子，挥舞梭镖长矛，和曾国藩开赴那一条近乎死路的战天京之旅。其他的，还有天时，如果没拜上帝教闹太平天国，不是太子党不是世家子不是海归的曾国藩最多能做上一两届国务委员而已。这点，曾国藩自己也承认，曾氏自撰墓铭也说："不信书，信运气。"总之，就好像一颗精子，即使你诚心正意好好学习天天向上，在千万颗一起出发的精子中拿到正齐治平所有四门功课的最高分，冲在最前面，如果想要和卵子受精产出不朽的儿子，你还要看造化这次有没有戴避孕套，那个重要的卵子有没有在这次按时排放。

相传，林彪曾经当众讲过一个俄国士兵和中国士兵的笑话。两个士兵一起在边境站岗，俄国士兵问中国士兵，你喝醉过吗？没有，中国士兵回答。你嗑过药吗？没有。你嫖过女人吗？没有。林彪当众借俄国士兵的口最后问道：你这辈子活着有什么意思啊？

"焦裕禄"

　　香港，中环，人、人、人。人上了发条，西装领带，四足着地，装上轮子，时速四十公里。上海，淮海路交黄陂南路十字路口，人、人、人。红灯将熄，绿灯初上，交通协管员张开双臂、吹哨、挥旗、瞪眼，把守四角人流，人流里都是要奔向小康大康的斗牛。阳朔，西街，人、人、人。几百米街道，几千个奸商，几万个游客，几十万个另类民族工艺品。北京，大北窑，人、人、人。喉咙里起痰，想，是溶化在嘴里吞下去还是找块最脏的地砖吐上去，鼻孔里有凝胶，挖，同时四处张望，看看谁会注意到，到处刨地，到处"办证"，到处堵车，的士老哥哥一口痰高吐在周杰伦的手机广告上，一阳指鼻屎凝胶低弹到路面上，嘟囔，真他妈的堵，下辈子，我开飞机去。

　　人人都是"焦裕禄"，焦急、郁闷、忙碌。

　　焦急。生逢盛世，满清康雍乾盛世，中国比现在的美国还美国，GDP占全世界的百分之三十。我朝也在崛起啊，过去三十年，GDP复合增长接近百分之十，再过十年超日本，再过二十年超美国。我们能不能再快一点啊？企业兴旺，隔壁原来给领导开车的邻居，现在造的车都卖到非洲去了，每年百分之四十的增长，再过几年产值过千亿，全球五百强。我们能不能再快一点啊？周围有二奶的了，有四婚的了，有五子的了，有身家十几个亿的了，有进"二百万元作家俱乐部"的了，有得三种癌的了。我们能不能快点啊？

郁闷。为什么美国有那么多自然资源和先进武器呢？一小撮聪明人设计出来的制度领导两亿多天真群众怎么就能基本和谐呢？法国人怎么就那么有创意呢？德国人怎么就那么会造工具呢？日本人怎么就那么守秩序爱干净呢？我有生之年见得到大国崛起吗？低成本扩张不太灵了，要买的目标公司和要招的技术工人都贵了，二氧化碳指标都要买了，在世界范围内单品种市场份额都百分之六十了，再到哪儿发展啊？二奶有了二爷，每次离婚都净身出户，五个孩子吃喝嫖赌抽各有专长，表面上身家最高的开始雇保镖了，私底下身家最高的在浦东机场被扣下了，老妈说她也要学英文学上网学用WORD写回忆录走进新时代，十年过去了卵巢癌五年生存率还是没有一点提高。

忙碌。一个拉杆箱，半箱内裤衬衣，半箱充电器。Wi-Fi、手机、黑莓，看不见的线牵着忙忙碌碌的人。一周干八十个小时。不是四十个小时加上四十个小时的概念，而是人通常跳一米高，现在让人跳两米高的概念。检点过去三周，一半的饭和大便是在飞机上解决的，一半的电子邮件是在车里回的，一半的小便是一手拿手机一手按枪杆子完成的。"只有享不起的福，没有受不了的罪"，实在困了，游泳半个小时比睡三个小时解乏。六十八个小时不睡之后，我第一次发现，和喝了八瓶啤酒一样high，刮胡子的时候，我第一次发现，一根白色的鼻毛髭出来。

我有机缘见过号称是真迹的《清明上河图》，纵24.8厘米，横528厘米，画的是大约一千年前大城汴京极盛时的一个夏天，专家说，共画了人物684人，树木174株，房屋122间，牲畜96头，船25艘，车15辆，轿8顶。其实，张择端画了685个人。这个多余的人隐在画面的角落里，一裤衩，一背心，一蒲扇，一眼镜，阳具很短，记忆很长，手藏在裤兜里，向着这纵24.8厘米、横528厘米框起来的面积，竖起中指。

难能的是当一辈子"流氓"

亨利·米勒是我了解的文化人物中，元气最足的。

从古到今，有力气的人不少，比如早些写《人间喜剧》的巴尔扎克，晚些写《追忆似水年华》的普鲁斯特，中国的写一百七十万字《上海的早晨》的周而复和写二百万字《故乡面和花朵》的刘震云。这些人突出的特点是体力好，屁大股沉，坐得住，打字快，没有肩周炎困扰，椎间盘不突出。他们的作用和写实绘画、照相机、录像机、录音机差不多，记录时代的环境和人心，有史料价值。

从古到今，偶尔也有元气的人，他们的元气可能比亨利·米勒更充沛，但是由于各种不同的原因，留下的痕迹太少，我无法全面了解。比如孔丘，抛开各种注解对《论语》做纯文本阅读，感觉应该是个俗气扑鼻倔强不屈的可爱老头，一定是个爱唠叨的。但是，当时没有纸笔，如果当时让孔丘直抒胸臆，现在大熊猫一定是没有竹子吃了，长跑运动员一定是没有王八汤喝了。耶稣对做事的热情大过对论述的热情，不写血书，只让自己的血在钉子进入自己肉体的过程中流干净。佛祖可能在文字身上吃过比在女人身上还大的亏，感觉文字妖孽浓重，贬低其作用：如果真理是明月，文字还不如指向明月的手指，剁掉也罢。晚些的某些科学家，想来也是元气充沛的人，比如爱因斯坦，热爱妇女，写的散文清澈明丽。可能是受到的数学训练太强悍，成为某种束缚，他最终没能放松些，多写些。

亨利·米勒是思想家。亨利·米勒的小说没有故事，没有情节，没有成形的人物，没有开始，没有结束，没有主题，没有悬念，有的是浓得化不开的思想和长满翅膀和手臂的想象。真正的思想者，不讲姿势，没有这些故事、悬念，人物像血肉骨骼一般的支撑，元气剽悍，依然赫然成型。既然不依俗理，没有系统，亨利·米勒的书可以从任何一页读起，任何一页都是杂花生树、群英乱飞，好像"陌上花开，君可徐徐归"。在一些支持者眼里，亨利·米勒的每一页小说，甚至每十个句子，都能成为一部《追忆似水流年》重量级的小说的主题。外国酒店的床头柜里有放一本《圣经》的习惯，旅途奔波一天的人，冲个热水澡，读两三页，可以意定神闲。亨利·米勒的支持者说，那本《圣经》可以被任何一本亨利·米勒的代表作替代，起到的作用没有任何变化。别的思想家，是在大量阅读的基础上，站在巨人们的肩膀上，添加真正属于自己一层砖瓦，然后号称构建了自己的体系。亨利·米勒不需要外力。一个小石子，落在别人的心境池塘里，智识多的，涟漪大些，想法多些；智识少的，就小些，少些。亨利·米勒自己扔给自己一个石子，然后火山爆发了，暴风雨来了，火灾了，地震了。古希腊的著名混子们辩论哲学和法学，南北朝的名士们斗机锋，都有说死的例子，如果把那些场景记录下来，可能和亨利·米勒的犀利澎湃约略相似吧。

亨利·米勒是文学大师。崇拜者说，美国文学始于亨利·米勒，终于亨利·米勒。他一旦开始唠叨，千瓶香槟酒同时开启，元气横扫千军。亨利·米勒是唯一让我感觉像是个运动员的小说家，他没头没尾的小说读到最后一页，感觉就像听到他气喘吁吁地说："标枪扔干净了，铁饼也扔干净了，铅球也扔干净了。我喝口水，马上就回来。"

我记得第一次阅读亨利·米勒的文字，天下着雨，我倒了杯茶，亨利·米勒就已经坐在我对面了，他的文字在瞬间和我没有间隔。我在一秒钟的时间里知道了他文字里所有的大智慧和小心思，这对于我毫无困难。他的魂魄，透过文字，在瞬间穿越千年时间和万里空间，在他绝不知晓的一个北京市朝阳区的一个小屋子里，纠缠我的魂魄，让我心如刀绞，然后胸中肿胀。第一次阅读这样的文字对我的重要性无与伦比，他的文字像是一碗豆汁儿和刀削面一样有实在的温度和味道，摆在我面前，伸手可及。这第一次阅读，甚至比我的初恋更重要，比我第一次抓住我的小弟弟反复拷问让它喷涌而出更重要，比我第一次在慌乱中进入女人身体看着她的眼睛、身体失去理智控制更重要。几年以后，我进了医学院，坐在解剖台前，被福尔马林浸泡得如皮球般僵硬的人类大脑摆在我面前，伸手可及。管理实验室的老大爷说，这些尸体标本都是解放初期留下来的，现在收集不容易了，还有几个是饿死的，标本非常干净。我第一次阅读亨利·米勒比我第一次解剖大脑标本，对我更重要。我渴望具备他的超能力，在我死后千年，透过我的文字，我的魂魄纠缠一个同样黑瘦的无名少年，让他心如刀绞，胸中肿胀。那时，我开始修炼我的文字，摊开四百字一页的稿纸，淡绿色，北京市电车公司印刷厂出品，钢笔在纸上移动，我看见炼丹炉里炉火通红，仙丹一样的文字珠圆玉润，这些文字长生不老。我黑瘦地坐在桌子前面，骨多肉少好像一把柴火，柴火上是炉火通红的炼丹炉。我的文字几乎和我没有关系，在瞬间，我是某种介质，就像古时候的巫师，所谓上天，透过这些介质传递某种声音。我的文字有它自己的意志，它反过来决定我的动作和思想。当文字如仙丹一样出炉时，我筋疲力尽，我感到敬畏，我心怀感激，我感到一种力量远远大过我的身体、大过我自己。当文字如垃圾一样倾泻，我筋疲力尽，我感觉身体如同灰烬，我的生命就是垃圾。

亨利·米勒一辈子，思考，写作，嫖妓。他的元气，按照诺曼·米勒的阐释，是由天才和欲望构成的，或许这二者本来就是同一事物的两面。我听人点评某个在北京混了小五十年的老诗人，其中有一句话糙理不糙："流氓，每个有出息的人小时候都或长或短地当过，难得的是当一辈子流氓。"这个评论员说这番话的时候，充满敬仰地看着老诗人。老诗人喝得正高兴，下一顿的老酒不知道在哪里。他二十出头的女朋友怀着他的孩子坐在他的身边，老诗人偶尔拍拍他女人的身体，深情呼唤："我的小圆屁股哟。"

亨利·米勒讲起过圣弗朗西斯，说他在思考圣徒的特性。Anais Nin问为什么，他对Anais Nin说："因为我觉得我是地球上最后一个圣徒。"

人生的战略规划

　　我痛恨做人生的战略规划，我不想盘算我将来的岁月。

　　生命妈的太短了，比小鸡鸡还短。在街上瞧见过几十个好看姑娘，摸过几只柔软的手，看过二十来届世界杯和奥运会，开坏三四辆车，睡塌一两张床，喝掉六千瓶啤酒和五百瓶五粮液，用光一千多管牙膏和手纸，挣几百万再花掉几百万，你我就此无疾而终，尘归尘，土归土，乌龟王八鳖。我要是装置艺术家或是行为艺术家，我就把一间小房子搭进美术馆，放满一千多管牙膏和手纸，题目叫做：人生的战略规划。用尽这些牙膏，就没牙可刷了，用尽这些手纸，就没屁股可擦了。在东三环华威桥古玩城的大厅里，我举头四望，大大小小的古董都是我的前辈，在我之前，有上百双手摸过它们，在我之后，还有上千双手排着队。如果所有时间是一大锅浓汤，我的生命就是一只苍蝇。

　　我天生就是做战略规划的，从小就在这方面不平凡。

　　我有三十本大大小小的记事本，从小学五年级一直记到现在，在保险柜里锁着，比存款更受重视。我回去看我初一的日记，吓着了。里面的一页，沿着时间轴，我画了三个平面，分别表示近期，中期，和远期。接下去第一个项目是古代汉语，近期目标是读完王力的四册《古代汉语》，中期目标是读两通前四史和老庄孔孟，远期目标是通读三千卷二十四史。当时不谙世事，对时间没有概念，对外界吃喝玩乐的诱惑没有概念，远期目标定的是十年，心想，三四十分钟，一天一卷，轻松拿下。如今过了二十年，远期目标才完成了不到三分之一，完成了的三分之一也基本忘掉了九成。只有自己安慰自己，历史是有规律的，看了三分之一，也就知道了百分之八十的人生道理，忘记也是必然的，但是真才实学都在肚子里了，就像吃肉饮酒，排出屎尿，心中留下莲花和佛祖。三个平面指导下的第二个项目是班上气质最好的班花，当时认为气质好，其实就是皮肤白，班花脸如白玉，胳膊好像白萝卜。我的近期目标是从五组调到三组，这样就可以和坐在二组的班花靠在一排。中期目标是一年长高十五厘米，这样就有正当理由要求调到后排，有机会和高挑的班花坐同桌。远期目标是摸摸班花白萝卜一样的胳膊，至于摸过之后又如何，我能得到什么，班花将失去什么，做战略规划时还没有学过生理卫生，想不清晰。后来我成功地调到了第三小组，一年内身高长了十三点五厘米，也终于学习了《生理卫生》，但是那个摸白萝卜的长期目标一直就没有实现。

再后来我进了一个最著名的战略管理咨询公司，受到了最科班最严格的战略规划训练。

五轮面试，咨询公司考我的人都没看过我关于古代汉语和初中班花的规划，但是都通过不同的案例发现了我对于战略规划的潜质。玉要切磋琢磨，数年以后，我练就的战略规划基本思路是：首先定下远景和使命，一个公司和一个人一样，要问，为什么存在。然后根据公司的竞争力和市场的吸引力，明确在近中长期，什么可为，什么不可为，即在何处竞争。最后确定如何竞争以及竞争后的财务回报。我清楚，如果套用这个思路，去规划我的二〇〇五年，我要先定我的远景和使命，比如要流芳多少辈子，要不要努力在文学史上放屁砸坑。然后是什么途径，比如要不要学着写写短篇和中篇小说，时常在大型文学杂志上露些山水，混个脸熟等等。

但是我拒绝这种规划，就像不愿意在我面前一字排开二〇〇五年将用光的十二卷手纸和十二管牙膏，或是在我面前一字排开二〇〇五年将见到的所有好看姑娘和或许能摸到的柔软的手。尽管我只是一只渺小的苍蝇，我要怀着对未知的敬畏和期待，飞进那锅浓汤，试着坏了它。

人力和天命

　　我们这辈人，从小的教育是信党、信主席、信自己、信共产主义，不信神、不信鬼、不信权威、不信天命。概括起来就是，笔补造化天无功，人有多大胆，地有多大产，我想三年超英就三年超英，我想五年赶美就五年赶美，我想和隔壁教室的班花好，我就能和班花好，我想和银幕里的陈冲刘晓庆好，我就能和陈冲刘晓庆好。反之，宣传天命的，都是别有用心，比如皇帝号称天子，就是让别人以为天下本来就是他的，任何人都不要和他争。我问，人心一胡想，一努力，国家就超英赶美了，那不成了唯心主义了？我们的信仰不是实事求是的唯物主义吗？老师说，无产阶级的唯心，就是唯物，资产阶级的唯物，也是唯心。我问，如果我想班花想陈冲想刘晓庆，她们就是我的，我不就成了阿Q了，我不就是在意淫嘛？老师说，叫你父母明天来，我要找他们谈话，你的思想有问题，复杂，下流。

　　在这种教育下，我的自信心暴涨，放眼看天地，觉得我大有可为，放眼看将来，觉得自己的命就攥在自己手上，小鸡鸡一样，一块胶泥一样，我想如何捏就如何捏，想如何规划就如何规划。

然而，三十岁之后的几年间，现实中的几件事好好地教育了我，告诉我山高地迥，宇宙洪荒，我再抬头看蓝天，开始怀疑有命的存在。

先是生活。我第二次连续十四天梦见长得很白的班花的形象，梦里的山谷里，白色的山花烂漫。好些年以前，我第一次连续梦见她十四天之后，我去告诉她，她说，她也梦见过我，但是一切太不真实，最好还是彼此忘记，如果能忘记，彼此梦见就是假的，彼此分开就是幸福。第二次之后，我电话给她，她说，她也还是梦见，但是已经有了老公，今天早孕试纸测试阳性，感觉是个女儿，所以彼此不能忘记，也要忘记。我和我现任老婆说，在美国念完书了，我要回国，美国没有麻将打，没有正经的辣子吃。我老婆说，好啊，听说北京和上海，好看姑娘太多，先结婚再回去吧。我说，好啊，但是我可是有个复杂的过去。我老婆说，别腰里拴两个死耗子就冒充老猎人。我说，好啊。于是我们就去市政厅领结婚执照，去律师楼请一个容貌猥亵的律师主持结婚登记。全过程中，我的脑子清澄宁静，没有任何思考，没有任何规划，就是觉得这是一件无可争议的应该做的事儿，过了下午一点，我的肚子也没有饿。

再是写作。高考之前，写过一个长篇小说，记录我对班花的意淫，所有的故事情节都是意淫出来的，所有的思想都是真实的。十三万字，四百字一张的稿纸写了三百多页，然后寄给一个叫《中学生文学》的杂志，然后那家杂志就倒闭了。之后，把码字这件事忘记了十年，在第二次连续十四天梦见班花之后，在班花说早孕试纸测试阳性之后，我的手指开始跳动。我打开电脑，文字像小鱼和小虾米一样，顺着水流，沿着手臂到手指，再从手指蹦跳到键盘和屏幕，于是天暗下来，屏幕的池塘里雨打残荷。我想，忘不掉的，就是命吧，必须写出来的，就是责任和使命。

穆罕默德和信徒说，他能让山走到他面前，喊了三次，山他妈的不过来，穆罕默德就走了过去。老婆是命，写作是命，他们如果不走到我的面前，我就带着鲜花、戒指和手提电脑走过去，这是不是就是所谓的认命？

文章千古事，七〇尚不知

这是一个浮躁的时代。人心如城市，到处是挖坑刨路、暴土扬烟地奔向小康和现代化。普遍而言，浮躁时代中最浮躁的是媒体和评论。电视和电脑，两只老虎一样吞噬闲散时间，做评论的全然不占有资料，闭着眼睛一拍脑袋，就开始像北京出租车的哥一样，指点江山，说谁谁谁是朵莲花谁谁谁是摊狗屎。

真正的文学用来存储不能数字化的人类经验，是用来对抗时间的千古事，总体属阴，大道窄门，需要沉着冷静，甚至一点点没落。文章再红，写字的人上街不需要戴黑墨镜，书再好卖，写字的人进不了《财富》杂志的富人榜。浮躁的媒体和评论中，最没想象力的就是文学媒体和文学评论。雌性写字的，眼睛和鼻子基本分得开，就是美女作家，胸比B罩杯大些，就是胸口写作。雄性写字的，裤带不紧风纪扣不系，就是下半身写作，有房有车有口踏实饭吃，就是富人写作。进一步演化到近两三年，这些名词都懒得想了，一九六〇至一九六九年生的，就是六〇后，一九七〇至一九七九年生的，就是七〇后，一九八〇至一九八九年生的，就是八〇后。

文学其实和年纪没有太多关系。

科学讲实证，宗教讲信不信。科学和宗教之间是哲学，在脑子里在逻辑里讨论时间和空间。科学、宗教、哲学的侧面是文学，在角落里记录人类经验，在记录的过程中抚摸时间和空间。在这个意义上，作家是巫师，身心像底片一样摊在时间和空间里，等待对人类经验的感光。在这个意义上，文学和年纪没有太多关系。有写字的，二十岁前就写完了一生中最伟大的作品，之后再如何喝大酒睡文学女青年，身心也变不出另一卷底片，于是用漫长的后半生混吃等死。也有写字的，度过了漫长的吃喝嫖赌抽的青春期，四十岁之后，发稀肚鼓，妻肥子壮，忽然感到人生虚无，岁月流逝，心中的感动如果不挤出来变成文字，留在身体里一定会很快从正常组织变成肿瘤，再由肿瘤变成癌。按十年一代这么分作家，还不如按其伟大作品的数量分，同样简单，但是更加深刻，比如分为一本书作家，两本书作家，和多本书作家（也就是大师）三类。一个作家一定有一个最令他困扰最令他兴奋的东西，和年纪无关，他第一二次写作，所挖掘的一定是这个点。这个点，在王朔是世俗智慧，在余华是变态男童，在劳伦斯是恋母情结。所以一个作家的第一二本书，可能不代表他最成熟的技巧，但是基本代表了他百分之五十的文学成就，王朔飞不过《动物凶猛》，余华飞不过《在细雨中呼喊》。在从一本书两本书作家向大师过渡的过程中，王朔用《我是你爸爸》窥见了一下所谓不朽的"窄门"，然后就办影视公司去了，余华在十年努力无法通关之后，转过身，以《兄弟》头也不回地向速朽的"宽门"狂奔。

D.H.劳伦斯肺痨缠身不久于人世的时候说，他自己的一生是个异常残酷的朝圣之旅，我想起《虹》，想起《恋爱中的妇人》，黯然神伤，鼻泪管通畅，泪腺开始分泌。

如果硬扯文学和年纪的关系，文学是"老流氓"的事业。不可否认天才少年的存在，偶尔嗑药间或高潮，被上帝摸了一把，写出半打好诗半本好小说。但是更普遍的情况是，尽管作家的气质一直在，理解时间，培养见识，还是需要一个相对漫长的过程。接触一个美女，被先奸后杀始乱终弃，是你倒霉，总结不出什么。接触第二个美女，又被先奸后杀始乱终弃，还是你倒霉，这两个美女是亲戚。接触第三个美女，第三次被先奸后杀始乱终弃，样本量有了一定统计意义，你可以归纳说，美女都是貌如天仙心如毒蝎。时候不到，胡子还没长出来，自然不需要刮，自然不知道刮完后的那种肿胀，也无从比较那种肿胀和早晨醒来下体的肿胀有什么异同。还没到四十多岁，胡子还没有一夜之间变得花白，秋风不起，自然很难体会岁月流逝。文章憎命达，等待劫数，等待倒霉，婚外恋，宫外孕，老婆被泡，孩子被拐，自杀未遂等等，安排这些国破家亡生离死别，需要上帝腾出工夫，也需要一个作家耐心等待。文字有传承，汉语有文脉，先秦散文汉赋唐诗正史野史，最基本的阅读，最基本的感动，也需要相当长的时间。

文章千古事，得失寸心知。不提八〇后，即使是七〇后，还嫩，还有漫长的路要走。

不论先秦和南北朝了，往近世说，和以二周一钱（周作人、周树人、钱锺书）为代表的五四一代相比，七〇后没有幼功、师承和苦难。我们的手心没有挨过私塾老师的板子，没有被日本鬼子逼成汉奸或是逼进上海孤岛或是川西僻壤，没有背过十三经，看《浮生六记》觉得傻逼，读不通二十四史，写不出如约翰·罗斯金、史蒂文森或是毛姆之类带文体家味道的英文，写不出如《枕草子》之类带枯山水味道的日文，更不用说化用文言创造白话，更不用说制定简体字和拼音。往现世说，和以二王一城（王小波，王朔，钟阿城）为代表的"文革"一代相比，我们没有理想、凶狠和苦难：我们规规矩矩地背着书包从学校到家门口，在大街上吃一串羊肉串和糖葫芦。从街面上，没学到其他什么，我们没修理过地球，没修理过自行车，没见过真正的女流氓，不大的打群架的冲动，也被一次次公安干警的严打吓没了。

七〇后基本没有被耽误过。我们成群成队的进入北大清华而不是在街头锻炼成流氓，我们依靠学习改变命运，我们学英文学电脑学管理，我们考TOEFL考GRE考GMAT考CPA考CFA，我们去美国去欧洲去新西兰去新加坡去香港，我们会两种以上的领带打法，我们穿西装一定不穿白袜子，我们左擎叉右擎刀明白复式记账投资回报和市场营销，我们惦记美国绿卡移民加拿大，我们买大切诺基买水景大房一定要过上社会主义美好生活，我们做完了一天的功课于是尽情淫荡，我们在横流的物欲中荡起双桨。

七〇后作家，作为整体，在文学上还没有声音。先是卫慧等人在网上和书的封面上贴失真美人照片，打出"身体写作"的旗号，羞涩地说"我湿了"，然后是九丹义正词严地说我就是"妓女文学"，"我占领机场卖给六七十年代白领精英"，然后是木子美另扛"液体写作"的旗号，坦然地说"我就是露阴癖"，"再废话我露出你来"，最近的进展是有女作家直接在网上贴裸体照片。羞耻啊，写枕头的，没出个李渔；写拳头的，没出个古龙。我们这一代最好使的头脑在华尔街构建金融计量学模型，在硅谷改进Oracle数据库结构，在深圳毒施美人计搞定电信老总销售程控数字交换机。

但是七〇代还有机会，气数还远远没有穷尽。

从经历上看，七〇代独一无二，跨在东西方之间，跨在古今之间，用张颐武的话说："这一代，是在大陆物质匮乏时代出生和度过青春期的最后一代。他们在匮乏中长大，却意外地进入了中国历史上最丰裕最繁华的时代。他们还有那单调刻板却充满天真的童年，却又进入了一个以消费为中心、价值错位的新时代。他们有过去的记忆，却已经非常模糊；有对于今日的沉迷，又没办法完全拥抱今天；容易满足，却并不甘心满足。"从知识上看，七〇代受过纯正的科学训练，顶尖的脑子在《科学》和《自然》发表论文，独立思考已经成了习惯，比如遥想最完善的人类社会制度，按需分配当然好，如果人民都想自己占有Tahiti的Bora Bora岛，如何分配啊？如果男人都想睡朱莉·安吉丽娜（Jolle Angelina），如何分配啊？从时间上看，七〇后还有大把的光阴。这个岁数，亨利·米勒的文学实践还停留在嘴上和阳具上，这个岁数，王小波站在人民大学门口，望着车来人往，还是一脸迷茫。

出名不怕晚。北大植物学老教授的话还在耳边，板凳甘坐十年冷，文章不着一句空。我最近看到的趋势是，六〇后个别人开始掉转身，亲市场求销量，顺应时代一起浮躁，七〇后在有了自己一间看得见风景的房间之后，个别人突发奇想，认为真正的牛逼来自虚无的不朽，开始逆潮流而动，抛开现世的名利，一点一点，试着触摸那扇千古文章的窄门。

肉体需要思想，思想需要歌唱

　　无数酒局中的一个，无数陌生人中的一个，留下联系办法，有手机号码、MSN号码、个人博客链接。我想，中国移动股票的市盈率不过十五就该买了些，微软太可怕了再过十年比任何一个传统电信运营商都会强大的，全民皆博啊，身体不让只穿内衣上街但是精神可以啊。那个陌生人好像是做IT的，继续问我，你猜中国现在有多少人有博客？我用了五秒告诉他，两千万。他说，报纸上说一千六百万，还是去年底的数，现在一定在两千万左右了，你是怎么猜的？我微微一笑，什么都没说。

　　这个不能告诉他，把脑子当水晶球拍，还不管用就把屁股当数据库拍，是我们做管理咨询这个行当必需的基本功和看家本事之一：中国网民一个亿，IDG的报告里有这个数。人群中有百分之十的人有露阴癖倾向，网民中这个比例应该加倍，我原来学医的，上过心理学和精神病学，这个比例我知道。一个亿的百分之二十，就是两千万。

　　我不太懂的是，为什么自我感觉好的露阴癖比二十年以前多了那么多，比糖尿病、高血压、心脏病的增幅还大、增速还猛？我老姐多年前有个日记本，硬壳封面、粉色，有玫瑰花和八音盒图案，纸也是粉色的，有玫瑰花和其他各种花，有各种诗句（例如"我的日子里／在抒情的寂寞中／寻找一段摇滚的呐喊／我的爱情躲在摇滚的方式里／渴望拥有长久的古典"）。我老姐在扉页上写了一首诗：看花要等春天来，看本要等主人在，要是主人我不在，请你千万别打开。我每回都自己打开，每回都没被发现。我老姐练铁饼的，大行不顾细谨。我老妈看了一次就被我老姐发现了，我老妈过目不忘，偷看日记那天，当着我老姐面，晚饭桌上背了半小时。我老妈唠叨，有什么的啊，不就是第一次出血，觉得自己要死了，到现在不是还没死吗？不就是第一次亲嘴，觉得要生孩子了，到现在不是还没生吗？这也值得一写？浪费！隔着饭桌，我老姐捏着一个空盘子，看着我老妈，许久，仿佛捏着一个铁饼，盯着要投掷的目标。

　　前两个月，我老姐从旧金山打来电话，说她在godaddy申请了个互联网域名，说找了个免费服务器，说做了个人主页贴照片贴小电影贴要卖的房子还有博客功能，说隔三差五把情感垃圾心情鼻涕倾泻到博客，说还有人追着看还有人留言还有人要求网下见面，说太好玩了要是早有这个早不吃抗抑郁药了早消灭好些精神病人了。我问，老妈看了吗？我老姐答，老妈听说全人类都能看见就一点兴趣也没了，说要买个红外夜视型望远镜，看隔三十多米远右手边那个偶尔不拉窗帘的房子里，两个三四十岁的长胡须的男人之间到底能做些什么。

　　都算上，我有三个博客。

　　一个是我个人主页自带的博客，大师级朋友设计，简单好用。fengtang.com早就被我注册了。怕被别人注册，然后在我自己院子里拉屎放屁或者闭月羞花。后来发现，这个判断傻逼。第一，别臭美了，你招不来那么多变态的人。第二，如果真招来了变态，注册了fengtang.com也没用，他可以注册fengtangshabi.com，fengtangsucks.com等等。这上面的博客我基本空着。在上面写，还是让我产生写其他正经文章的紧张，我更喜欢用小软皮本子记札记。

另一个博客是被新浪相熟的编辑抓的壮丁。基本上是帮我把主页上原有的短文搬上去凑数，自己基本没时间打理。后来编辑说，好好打理一下吧，写点新的，随便扯扯龟毛鼻毛，就有上千万的闲人点进来看你如何扯的。如果她说的属实，我想：一、各种企业应该禁止员工上班时间浏览新浪，一个员工白天七个小时有效工作时间，两个小时消耗在新浪上了。二、当初新浪股票一美金一股的时候，我苦劝一个要买宝马X5带着海子诗集找他重庆籍女神谈人生的清华结巴男生，别买了，X5什么时候买不行？买新浪吧，中国总要一两个门户网站吧（可是，我自己当时为什么没买呢）？三、新浪和MSN早晚会推出博客贵宾服务，像经营卡拉OK的钱柜一样，出租网页位置，按时间和点击率收钱。

第三个博客是被和菜头拉去到牛博开的，是唯一一个我更新的博客。牛博的管家是罗永浩。百度"傻逼"两个字，第一跳出来的就是他。这个是真正意义上的天下第一，如果默想这个定义下的种群总数，如果罗永浩没付钱给百度买断了这个第一的位置，那就是奇迹。书商早就在催我《万物生长三部曲》最后一部《北京，北京》的书稿了，不带薪水的两个月假期也请好了，我老爸也志愿从旧金山回来给我做饭了，我初恋也考虑是否二婚了（又是别人），没有任何理由不完成。为了支持天下第一，为了断绝后路，我开始在牛博连载《北京，北京》，保证一周贴一章。徐星和和菜头都告诫说，不要这么贴，容易习惯性看别人评论，自己都不知道如何小便和如何下笔了。

我说，别说别人，我自己都管不了这支笔，它有它的生命和人生观，无法无天，自行自止。

执著如怨鬼

　　我在幼儿园里吃打蛔虫的宝塔糖。甜啊，比砂糖还甜啊。当天大便时，看见蛔虫的尸体随粪陨落。白啊，估计它们很少见阳光，还晃悠，不知道是风动还是虫动。

　　幼儿园阿姨要求我们把拉出来的数目汇报给她，她在一张草纸上做两三位数加减，汇总后写在给院长的工作总结里："祖国伟大，毛主席万岁，我们努力工作，帮助班上祖国的三十个花朵们摆脱了一百二十五条阶级蛔虫，花朵们被阶级蛔虫毒害的日子一去不复返了！"第一个论点，我完全同意。一百二十五条阶级蛔虫是我们三十个小朋友弯着脖子，撅着屁股，左手扒开小鸡鸡的球和茎，一眼一眼瞅见的，一条一条数出来的。第二个论点，没有逻辑根据，我怎么知道肚子里的阶级蛔虫都被杀死了？后来事实证明，我的怀疑有道理，阶级蛔虫很顽强，还在。它们在我小学三年级的时候钻进胆管，让我差点没痛死，也让我第一次打了吗啡。吗啡好东西啊，肥厚如我老妈，忽悠如宗教。

从那次胆管蛔虫之后，每天晚上，我就总想，肚子里还有几条蛔虫啊？他们现在正干什么呢？他们所有的近亲都结婚了吗？一共繁衍几代了？天天群奸群宿吧？

冷静一想，这是我强迫症的第一个表现。

冷静一看，周围其他人强迫症的表现还有好多。比如，厌恶划痕。给新iPOD和新手机穿上半透明硅胶套子，给新数码相机的液晶屏蒙上保护膜，给新书包上书皮。卖iPOD挣的钱或许还没有卖套子之类外设挣得多，液晶屏保护膜一定比数码相机的利润率高。比如，反复关门。商学院有个同学，人生圆满的标准就是有个陆虎车。人生圆满之后，每次离开那辆陆虎，他总觉得没关车门，扭头再回停车场，一次离别，平均回顾二点五次。我一直劝他搞个无线开关装置，学校停车场和教学楼直线距离一百米，红外、蓝牙都不行，Wi-Fi应该是个好选择。再比如，咀嚼自己。有吃嘴唇死皮的，更常见的是吃手指。有个级别高我很多的鬼佬领导，两只手，十个手指，没一个手指的指甲剩下一半以上的，间或还有一两个缠着创可贴。有次一起吃饭前，他接了两个漫长的电话之后，一通狂啃，血从一个手指残端涌出来，我随手把餐桌上的食盐和胡椒小罐儿递过去，看他是否撒到手指上接着咀嚼。从那之后，他恨我入骨。

佛说，戒执，戒着，强迫也是症。我自我治疗的方式有四个。第一，改变人生观。六尘皆幻，六根皆误，一切都会逝去，一切都是烟云，拿起，放下，了无不了，那么在乎干吗？第二，崇尚科学。放到高倍放大镜下，刚出厂全新的iPOD和理光GRD表面就已经满布划痕了，肉眼看不到而已，保护这种表面做甚？第三，逃避。不买、不用新货。家具买旧的，老花梨、老鸡翅木买不起，买老榆木。老物件上面，划痕就不叫划痕了，叫包浆。房子买二手，买回来涂涂抹抹，就比接手时候强。新衣服先洗几遍，新手机先让老爸用半年，不和处女童男说话。第四，选择。如果强迫症实在治不好，就选择些实在不能割舍的。只对文章执著如怨鬼，其他随他大小便吧。

大 钱

小陶朱公子：

人从小到大，有几个基本问题，躲也躲不过，比如：情是何物？性是何物？一生应该如何度过？人从哪里来？时间之外是什么？为什么伦理道德长成这副模样？

因为你是财神的儿子，嘴巴里塞满银行卡出生，因为你生下来就有的钱不是通常意义上想吃点什么就吃点什么、想干点什么就干点什么的钱，而是能想让很多人吃什么他们就吃什么、想让他们干什么他们就干什么的钱，所以和其他普通人相比，你很早还遇上另一个问题，躲也躲不过：钱是什么东西？

我想你一定问过你的财神爸爸，他一定有他的说法，我现在也和你唠叨唠叨，方便你比较。你应该知道，所有这些躲也躲不开的问题，都没有标准答案。将来你如果遇见那些坚持只有一种标准答案的，绝大多数是傻子，极少数是大奸大滑，把你的脑子当内裤洗，把你变成傻子。总之，对于这些问题，你能多理解一种新的说法，你的小宇宙就更强悍一些。

从一方面讲，钱不是什么东西，你有钱没什么了不起。

很多了不起和钱一点关系都没有。

比如曾经有一个诗人，有天晚上起来撒尿，见月伤心，写了二十个字："床前明月光，疑是地上霜。举头望明月，低头思故乡。"两千年之后，亿万小学生们起夜小便，看到月亮，都想起这二十个字。这，很了不起，但是和钱没有任何关系。

比如曾经有一个小说家，严重抑郁，平常待在人烟稀少的纽约远郊区。实在吃腻了自己做的饭菜，实在厌倦了自摸用的左手和右手，就一路搭车到纽约，在电话黄页里找到当红女影星的电话，打过去，说，我是写《麦田守望者》的塞林格，我想睡你。然后，他就睡了那个女影星。这，很了不起，但是和钱没有任何关系。

比如曾经有一个画家，年轻的时候血战古人，把所有值得模仿的古代名家都模仿了一个遍，自信造出的假画能骗过五百年内所有行家。后来他到了日本，看到日本号称收藏石涛的第一人，指着此人最珍爱的一套石涛山水册，说是他二十年前的练习。收藏家坚决不信，这个画家说，你找装裱师揭开第四页的右下角，背面有我张大千的私印。这，很了不起，但是和钱没有任何关系。

比如曾经有一个生意人，在手机被诺基亚、摩托罗拉、爱立信等巨型企业半垄断生产了近二十年之后，领导一个从来没有做过手机的电脑企业做出了iPhone。"为什么我会想起来做手机？看看你们手中的手机，我们怎么能容忍自己使用如此糟糕的产品？"这，很了不起，但是和钱没有直接关系。

比如我见过一个陌生人在雨天，在北京，开车。

一个行人过马路，匆忙中手里一包桃子掉在马路当中，散落在这个人的车前。这个人按了紧急蹦灯，跳下车，帮行人尽快捡起桃子。这，很了不起，但是和钱没有任何关系。

更简洁的论证是，即使有钱很了不起，但是你有钱也没有什么了不起，因为你的钱不是你挣的。

从另一方面讲，钱是好东西，钱是一种力量，使用好了，你可以变得了不起。

比如培育冷僻的声音。在世界各地挑选一百个民风非主流、生活丰富的地方，每个地方租个房子，提供三餐、网络和一张床。每年找十个诗人、十个写小说的、十个画画的、十个搞照片的、十个设计房子的、十个作曲的、十个唱歌的、十个跳舞的、十个和尚、十个思考时间空间道德律的。不找太畅销的，不找成名太久的，不找有社会主流职务的。这一百个人在这一百个房子里生活一年，没有任何产量的要求，可以思考、创造、读书、自摸、吃喝嫖赌，做任何当地法律不禁止的事儿，也可以什么都不做。

比如延续美好的手艺。在世界最古老的十个大城市，选当地最有传统美丽的位置，开一家小酒店，十张桌子，十间客房。不计成本和时间，找最好的当地厨师、用最好的当地原料、上最好的当地酒，恢复当地历史上曾经有过的最美好的味道、最难忘的醉。盖标准最严格的当地建筑、用最好的当地家具、配最好的当地织物，恢复当地历史上曾经有过的最美好的夜晚、最难忘的梦。如果在北京开，家具要比万历，香炉要比宣德，瓷器要比雍正，丝织要比乾隆。

比如促进渺茫的科学。对于病毒的理解还是如此原始，普通的感冒还是可以一片一片杀死群聚的人类。植物神经、激素、和大脑皮层到底如何相互作用，鸦片和枪和玫瑰和性高潮到底如何相通？千万年积累的石油和煤和铀用完了之后，靠什么生火做饭？中医里无数骗子，无数人谩骂中医，但是中国人为什么能如此旺盛地繁衍存活？需要用西方科学的大样本随机双盲实验，先看看中医到底有没有用，再看看到底怎么有了用。

比如推动遥远的民主。在最穷最偏远的两百个县城中，给一所最好的中学盖个新图书馆，建个免费网吧。在图书馆和网吧的立面上贴上你的名字，再过几年，你就和肯德基大叔一样出名了。召集顶尖的一百个学者花二十年重修《资治通鉴》，向前延伸到夏商，向后拓展到公元二〇〇〇年。再过几百年，你就和吕不韦、刘义庆、司马光一样不朽了。

感觉到了吧，再多的钱也可以不够用，花钱也可以很愉快。

余不一一，自己琢磨。

冯唐

老聃的金字塔原则

进了麦肯锡公司，我被训练的第一个玩意儿是金字塔原则。后来证明，这也是之后诸多训练中，最宝贵最有用的玩意儿。

阐明金字塔原则的是一个叫Minto的外国老太太，面容慈祥，金头发金链子金镯子，言语唠叨。她啰里啰唆写了一大本书，其实，我用一百字就能说清楚。Minto没学好自己阐明的金字塔原则，或者是故意啰唆，充字数印书卖钱得版税，不用再在麦肯锡每周工作八十小时，当苦力加速身体折旧。

用一句话说，金字塔原则就是，任何事情都可以归纳出一个中心论点，而此中心论点可由三至七个论据支持，这些一级论据本身也可以是个论点，被二级的三至七个论据支持，如此延伸，状如金字塔。

这些事情可以很复杂，如：我们是什么，我们从哪里来，我们要到哪里去，世界经济五年的走势，以及中国社会保障体系的建立等等。这些事情也可以很简单，如：小贾见到姑娘为什么会脸红，老妈每天喝半斤白酒是不是很危险，以及当高中时候的梦中情人问你：她现在该不该带着三岁的女儿离婚，你如何回答等等。

对于金字塔每一层的支持论据，有个极高的要求：MECE

（Mutually exclusive and collectively exhaustive），即彼此相互独立不重叠，但是合在一起完全穷尽不遗漏。不遗漏才能不误事，不重叠才能不做无用功。

金字塔原则看似废话，但确实是一个伟大的原则，一个伟大的方法论。

伟大用途之一，解决问题：当你尝试解决问题时，你从下到上，收集论据，归纳出中心思想，从而建造成坚实的金字塔。有了这个大致的目标，问题解决起来最有效。

伟大用途之二，管理手下：如果你是领导，有经验，有手下，对于某个问题，你根据经验提出假设，迅速列出第一级三至七个支持论据，分别交代给不同的手下。两周后，手下提交报告，你汇总排列，从而建造成坚实的金字塔。有了这个原则，管理起来最有效，领导做得最轻松。

伟大用途之三，交流成果：问题已经解决，金字塔已经建成，需要交流的时候，你从上到下，从金字塔尖尖向领导汇报。过去皇帝早朝殿议，给你三分钟，现在你在电梯里遇到领导，给你三十秒，你只汇报中心论点和一级支持论据，领导明白了，事情办成了。如果领导和刘备一样三顾你的茅庐，而且臀大肉沉，从早饭坐到晚饭，吃空你家冰箱。你有讲话的时间，他有兴趣，你就汇报到第十八级论据，为什么三分天下，得蜀而能有其一。有了这个原则，交流起来最有效。

作为中国人，需要小心的是，我们传统上日常生活的交流，不是从金字塔尖尖到金字塔基底的，而是相反。比如我们通常这样对小王的妈妈说：小王吃喝嫖赌抽，坑蒙拐骗偷，打瞎子骂哑巴，挖绝后坟敲寡妇门，小王是个坏蛋。我们通常不这样对小王妈妈说：小王是个坏蛋。然后看看小王妈妈的反应，再进一步提供证据：小王吃喝嫖赌抽，坑蒙拐骗偷，打瞎子骂哑巴，挖绝后坟敲寡妇门。纯用金字塔原则交流，在中国，容易找抽。

　　作为中国人，可以骄傲的是，我上国文化博大精深，外国人所有的一切都是偷我们祖宗的，所以不是毕达格拉斯百牛定理而是勾股弦定理，所以阴阳盂是最早的计算机，所以不是Minto的金字塔原则而是老聃金字塔原则：孔丘在春秋时代开了一家有三千个咨询顾问的管理咨询公司，帮助各个野心邪跳的诸侯通过加强基础管理而提升业绩。孔丘请教老聃如何培训新招的咨询顾问，老聃说，告诉他们，第一个要掌握的原则是，道生一，一生二，二生三，三生无数。

大 包

我的公文包：

你好啊。

忽然意识到，陪我时间最久的是你。虽然Tumi的包号称一生不朽，但是你的提手也已经被我拎出包浆，我的右手指掌也被你磨出三个老茧。日久生情，百感交集，所以想写封信给你，检讨一下你我如何彼此消磨。

首先承认，你很丰富，有很多隔层和口袋。你这一款，当时的广告语就是：每件东西都有一个安放的空间。仿佛每件东西安顿停当之后，人的控制欲得到满足，就能气定神闲，天上人间。

你的前部靠左两个口袋。下面的口袋小些，装个第一代的苹果手机，插中国移动的SIM卡。我有几个小妄想，其中一个妄想就是不再用手机，有机缘就碰上某个人，没有机缘就错过。有一阵，打电话会的时间太长，手机贴左脸皮的时间太长，早上洗脸，左边的脸皮看着仿佛比右边的黑一点、厚一点。有一次，电话会打了三个小时，其中我上了一次厕所，喝了一瓶水，电池打干了，一阵恍惚，我鼻子仿佛闻到左边脸飘来烤人肉的味道。上面的口袋大，装个黑莓Bold，插香港3的SIM卡。黑莓的广告说得狡猾：So you have more time for life（于是你有更多的时间享受真正的生活）。十几年前，有人说发明了电脑，打印的需求就会大大减少，有人说发明了洗衣机，主妇洗衣服的时间就会大大减少，这些说法，同样缺心眼儿。

你的前部右边两个口袋。下面的口袋小些，里面装着钥匙包。社会进步了，路不拾遗、夜不闭户却越来越遥远了。钥匙包里，香港住处的小区卡、门钥匙，香港办公室的门卡、门钥匙、抽屉钥匙；深圳住处的小区卡、门钥匙，深圳办公室的门卡、门钥匙、抽屉钥匙；北京住处的小区卡、门钥匙，北京办公室的门卡、门钥匙、抽屉钥匙。上面的口袋大些，里面装着钱包。钱没变多，钱包却越来越厚，建行人民币卡、招商人民币信用卡、汇丰港币卡、汇丰信用卡，美国运通卡。我那几个小妄想中的另一个，就是不再用钱包，上街给人吟首诗或者算个命就能换顿饭吃。每当这些卡的账单寄来，满纸密密麻麻的垃圾信息，就开始感叹人生太事儿妈，生命无聊啊。这个口袋里装着旅行证件和国航、国泰的常旅客卡，旅行证件已经用光五本，仿佛人生这条香烟已经抽光半条。在不到十年的时间里，国航已经快飞到一百万公里了，国航规定，活人飞过一百万公里就是终身白金卡，估计他们定这条的时候，认定没有多少人能活着实现，估计他们没有想到，大国崛起，变态的人比想象中的多得多。这个口袋里还有一副墨镜，和溥仪类似的金丝墨镜，水晶镜片，晚清古董，戴上眼镜清凉。我那几个小妄想中的另一个，就是名满天下，如果不戴墨镜，上街就会被人认出。后来发现，这个妄想和其他一些妄想一样，粗听、初听非常诱惑，稍稍细想，毫无道理，基本不靠谱。历史上，这类妄想往往构成愚民的基础，被宗教和政党反复利用，比如长征的时候征兵，一条口号就是"你想白分地主的存粮吗？你想上地主家小老婆的床吗？那就跟我们一起扛枪吧！"

你的中间是个开放的夹层，里面通常放一本书、一份报纸。书基本是语录体的，《论语》、《世说新语》、《曾文正公嘉言录》、《非常道》或者《五灯会元》，在路上，有几分钟就看几眼，接收古代明眼人几条短信。报纸基本都是飞机场休息室免费的，市场喂什么，我就嚼什么。

开放的夹层后面，是个相对大的空间，路上生活的杂物都在这儿了。电脑的电源拿出来单放，电源包里放了杂物：Kiel's唇膏，白天说得嘴唇开裂就擦擦。U盘，建行U-Key，汇丰行网银安全装置，曼秀雷敦滴眼液，眼睛实在干了就滴滴。阿胶桃花姬，巧克力条，没处吃饭，肚子实在饿了就啃啃。一两小袋铁观音，一两小袋大红袍，一个紫砂矮石瓢壶，每天清醒就靠它了。一两小袋三九葛花中药配方颗粒，两克一袋，相当于饮片十克，喝太大之后，实在难受，喝它，能让头少痛些。一个理光GRD相机，定焦光圈2.8，还能当录音笔用。一个中移动TD-CDMA数据卡，一个联通WCDMA数据卡，一个沃达丰WCDMA数据卡，走到很多地方，都有互联网。一条羊绒围巾，飞机上绑在脖子上，护住两侧风池穴，少得感冒。一条奇楠念珠，一百零八颗，觉得自己面目狰狞、心肺折腾，就拿出来，数数珠子，闻闻香。

你的后层是电脑层，放了一台Thinkpad

X301，每天摸它的时间，比摸其他人或者事物都多，所以选电脑的第一要求是键盘质地好，有弹性，耐磨。也放了一个纸质的笔记本，两支笔，脑子里的念头太多，记不下来就没了，记下来就一直在了。

你的最后面也是一个开放的夹层。里面放了两三块湿纸巾，握手太多之后，**擦擦**。还有两个呕吐袋。喝大了，能吐是好事，酒醒得快，不伤肝。周围有些同志呕吐的水平很高，可以分开湿的和干的，可以把湿的酒吐出来，把干的美食留下来。我不行。有一次吐猛了，左颌骨小关节都扭了，一个星期都张不开嘴。这两个呕吐袋，有一次全部都用上了。那次喝大，我让司机靠边停车，没推开车门之前，就吐满了一袋，推开车门之后，又吐满了另一袋，然后左手拎着一袋，右手拎着一袋，仿佛拎着吃剩的便当，笑着，摇晃着走向路边的垃圾桶。

余不一一。

冯唐

代苗炜《除非灵魂拍手作歌》序：
让我们倒行逆施

2002年夏天，我在北京。我不认识苗炜，我读一个叫布丁写的《有想法，没办法》。我发现，这个叫布丁的人也注意到，提到妇女，古龙不用"身体"，而是用"胴体"。我当时还特地查了《现代汉语词典》，上面清楚写着：胴体即身体。我当时还是执著地认为，无论怎么说，胴体还是比身体淫荡一千倍，胴体是个文学词汇，身体是个科学词汇。我还发现，这个叫布丁的人也爱看犯罪电影，也注意到罗伯特·德尼罗，也推崇《美国往事》。《美国往事》是我心目中经典中的经典，比《教父》要简洁美好很多。我当时想象的未来世界好像永远就是这样：一个倾国倾城的姑娘，一个满是现金的银行，几个从小一起混的兄弟，一个充满欲望、背叛和忏悔的复杂关系，那个倾城倾国的姑娘在把这几个兄弟睡遍之前绝对不能老去。总之，我们都相信在无聊中取乐，低俗一些，比较接近生命的本质。读完，我真是遗憾，没有很早之前认识这个叫布丁的人，否则中学就可以一起出黑板报，大学就可以一起出校刊了。

后来我知道布丁的本名叫苗炜。苗炜在三联生活周刊当头目，人帅，闷，能写，尤其能写应用文和说明文，屁股嘎板凳，闷声闷气每天能写上千字，多年不辍。

2008年夏天，我在一个饭局上遇见苗炜，我问，"忙什么呢？"在北京，不在饭局上遇见，一般问，吃了吗？在饭局上遇见，一般问，忙什么呢？一般的回答是，瞎忙。忙工作，忙项目，忙单位的斗争，忙离婚，忙生孩子，忙丈母娘的心脏病，忙念佛，忙中年危机，忙抑郁。

"写小说呢。"苗炜说。

"长篇？"

"短篇。"

"好啊，多写，大好事。"

"一定多写，我还在《人民文学》发表呢。"

在当代，在我的祖国，听到这种答案的频率和我接到火星的邮件或者我死去姥姥的电话类似。我记得在我的中学年代，文学还是显学，我语文老师已经明确指出，写东西这件事儿，如果不是为了名利或者勾引姑娘，还是能忘了就忘了吧。即使了名利或者勾引姑娘，世上还有大把更简捷有效的方法。而在当代，在我的祖国，如果我语文老师还去中学教课，她会发现，已经没有告诫同学们的任何必要了。

2009年夏天，我在网上。苗炜用MSN告诉我，他终于要当作家了，英文直接翻译就是写字的人。不再是苗老师、苗主编、苗师傅、苗主笔、苗闷骚、苗帅哥，而是姓苗的写字的人。

"十月份，我要出本小说集，能不能给写个序？"

我第一反应是："怎么不找个大师写？"

"谁是大师？老王朔？"

我听见遥远处的苗炜在心里偷笑，我心里也笑了笑，说，好吧，我写。

老天也算公平，给任何迷恋文字的人同样一个上天摘月亮的机会，同样一个摘不到摔下来的结局。迷恋文字的人同样把天赋、激素和野心拧巴成动力，同样号称怀着摘月的理想，不同的是有些人瞄准的是金矿山，有些人瞄准的是大奶，有些人瞄准的真的是瞄不准的月亮，不同的是有些人动力足些、蹦得高些、摔得好看些，有些人只够一次三至五毫升、蹦得实在太矮、摔得实在太难看。

《除非灵魂拍手作歌》里写灵魂、恋情、外星、猪肉、胴体。看得出，像所有写字的人一样，苗炜起于要让自己爽一下，但是看得出，苗炜不止于让自己爽一下，尽管他反复引用英文，反复强调，"（Writing）it's about getting up, getting well, getting over, getting happy, okay? Getting happy。" "Writing is not necessarily something to be ashamed of, but do it in private and wash your hands afterwards。"看得出，在当代，在我的祖国，尽管好些成名或者未成名的人老了或者废了，苗炜还刚刚开始，还欢势，他的机会还在。

文字是我们的宗教，愿我们继续倒行逆施。不要求两三年升半职，要求两三年出一本冷僻的书。心里一撮小火，身体离地半尺，不做蝼蚁，不做神，做个写字的人。

弱智后现代之英雄新衣

识字之后，两个词对我的诱惑最大，一个是"英雄"，一个是"美人"。

"美人"自然人见人爱，想起来热血上升：隔壁班上的那个女生昨晚又跟谁睡觉了？可是到底什么样的姑娘是美人？隔壁王叔叔的女儿，同班的小翠，还是书上说的杨玉环？为什么胸饱满一些腰纤细一些就是好看？美人也是人吗？睡觉吗？吃饭吗？每天都洗脸刷牙上厕所吗？美人在想什么？这一街一街的两条腿的男人，为什么她单挑了那个人睡觉呢？

"英雄"自然人人敬仰，想起来心中肿胀：我什么时候才能成为英雄？可是到底什么样的是英雄？收腊肉当学费的孔丘，身残志坚的司马迁，立德立功立言三不朽的曾国藩，还是好事做尽的雷锋？要走过多少路，要吃过多少苦，干过多少事，挣下多少钱，写过多少字，别人才认为你是英雄？你被大家当成英雄之后，所谓的美人会单挑了你睡觉吗？如果不，为什么要成为英雄呢？

读史之后，一个时代和一类人物对我的诱惑最大。

那个时代是春秋战国，那类人物是刺客。春秋战国乱得无比丰富，一口火锅，五百来年，炖涮出中国文明绝大部分的重要味道，《诗经》、《易经》、《道德经》、《论语》、《庄子》。武士动刀子，谋士动舌头，骗诸侯或装孙子或臭牛逼，活得一样生动激越、真实刻骨。刺客和娼妓是人类最古老的两种职业，与生俱来，有拳头就能当刺客，有大腿就能当娼妓。司马迁把刺客列在吕不韦之后李斯之前，立传留名。他对一个叫豫让的刺客崇敬不已，反复引用他的话："士为知己者死，女为悦己者容。"这类人中，最著名的一个就是那个好读书喝酒击剑的荆轲。他临刺秦王的时候，高唱："风萧萧兮易水寒，壮士一去兮不复还！"如今，北京的沙尘暴飘起，我背出这些诗句，还是涕泪沾襟。所以如果不是赴重要的牌局、酒局，我绝不轻易吟诵。

所以，当听说一个叫张艺谋的导演要拍一部叫《英雄》的电影，讲述刺客刺秦的故事，我想，有的可看了，一定要看。又听说，投资了三千万美金，挑了一水的大明星，梁朝伟在《春光乍泄》中一把抱住张国荣的后腰是如此柔情似水，张曼玉是我从高中就贴在床头的偶像，李连杰能用自己的脚踢爆自己的头。另外，马友友的大提琴、谭盾的音乐、袁和平的武打设计，都是一时才俊、不二之选。我想，至于动这么大干戈吗？被阉掉的司马迁在两千年前，只用了不到两千个浅显汉字，就让我在两千年后，看得两眼发直、真魂出壳，知道了什么是立意皎然、不欺其志、名垂后世。又听说，片子拍出来后，媒体上到处报道，还跟奥斯卡扯上边，好像谁要是不看谁就没文化谁就没品味谁就不尊重华语声音，跟送礼都要送

"脑白金"似的。盗版一点也见不到，跟各级政府、武警、公安局都有积极参与似的。深圳提前首映，一人一票，入门搜身，查身份证，比到天安门广场毛主席纪念堂看老人家遗容都严格。片头广告早卖出去了，游戏改编权也早卖出去了。

我想，坏了，琢磨着像有骗子在整事儿，纺织机器已经启动，皇帝的新衣正在制作。

北京首映的时候，暗恋梁朝伟和李连杰的小秘书老早就积极安排，公司包场，新东安小厅。为了不影响观看，同志们说好，不带小孩，不买爆米花，手机不放在振动，彻底关掉。电影开始四分之一，大家沉默期望，很多好电影都是慢热的。电影进行一半，大家互相张看，不知道到底是谁弱智。等到张曼玉问梁朝伟道："你心里除了天下，还有什么？"大家相视一笑，知道是谁弱智了，于是同声先于梁朝伟说道："还有你。"最后，被射成刺猬的李连杰被抬走了，演出结束了，小厅里灯亮了，我们领导严肃地说："谁窜掇看的？谁安排包场的？扣她这月工资！"

工资事小，反正不扣我的。但是，这帮家伙借着电影的名义用所谓艺术的手段，毁了对我诱惑最大的两个词之一："英雄"。还毁了我无限神往的那个时代和那群人物："春秋战国的刺客"。

画面恶俗。

按说画面是张艺谋的长项，当年柏林评委说《红高粱》："这么优美的画面预示着一个天才导演的诞生！"《英雄》的画面里，有李连杰这样的精壮男子，有张曼玉这样的曼妙女子，有各种中国符号：围棋、兵器、古琴、秦俑、银杏、汉字，但是怎么看怎么觉得是堆砌。想起中餐的大拼盘，蛋糕雕的城楼、黄瓜摆的大雁。想起北京街头的塑料椰子树，上海的霓虹灯，餐馆里挂的巨幅塑料风景画，花卉市场卖的盆景：一个白胡子老头坐在一座假得不能再假的土山上钓鱼，旁边有个黄白相间的大理石球，一边转圈一边冒白烟。小时候文化底子薄，长大了也是可以补的。多背背"西风残照，汉家陵阙"，多看看范宽的山水、齐白石的花草鸟虫，明白中国式的画面美没那么难。

音乐恶俗。

经高人指点，我的确发现，《英雄》里面添加了好多猛料：歌剧，"大王，杀不杀？杀不杀"，京剧、芭蕾舞剧、秦腔，等等。但是，不是鲍鱼、鱼翅、海参、火腿、燕窝放到锅里，一通乱炖就是"佛跳墙"。这里面还有起承转合、节奏火候，阴阳调和、五行匹配。要不然，每个药铺掌柜都能号称华佗了，不管什么病，反正山参、黄芪、鹿茸、狗鞭、肉苁蓉，挑贵的好的有名气的地球人都知道的往里扔，全当阳痿早泄治。

演员无辜。

兄弟姐妹们还是挺卖力的，演员是无辜的。全剧没有任何细节让梁朝伟表现他的温柔淳厚。陈道明对着"剑"字对着刺客朗诵"天下和平"，一定是导演逼的。李连杰死着一张脸，台词没有差池，至少没有在《罗密欧必死》中用英文笑着说"I miss you"的尴尬。张曼玉老了，香港最好的美容院也挡不住岁月无情，一张脸仿佛是涂了蜡但是搁了很久的水果，临战前和梁朝伟以情人关系睡在一起，让人怀疑是母子。看得出章子怡在加倍努力，每次叫喊着抢着刀剑冲上来的时候，都是口歪眼斜，好像中风早期，好像我某个北京前女友得知我红杏出墙。

导演丑陋。

常年提茶壶的，一朝苦混出来，成了喝茶的，第一件事是不要浮躁、不要得意忘形。既然成了腕儿了，就有资本心平气和、宠辱不惊，继续按照自己看待世界的方式，恶狠狠看下去，继续按照自己理解的表达方式，恶狠狠拍下去。看王家卫火了，就拍《有话好好说》，伊朗火了，就拍《一个不能少》，《卧虎藏龙》火了，就拍《英雄》，就这点点耐性就这点点胸襟。如果真有才气，应该明白如何点化，我在《双旗镇刀客》里看到了司马迁的《刺客列传》和古龙的《七种武器》，我在吴宇森的《变脸》和《不可能完成的任务II》中同样也看到了。如果才尽了，本着对自己名声负责的态度，应该选择沉默。在这点上，我崇敬曹禺和王朔。

剧本弱智。

"文章千古事，得失寸心知"。作为对文字虔诚的人，我拒绝评论，我拒绝将其称为文字。

如果绝大多数人认为，这帮人就是中国乃至华语电影乃至华人艺术的最杰出代表，那么在这个弱智的后现代，这帮家伙毁掉的，不仅仅是我心中的"英雄"和"春秋战国的刺客"，他们更毁掉了我的信心。欧美人拿出Mont Blanc、Tiffany、Leica M6、BMW Z8，我们还能拿出祖宗的景泰蓝、景德镇、故宫、长城。他们拿出荷马、莎士比亚，我们还能拿出唐诗、宋词、李渔。他们拿出伍迪艾伦、《通俗小说》、《美国往事》，我能拿出什么？张艺谋吗？《英雄》吗？

如何成为一个怪物?

我羡慕那些生下来就清楚自己该干什么的人。这些人生下来或者具有单纯的特质。如果身手矫健、心止似水,可以去做荆轲。如果面目姣好、奶大无边,可以去做苏小小。或者带着质朴的目的,比如詹天佑生下来就是为了修一段铁路,比如孙中山生下来就是为了搞一场革命。我从生下来就不知道自己该干点什么。我把自己像五分钱钢蹦儿一样扔进江湖上,落下来,不是国徽的一面朝上,也不是麦穗的一面朝上。我这个钢蹦儿倒立着,两边不靠。

其实很早我就知道我只能干好两件事情。第一是文字,我知道如何把文字摆放停当。很小的时候,我就体会到文字的力量,什么样的文字是绝妙好词。随便翻到《三曹文集》:"青青子衿,悠悠我心。但为君故,沉吟至今",就随便想起喜欢过的那个姑娘。她常穿一条蓝布裙子。她从不用香水,但是味道很好,我分不清是她身子的味道还是她裙子的味道,反正是她的味道。第二是逻辑，我知道如何把问题思考清楚。随便翻起《资治通鉴》，是战是和，是用姓王的胖子还是用姓李的瘸子，掩卷思量，洞若观火。继续看下去，按我的建议做的君王，都兵强马壮。没按我的建议做的，都垂泪对宫娥。

我从小就很拧。认定文字是用来言志的，不是用来糊口的，就像不能花间喝道、煮鹤焚琴、吃西施馅的人肉包子。逻辑清楚的用处也有限，只能做一个好学生。

我手背后，我脚并齐，我好好学习，我天天向上。我诚心，我正意，我修身，我齐家，我治国，我平天下。我绳锯木断，我水滴石穿，我三年不窥园，我不结交文学女流氓。我非礼不看，我非礼不听，我非礼不说，我怀了孟子。我忙，我累，我早起，我晚睡。

但是，我还是忘记不了文字之美。

上中学的时候，我四肢寒碜小脑不发达，不会请那个蓝布裙子跳恶俗下流的青春交谊舞。我在一页草稿纸上送她一首恶俗下流的叫做《印》的情诗，我自己写的：

> 我把月亮印在天上
> 天就是我的
> 我把片鞋印在地上
> 地就是我的
> 我亲吻你的额头
> 你就是我的

上大学的时候，写假金庸假古龙卖钱给女朋友买蓝布裙子穿。我学古龙学得最像，我也崇尚极简主义，少就是多，少就是好。我描写姑娘也爱用"胴体"。我的陆小凤不仅有四条眉毛，而且有三管阳具，更加男人。

上班的时候，我看我周围的豪商巨贾，拿他们比较《资治通鉴》里的王胖子和李瘸子，想象他们的内心深处。假期不去夏威夷看草裙舞，不去西藏假装内心迷茫。明月如霜、好风如水，我摊开纸笔，我静观文字之美。

两面不靠的坏处挺多。比如时间不够，文字上无法达到本可以达到的高度。数量在一定程度上决定质量，至少在很大程度上决定力量。比如欲望不强烈，没有欲望挣到"没有数的钱"，没有欲望位极人臣。就像有史以来最能成事的曾国藩所说："天下事，有所利有所贪者成其半，有所激有所逼者成其半。"我眼里无光、心里无火。我深杯酒满、饮食无虞。我是个不成事的东西。这和聪明不聪明，努力不努力没有关系。

两面不靠的好处也有。比如文字独立，在文字上，我不求名、不求财，按我的理解，做我的千古文章。我不教导书商早晚如何刷牙，书商也不用教导我如何调和众口、烘托卖点。比如心理平衡。我看我周围的豪商巨贾，心中月明星稀，水波不兴。百年之后，没有人会记得他们，但是那时候的少年人会猜测苏小小的面目如何姣好，会按我的指点，爱上身边常穿一条蓝布裙子的姑娘。

倒立着两边不靠，总不是稳态。我依旧不知道自己该干什么。年轻的时候，这种样子叫做有理想。到了我这种年纪，我妈说，这种样子就叫做怪物。

小猪大道

猪和蝴蝶是我最喜欢的两种动物。

我喜欢猪早于我喜欢姑娘，我喜欢蝴蝶晚于我喜欢姑娘。猪比姑娘有容易理解的好处：穿了哥哥淘汰下来的大旧衣服，站在猪面前，也不会自卑。猪手可以看，可以摸，还可以啃，啃了之后，几个小时不饿。猪直来直去，饿了吃，困了睡，激素高了就拱墙壁，不用你猜她的心思。猪比较胖，冬暖夏凉，夏天把手放到她的肉上，手很快就凉爽了。猪有两排乳房，而不是两个。等等。这些好处，姑娘都没有。

发行第一套生肖猴票（T46，庚申猴）的时候，由于只发行了三百万张，半年就从八分钱的面值升到两块。那时我上小学，才学了算术。我和我老妈算：全国十亿人，三百多人才轮上一张猴票，这三百多人里就有三十来个属猴的，猴票的价格还得涨。我老妈给了我两块钱，放在贴肉的兜里，叫我去黑市买猴。我在崇文门邮市买到猴之后，在王府井附近一个工艺品商店的橱窗里看见了一个猪造型的存钱罐。造型独特，我从没见过。青地青花，母子猪，大猪在下面驮着上面的小猪，两头猪都咧嘴乐着，小猪背上开了一个口子，钢镚儿就从那里进去，标价两块。我立刻觉得，同是两块钱，比猴票值。一、两个猪比一个猴，多。二、培养攒钱的好习惯。三、那个大猪身材像我老妈，大腿粗，小腿极细。我跑到东单邮电局邮市，我两块两毛卖了那张猴票，买了母子猪存钱罐子，又买了一根奶油双棒冰棍。告诉我老妈，我老妈夸我算术学得好，日回报百分之十，这一天过得有意义。

又过了两年，庚申猴涨到十块一张了，母子猪存钱罐子满大街都看得到了，我遇到邮电局就绕着走，把母子猪塞进床底下。我老妈把钱罐翻出来，摆在我的小书桌上，她说了一句话，这句话二十年后，我在书里听麦兜老妈麦太说起。麦太因为盲目信任麦兜的童子手气而没中六合大彩，麦兜羞愧地低下了头。

我老妈当时和麦太说的一样："我们现在很好。"

麦兜不仅是一只猪，而且是一只生活在低处的猪，一只饱含简单而低级趣味的猪，一只得大道的猪。

麦兜生活在低处。麦兜们天资平常，出身草根，单亲家庭，抠钱买火鸡，没钱去马尔代夫，很大的奢望是有一块橡皮。

我在香港住的地方是老区，统称西营盘，英国鬼子最早打到香港岛，驻扎军队的地方。上下班的时候，在周围左看右看，常常看见很多领着麦兜的麦太们，麦兜们穿着蓝色校服，麦太们烫着卷花头。麦兜麦太走过没有树的水泥便道，皇后大道西和水街的交汇处，挂着直截了当的横幅，"维护西区淳朴民风，反对建立变相按摩院"。麦兜麦太走进茶餐厅，套餐二十元，冻饮加两元，穿校服者奉送汽水。我香港的同事Jackie告诉我，她还是麦兜的时候，从广州来香港，她妈妈挤出所有能挤出来的钱让她上了个好学校，同学们都出自香港老望族，他们的爸爸们都抹头油，小轿车车牌只有两位数。学校老师要求，每个小童都学一个乐器，提升品行。她同学有的学大提琴，有的学钢琴。Jackie问妈妈她学什么，妈妈说屋子小，给Jackie买了个口琴。

麦兜饱含简单而低级的趣味。麦兜们说："没有钱，但我有个橙。"橙子十元四个，问西营盘附近的水果摊子老板："哪种甜？"老板会说真话，不会总指最贵的一堆。在麦兜们眼里，每个橙都是诚实朴素的，杀人橙皮，咧开橙瓣，每一粒橙肉都让人想起橙子在过去一年吸收的天光和地气。吃橙的十分钟，是伟大而圆满的十分钟。麦兜们拜师学六合谭腿，专攻撩阴腿，暗恋师傅的女儿。"不是没风无情，也就是偶然的一笑，像桂花莲藕，桂花沁入一碌藕。"麦兜们长大了，几个人在深圳包一个二奶，一个人供她房，一个人买车，一个人出汽油钱和青菜钱。聚在一起，没什么话说，就很欢喜。在麦兜们眼里，所有二奶都是女神，年轻，苗条，白，笃信只有猪才能称得上帅气。

这种低级趣味，绵延不绝，从《诗经》，到《论语》，到《世说新语》，到丰子恺，到周作人，到陈果，到麦兜。我要向麦兜们学习。我以后码字，只用逗号和句号，只用动词和名词，只用主语和谓语，最多加个宾语。不二逼，不装逼。觉得一个人傻，直截了当好好说："你傻逼。"不说："你的思路很细致，但是稍稍欠缺战略高度。"甚至也不说："你脑子进水了，你脑子吃肿了。"

麦兜得了大道。麦兜做了一个大慢钟，无数年走一分钟，无数年走一个时辰，但是的确在走。仿佛和尚说，前面也是雨，在大慢钟面前，所有的人都没有压力了，心平气和，生活简单而美好。麦兜没学过医，不知道激素作用，但是他总结出，事物最美妙的时候是等待和刚刚尝到的时候。这个智慧两度袭击麦兜，一次在他的婚礼上，一次他老妈死的时候。

我在一个初秋的下午，等待十一长假的到来，翻完了四本麦兜。我坚定了生活在低处就不怕钱少的信念，我认为所有人都用上抽水马桶就是共产主义，我确立了直截了当说"你傻逼"的文学宗旨，我饿了吃，我困了睡，我激素高了就蹭大树，我想起了我老妈，我眼圈红了。麦兜麦太说："我们已经很满足，再多已是贪婪。"

十年一觉

　　微软杀进游戏市场的早期，有个广告，我印象深刻。一个男孩儿炮弹似的被老娘从阴道里弹射出来，抛物线上升，下降，一分钟后掉进坟墓，这一路上他变换装束，这一路上他鸡鸡由小到大再到无。最后一句总结：人生苦短，耍吧。（Life is short. Play more.）

　　人类从繁盛至今，经历了六个时代：石器时代、玉器时代、铜器时代、铁器时代、火器时代、电脑时代。我们这拨儿人见证了电脑时代的到来，眼瞅着这个怪胎如何一寸寸长成怪物。像我外甥这样被电脑化仪器接生出来的一代，平均一周和人类说七八句话，一天在电脑前七八个小时，最崇拜Pokémon（口袋妖怪）。估计到他下一代，小男孩儿出生的时候，做包皮环切，顺带在两球之间安装无线网卡，802.11Z，1Gbps，全球漫游，人和人之间不用再说一句话。

　　我第一次碰电脑，需要排队。队比瞻仰毛主席纪念堂的队还长，轮到了，一个人碰十分钟。需要脱鞋。男生脱，女生也脱，班花也脱。四月份，倒春寒，班花没穿袜子，露出鲜红的指甲，比她嘴唇还红。

我第一个迷恋的游戏叫《沙丘》，即时战略。才7M大小，三方势力，共27关，断断续续，三周通关。那时候，我正在人生的拧巴期，正谈大恋爱，总恨祖国形势一片大好、北京凄风苦雨的时候太少。我爱杜牧，她爱杜丘。我爱孔丘，她爱篮球。我爱司马迁，她爱唐国强。为了加强共同基础，我带她到我家，给她看电脑里的《沙丘》，她挽着袖子，说，暑假要结束了，这个好玩儿，给我留着，将来一起打。

后来，和她就没了后来。后来，我一直等《沙丘》出续集。后来，听说做《沙丘》的团队去了西木（Westwood），一九九五年，出了《命令与征服》（Command & Conquer）。在北京买到盗版光盘之后，黑夜和白天没了界限，宿舍里一台老奔腾电脑，我们歇人不歇机器，一周通关。一个月回味，根据游戏设计漏洞创造各种流氓玩法，比如把炮台建到敌人家门口。一年在宿舍里联网打，用一个伪Modem线连接两个破电脑，真人一对一，军旗被夺的下去，换别人。

后来，那个总能把我军旗夺走的人，娶走了我们的班花。后来，听说西木被电子艺界（Electronic Arts）买了，又出了《命令与征服2》。后来，在受虐心理支配下，我开始干上每周七八十个小时的工作，我的右肩彻底完蛋了，用一个小时鼠标，就会剧痛，什么时候转动，什么时候嘎吱嘎吱响。我玩不动了。

后来，十年之后，我外甥第一次去机场接我，第一次主动开口和我说话，而且一连说了三句：小舅，你好。小舅，明天我十岁生日。小舅，你给我买个Wii吧。在Best Buy买Wii的时候，我转头看到，游戏架子上摆着《命令与征服，第一个十年》（C&C，1st decade），双DVD，一共十二个游戏，全部安装一共10G。

我买了两套，绝对正版，一套留给自己，和古龙全集一起，等自己退休，混吃等死的时候用。那个总能把我军旗夺走的人，已经和班花不在一起了。另一套送他。我还记得一九九五年《命令与征服》盗版光盘上的说法：两张CD，一张给你自己，一张给你最爱的敌人（One for you，one for your favorite enemy）。

古玉十条

严格定义，中国玉指透闪石和阳起石等软玉。宽泛定义，包括慈禧之后，二老婆做大，才开始流行的缅甸硬玉，即翡翠，也包括玛瑙、水晶、碧玺、绿松石、青金石等"石之美者"。

严格定义，古玉是汉朝之前雕琢制造的玉器。宽泛定义，古玉是民国之前、蛇皮钻等电动琢玉工具出现之前用手动砣具雕琢制造的玉器。

中国五千年的社会历史，写成了三千卷的二十四史。中国这块土地上，有明确出土证据的用玉历史八千年，从新石器时期直到如今。关于古玉，如果全部写出来，需要多本厚书。出于长期做管理咨询的职业习惯，再复杂的事情也要尝试几句话说明白，所以在古玉问题上，总结归纳最重要的十点。提纲挈领，挂一漏万。

第一，古玉贯穿中国文化。体会中国绵延不绝的文化，没有比古玉更好的媒介。

收藏古物的一个目的是理解祖先，进而在时间的维度上理解一个民族，甚至人类。古物在手，时间被极大压缩。手上的这块兽面仿佛昨天才被玉工历时半年雕成，明天会用细细的小牛筋挂在巫师的脖子上。你体会到在古物诞生的时代里，人们的审美、判断、好恶、智慧、性格。为什么神兽的眼睛睁得这么大？为什么头可以这样扭？为什么其他地方可以这样省略？

在奥地利的一个叫Kitzbuhel小镇开会，周围除了风景还是风景，除了退了休的白胡子老头就是退了休的白毛老太太，手拉手牵着狗走来走去。入夜，静得听见松针和月芒坠落地面的声音，清得看见不远处阿尔卑斯山顶，岩石一样白色的巨大的天神。倒时差，睡不着，竟然想起北京，竟然想起写诗，其中一段：有风在午夜三点的城市吹起/胯下的小兽咆哮颈上的仙人弹琴/有字句如鬼火在身体里/我想你。收邮件，玉商小崔发来一个商代玉佩，鹰的爪子下面是人头，鹰的脖子上面是条飞龙。

就单一物件而言，最具代表性的，中国是玉，西方是金。中国用玉八千年，历朝不绝，各有特点，高潮迭起，不仅迷惑汉人，而且蛊惑外族。新石器时代时期的玉器，素面朝天，随形通神。商周玉器，嚣张迷幻。春秋繁复，云蒸龙腾。战汉慓悍，切刀为主，八刀成形。唐宋雍容，花鸟带板。辽金简素，秋山春水。元俗明粗，清朝堆砌。但是如果不论艺术水平，只谈工艺水平，清朝的康雍乾是古玉的最高峰，前无古人，后无来者。那时候的中国比现在的美国还牛，想打谁就打谁，GDP占全世界的百分之三十。

相比之下，文字只有四千年，唐诗只有一千年，唐以后的诗传统时断时续。宋瓷不到千年，宋之后，神淡气衰。明朝家具五百年，明之后，纤秾俗甜。

第二，古玉象征五德。涵盖范围和"五讲四美三热爱"以及各种宣贯的企业文化基本相似。

上古开始，玉就用于祭祀和装饰。春秋战国，玉被定义，代表儒家五德：仁、义、智、勇、洁。"君子无故，玉不去身"，脖子可以挂，腰上可以佩，仿佛毛主席像章和毛主席语录。手里不时摸得到，感到玉的温润、透明、舒扬、坚硬、干净，心兵不起，妄念渐平，三军不可夺志。

到了现代，对于现代企业，道理类似。刚加入麦肯锡的时候，被教育，要从五方面培养自己的领导能力：同伴、客户、思考、创业、协作。对于同伴，要仁爱、培育、扶持、甘苦共尝。对于客户，要义气，尽心、尽力、荣辱同当。对于问题，思考、分析、慧剑除魔。对于新大陆，明快、决断、勇者无畏。和古玉的五德相比，近似程度百分之八十。

第三，古玉如好女。落花无言、人淡如菊、碧桃满树、风日水滨。萝卜白菜，各花入各眼。

刚开始喜欢玉的时候，喜欢清中期的东西，玉白啊，纹饰雕工好啊，就像十八九岁的江南小姑娘，皮肤白啊，眉眼腰身好啊。

很快转爱战汉，简洁、自信、嚣张、凌厉，天风浪浪、海山苍苍、真力弥漫、万象在旁，制玉几乎不用琢功，八刀成型，神气俱足，仿佛拎着青龙偃月刀的北京姑娘，说，"犯我强汉，骗我姑娘，虽远必诛"。

进而转向商周，巫医不分，灵导通神。当时的人平均寿命三四十年，生命如花和朝露。专业玉工一年做两三件玉器，琢玉之前饮酒，琢玉之中嗑药，看着商周玉上的飞鸟、游龙、长发飘舞的人头，我闻见大麻的温暖和浑厚。

第四、古玉真假难辨，如同人心。

刚开始学辨别古玉的时候，玉商摊开十件古玉，说，仔细看，哪个是对的，哪个不对，哪个是老改老，哪个是老玉后补工，哪个是新玉新工做旧？

我想起大学学植物学的时候，白发的先生摊开十种树枝，说，仔细看，分别是什么目、什么科、什么属、什么种？我们抱怨，要给全才好辨认啊，给全根、茎、叶、花、果实、种子吧。先生说，朝鲜战争的时候，美帝国主义用叶子为载体向朝鲜空投细菌武器，也没有带全根茎花果实种子，我们还是要能辨认出，这种阔叶只有美国西海岸有，细菌武器一定是美国使用的。

我想起医学院学病理学的时候，白发的先生摊开十个切片，说，仔细看，哪些是正常组织，哪些是原位病变，哪些是良性瘤变，哪些是恶性肿瘤组织？好好看，病理诊断是最后一关了，良性看成恶性，病人的一条好腿就会被截掉，恶性看成良性，病人就会因为一条坏腿被保留而死掉。

我想起胡兰成在三十六岁满含真情为张爱玲写下：现世安稳，岁月静好。之后，红尘滚滚，胡兰成又找了一个武汉的小护士，之后，兵荒马乱，胡兰成又找了一个浙江的寡妇。张爱玲二十五岁前写完这辈子最重要的文字，一个人在美国活到七十五岁。

第五，街面上百分之九十九的所谓古玉是假的，不要轻信自己的判断。

尽管潘家园地摊上的玉器看着真像玉做的，看着真老，别信。自古以来，造假就是浙江、河南、安徽等地区的高科技。

不要看器形和纹饰多像图谱，六卷本《中国玉器全集》、十六卷本《中国出土玉器全集》都是公开发行的，奸商很可能看得比你仔细。这年代，刀工也不能全信了，重利之下，也开始有人手工磨老玉，填上纹饰多卖钱。

唯一模仿不了的是气韵和包浆。现在的玉工，早上想着股票能不能上五千点，中午饭没有大鼎人参炖老鹰，晚上没有当年的大麻和罂粟，手上出来的玉器，花不活、鱼不飞、辟邪仙兽不咬人。老玉的包浆，是千年来多少双手摩挲、多少道乳沟浸泡、多少层黄土掩埋出来的光华，去年新雕的新玉怎么可能有？即使再包装、再练习，张靓颖也无法展现，陈圆圆离开李自成的一瞬间，秋波那一转。

第六，官府发现的古墓，百分之九十九已经被盗掘过。

作为职业，盗墓和卖淫、暗杀一样古老，几乎是历史最悠久的有组织犯罪。

绝对平均的原始共产主义过去之后，统治阶级逃不出人性诱惑，总想把现世的金玉珠宝骏马美女带到来世，就有了厚葬。有了厚葬之后，就有了盗墓这个职业。有确凿记载，周朝的时候，就有人挖商墓。三国的时候，曹操就亲自组织过盗墓别动队。民国的时候，孙殿英盗了清东陵，西太后嘴里的夜明珠和手上的满绿冰种老翠镯子不知道现在在谁的枕头下面。

虽然从技术上，盗墓不比种土豆复杂很多，但是古墓不是土豆，不能生长繁殖，不可再生。所以四千年下来，特别是上世纪末、本世纪初大规模建设之后，古墓一定不像古玩市场一样，到处都是。

总之，如果玉商告诉你，这坑东西上个月才挖出来，闻闻，还有远古的尸骨味儿。别信。

第七，到底是唐朝古玉还是宋朝古玉，像辨别唐诗和宋诗一样简单，一样复杂。

别人问："这块玉是什么时候的？"我回答：

"西汉的。"最常听到的下一个问题是："你怎么知道是西汉的？上面刻着西汉年造吗？"

如果不想多说话的时候，我的标准回答是反问："你怎么知道'天上白玉京，五楼十二城。仙人抚我顶，结发授长生'是唐诗而不是宋诗？我不仅知道这是唐诗，而且还知道这是李白的诗，不是杜甫的诗。"

如果想多说话的时候，我会讲，从五个方面看：玉种、器形、纹饰、刀工、沁色。每个朝代，有每个朝代的特点。

通常，我都不想多说话。

第八，在能够承受的范围内，买价格最高的古玉，不要买价格最低的。

如果把古玉当投资，基本原理和其他投资类似。买价格合理的好东西，别买价格低廉的次东西。温饱之后，其他行为的准则是好玩和开心。要对自己狠一点，不要贪多、贪全。如果真喜欢玉，酒就只喝二锅头吧，烟就只抽都宝吧，正装就只穿七匹狼吧。

第九，古玉被你拥有了，只是经手，只是暂得。古玉活得比你要长得多，陪完你，再去陪别人。

作为成年人，这点道理要想明白，一切流逝，生命是借给你的，饭是老天赏的，我们所有人的结局都相同，我们都会死很久。即使效法西汉人，死了的时候把玉藏在你身体的各种孔穴中（嘴、鼻孔、眼睛、耳朵、肛门等等），还是逃不过盗墓人的洛阳铲。刨出来的时候，百分之百的情况下，你身体的各种孔穴都消失了，那些含玉、眼盖、鼻塞、耳塞、肛塞、阳具罩都硬硬的还在。详情参考第六条。

第十，个人盗墓违反国家法律。

不用细说了，从哪方面讲都不是我专业。详情参见《中华人民共和国刑法》和《中华人民共和国文物保护法》。

我们为什么喜欢明朝的桌椅板凳

心易变，潮流一会儿一个方向。前年兴吃红焖羊肉，今年兴吃水煮鱼麻辣蟹，后年不知道又会兴什么。昨天兴看大眉大眼健康热闹的宁静、赵薇，今天兴看尖鼻尖嘴酷涩狐媚的王菲、周迅，后天不知道满大街满电视里红旗招展的又是谁的脸。

人心不变，多少年过来，还是两个心室、两个心房的结构，一些事情还是流转不散。过去有黄包车和骆驼祥子，现在有夏利和的哥，市井依然。过去有陈圆圆，一轮明月下比较李自成和吴三桂的短长粗细，现在有璩美凤，在摄像头前讨论陈大哥，淫邪常在。过去有《灯草和尚》、《如意君传》，现在有《曼娜回忆录》、《北京故事》，感情总动人。从过去到现在，小孩子都要背诵"鹅、鹅、鹅"、"床前明月光"，我们都喜欢明朝的桌椅板凳。

为什么明朝的桌椅板凳最牛逼？因为明朝（特别是明朝后期，特别是在江南），推行了市场经济。仓廪实知礼节，饱富思淫，这个道理亘古不变。有了钱才会感觉空虚，开始琢磨星空和道德律。有了钱才会下体肿胀，开始琢磨美人"临去时秋波那一转"。所以明朝的文人写出《肉蒲团》、《金瓶梅》，所以明朝的匠人造出牛逼的桌椅板凳。研究明式家具的泰斗王世襄讲了类似的两点原因："明及清前期家具之所以能有如此之高的成就，除了继承宋代的优良传统外，主要有两个原因：一是由于城市乡镇的繁荣，商品经济的发展，不仅大大增加了家具的需求，而且改变了社会习尚，兴起了普遍讲求家具陈设的风气。二是海禁开放，大量输入硬木，使工匠有可能制造出精美坚实并超越前代的家具。"

为什么我们到现在还喜欢明朝的桌椅板凳？对于这个问题，王老只是陈述了一个事实，原因讲得不清楚。王老写道："明及清前期家具陈置在我国传统的建筑中最为适宜，自不待言。不过出乎意料的是见到几处非常现代化的欧美住宅，陈置着明式家具，竟也十分协调。不难设想，如将上述的情况倒转过来，把近两三百年来，豪华的西洋家具摆在我国的古建筑中，必然会感到不伦不类，而为什么明式家具和现代生活却能这样合拍呢？思考一下似乎也不难理解，正是由于西方现代生活所追求的简洁明快的格调在本质上和明式家具有相同之处的缘故。"

王老提出的"简洁明快"肯定是原因之一。明式家具的简洁迎合后现代的极简主义：少就是好，越少就是越好。禅宗讲，一花一世界，一叶一如来。一句也是多，一说就是错。见过一个日本知名商社的董事会室的设计：一庭院，一枯石，一干松，一石屋，一木桌。一束阳光从屋顶打在空荡荡的石屋里的那个小木桌周围，再无他物。做得有些极端，但是道理昭然。那么多业务，那么多投资的可能，那么多人事，必须去繁就简，想想清楚。见过周公瑕（文征明弟子，工行草及兰花）刻在一具紫檀椅子靠背板上的文字："无事此静坐，一日如两日。若活七十年，便是百四十。"字写得一般，有些甜弱，但是意思明确。五色眩目，五欲乱心，说到底，还是静以修身，俭以养德，心不乱，一切就都有了。"简洁明快"不是缺谁都行，做得好的"简洁明快"，功能一点都不能减弱，甚至更强。这需要功夫。残破的维纳斯，缺了胳膊是"简洁明快"，如果缺了乳房和屁股，就该送进废品收购站了。女孩子的小衬衫只露一点肚脐和两指宽的胸脯，也是旖旎无限，也促进观众的激素分泌，需要裁缝更好的手艺。做管理咨询的常提"电梯测验"：假设你在电梯里碰见了你的大老板，考你能不能在同乘电梯的30秒中，向你的大老板讲清楚最近几个月你都干了什么。过去大臣上朝，向皇帝陈述政见，能用的时间也不过30秒。在这30秒钟，能简洁明快，说得清楚又不干涩，需要功夫。

　　我们到现在还喜欢明朝桌椅板凳的第二个原因是"细腻精致"。"简洁明快"不等于偷工减料，明朝的桌椅板凳做得细腻精致。从小就知道我们的文明博大精深，从古数到今天，唐诗宋词元曲明具。明朝的桌椅板凳料好活细，大匠制器，好像大师作诗，"二句三年得，一吟双泪流"，好椅子做成，"日三摩挲，何如十五女肤！"现在逛红桥市场、潘家园市场，时常感觉害臊：东西做得太假了，活太糙了。一个白胡子老头卖旧书，仗着胡子长装行家胡说八道："你看，这旧春宫假不了！你看，扉页印着呢，北宋印制！"心里想，真是今不如昔。过去出来混，当个董小宛，也得琴棋书画粗通，《素女经》、《洞玄子》精读，采阳滋阴都明白。现在出来混，长个傻高个，敢刺个青嗑个药，两腿一叉开就合格了。

　　要搬新房子了，我需要添把椅子。生命中花时间最多的地方，一个是床，另外一个就是椅子，我决定不吝银子。我有两个选择，一个是明式的黄花梨南宫帽椅，另一个是Herman Miller的Aeron。Aeron是个化工材料做的网眼椅，严格按照人体工程学原理，椅子所有关键部位都能调节。由于有网眼，夏天坐再长时间，屁股也不出汗。坐上去，调节好，感觉仿佛你的初恋情人从你后面在轻轻抱着你。想来想去，我买了Aeron。黄花梨南宫帽椅太费事了。卖椅子的行家说，这种椅子要出彩儿，出灵气，一定要时不时让黄花姑娘光了屁股在上面摩挲。现在新社会了，哪儿找黄花姑娘去？

读齐白石的二十一次欷歔

"小时多病，病危时，祖母常祷于神祈，以头叩地做声，伤处坟起"……"一日，祖母使予与二弟纯松各佩一铃，言曰，汝兄弟日夕未归，吾则倚门而望，闻铃声渐近，知汝归矣，吾始心安为晚炊也。"

我姥姥带大了我哥、我姐和我。我姥姥比我妈明显漂亮，我妈比我姐姐明显漂亮。我姥姥说，女人和西瓜一样，一辈儿不如一辈儿，三拨儿前还沙瓤呢，三拨儿之后就冬瓜味儿了。我四岁那年，夏天炎热，好多老头老太太都死了，我姥姥也没躲过去。

我姥姥是蒙古人，没有名儿，只有姓，梁包氏。老家赤峰，后来挖出来红山文化，很多青黄玉器，天一样青，地一样黄。蒙古人多神，在众多强大的力量面前体察到神灵、风、云、雷、电、马、山、河，部落里脑袋被马屁股坐了之后坚持相信某种使命的人。

红山的玉器里，这些神的小样儿都有。

我姥姥在北京的家里也有神龛，放几块石头，几条布头儿，一张画像。祭品包括米饭，瓶装二锅头，和一种细细的卫生香。我小时候没事儿就生病，街上流行什么病，我就得什么病，三天两头往复兴门外的北京儿童医院跑。烧糊涂的时候，就听见我姥姥在神龛前用蒙古话叽里咕噜唠叨。我问她在说什么，我姥姥说，风、云、雷、电、马、山、河，我操你妈，我操你大爷，我操你全家，连我外孙的命都保不了，我吃光你的米饭，喝光你的酒。

我姥姥也给我系过一个铃铛。她说是长命锁，上面刻了八仙，银的。我当时觉得很沉，什么狗逼银的，全部黑兮兮的。我姥姥自己喝散装二锅头，到了下楼不方便的年纪，她让我姐带着我和瓶子去小卖部买。我姐说，大人管钱，小人管瓶子。所以我拎着酒瓶子。有一次，我在家门口摔了酒瓶子，被我姥姥痛打，并且没让吃晚饭。我姥姥说，要我得个教训，学些生活的道理。

二

　　"我二十岁……足足画了半年，把一部《芥子园画谱》，除了残缺的一本以外，都勾影完了，钉成了十六本"……"祖母也笑着对我说：阿芝！你倒没有亏负了这支笔，从前我说过，哪见文章锅里煮，现在我看见你的画，却在锅里煮了！"

少年时候，我也有一套《芥子园画谱》，东四中国书店买的。也不全，四册缺花鸟鱼虫卷。翻了翻第一卷，就觉得没劲儿，几个穿长袍的古人，在河边挑了一个很邪逼的地方站着，也不钓鱼，也不游泳，也不投河。不懂。

我邻居的坏小孩儿，比我大两岁，有整套的《三国演义》小儿书，我从第一本《桃园结义》照着描到第四十八本《三国归晋》。这种功夫在十多年后起到作用，在北大生物系画草履虫、水螅切片之类，我总是拿满分。

我并不满足，决定开始画活物。家里的朱顶红开了，绿肥红厚，花柱头和龟头一样雄壮。我对着画，一画一天，花不残，我不餐。晚饭之前，我哥很深沉地找我谈话："你知道北京城有多少人在画画吗？你知道有多少画画的吃不上饭吗？我看你没这个才气，别画了。让花好好开吧。"我哥大我十岁，我鸡鸡还没发育的时候，他就带漂亮姑娘在楼下杨树和柳树之间溜达了。当时流行高仓健和杜丘，我哥也有鬓角，也有件日本进口的黑风衣，话也不多。所以，他说的话，我基本都听。

我邻居坏小孩儿还有两箱子武侠小说，全套古龙、金庸、梁羽生、陈青云、诸葛青云、卧龙生。他基本不借给我，后来他把家里的菜刀磨快了当成断魂玉钩，模拟邪剑陆飘飘，行走大北窑一带的江湖，被四个警察抓了，头顶上敲出土豆大的血包，流放到山西煤矿。他妈死活说我长得像他，让我常去他家，他的两箱武侠书随便我看。足足三个月，我读了一百多本最恶俗的长篇武侠小说。

我自己开始写武侠，一天一夜，三十页稿纸，天地洪荒，宇宙玄黄。第二天早饭之前，我哥很深沉地找我谈话："你知道全中国有多少人在写作吗？你知道有多少写作的人吃不上饭吗？你即使有这个才气，也不见得有这个运势，别写了。"

后来我还是偷偷写了一个叫《欢喜》的长篇，十三万字，全是文艺腔，寄给一个叫《中学生文学》的杂志，那个杂志随即倒闭了。如果没留底稿，这件事儿就彻底没了痕迹。

后来我高中选了理科班，大学学了医，一学就学了八年。

再后来，三十六岁那年，我出了一套五本的文集，四本长篇小说，一本杂文。书业的IT精英狂马说，出文集很难的，很多老作家，为了出文集，每周都带着浴巾去作协大楼闹，先洗澡，再上吊。

三

"我六十岁……陈师曾从日本回来，带去的画，统都卖了出去，而且卖价特别丰厚……这样的善价，在国内是想也不敢想的……从此以后，我卖画生涯，一天比一天兴盛起来。"

齐白石如果三十岁就红了，说不定就成范曾了。

我如果十七岁写完《欢喜》就红了，说不定就成郭敬明了。

我大致知道我小说的印数，站在西单图书的滚梯上，看着滚滚人群，我想，我不想努力让这些人都成为我的读者，他们辛苦，应该有更容易的消遣和慰藉。白居易的"老妪能懂"是一种理想，我这种"老妪不懂"也是一种理想。在后现代社会，我的理想更难得。

刮胡子和撒尿的时候，我想，一个冯唐这样劳碌、好奇、热爱妇女的人，如果一直在写，直到六十岁才红，写到九十岁才死，对于汉语一定是件好事儿。

我想，到了九十岁，我如果没钱花了，我就手抄我自己的诗集，一共抄十八本，每本卖一万块。

　　"我刻印，同写字一样。写字，下笔不重描。刻印，一刀下去，决不回刀……老实说，真正懂得石刻的，能有多少人？……世间事，贵痛快，何况篆刻是风雅事，岂是拖泥带水，做得好的呢？"

　　我写长篇的习惯是，每次写新章节之前，都从第一个字开始，重新飞快看一遍，觉得不舒服的地方，随手改掉。写新段落的时候，宽处跑坦克，密处不透光，洪水下来就下来吧，风安静下来，树叶看着月亮。等写完最后一个字，再重新最后看一遍。于是关上电脑，于是提刀而立，为之四顾，为之踌躇满志。之后除了错别字，不改一个字，哪怕登不了《收获》，哪怕卖不过余秋雨。

　　写一个主题是可以的，和所有的艺术家一样，伟大的作者都只能写一个主题，只是用不同的手法和心情去写。但是，改年少时候的文字是不可以的。一个人凭什么认为，他几十年积累的经验就一定打得过年少时候的锐气？那不是自信，那是愚昧。偶尔有些敬畏，相信天成，相信最好的艺术家在他们最好的状态里，不过是上天的一个工具，像天空的飞鸟，像湖水的游鱼。

　　谁能把牛肉炖成驴肉？谁能让牡丹开成玫瑰？

　　"余年来神倦，目力尤衰，作画刻印只

可任意所之……像不画，工细不画，着色不画，非其人不画，促迫不画……水晶玉石牙骨不刻，字小不刻，石小字多不刻，印语俗不刻，不合用印之人不刻，石丑不刻……"

　　有次见我哥，他五个礼拜没剃头，两个礼拜没剃胡子，须发斑白。戴了个老花镜坐在沙发上看书，拒绝喝酒。我老妈问，难道你退了党，开始修佛？我哥说，两个目的。第一，给老妈看，我这么大了，不要老逼我为社会做巨大贡献了，什么去广西造水泥，去阿富汗开矿山，去埃及挥舞小旗子振兴华语旅游。第二，给冯唐看他不远的将来，不要老逼自己。书读不完，事儿做不完，心里那些肿胀，文字写不完。

　　仔细体会，自己体力的阈值的确比以前低了，心理的阈值的确比以前高了。麻将打不动通宵了，连着访谈七八个生人仿佛被七八个人轮奸一样疲惫，中国飞美国的时差倒起来痛苦地总想靠谁妈，痛恨地球为什么不是真的是平的。街上美女越来越少了，想起来口水喷涌而出的吃的没几样了，几个老兄弟坐在一起，没有什么带火花的事儿和词句可以交流，喝几杯酒，吃几个小菜，"相见亦无事，别后常忆君"。

　　饱暖之后，有效时间不够之后，人应该有点脾气。不写就是不写，什么都可以是理由：让我写得像巴金、老舍、茅盾、余秋雨一样真切细实不写，男女关系不写，性生活妇科肿瘤不写，情感问答不写，规定题目不写，千字少于两千元不写，不提前付款不写，昨天没睡好不写，痔疮犯了不写，米粥不稠不写，电脑太慢不写，男编辑没戴耳环不写，女编辑不长胡须不写，没头脑不写，不高兴不写。

"卖画不论交情，君子有耻，请照润格出钱。"

文无第一，武无第二。但是文人也是人，偶有竞争心，于是看印数，比稿酬，想自己的小说怎么还没被翻译成英文、德文、越南文和火星文。

但只是一念。"有人知道齐白石画的价格走势，但是谁知道齐白石活了一生挣了多少钱？死的时候账上有多少钱？死了之后，账上的钱都被谁花了？"这一念，闪过。

"世不变乱，读十年书，行数万里路，闭户做诗，或有可观者。"

写东西的同时，有个每周八十小时的全职工作，一半以上的饭在飞机上吃，闻到空姐用微波炉热餐食的味道，要使劲儿忍住不吐出来。

习惯之后，也体会到这种生活的好处。常能看到无限沸腾到仿佛虚拟的生活，很难归到正常人类的人类，没有时间和精力在细碎的事物中烦闷，见花对月，泪还没落心还没伤，人先睡着了。源头总有活水，要写的总比能挤出时间写的多，或许是种辛苦禅，修为不够之前，通过亲尝，理解世界。

最大的不满足是没时间读书。想写个中晚唐的长篇，五胡杂处，禅宗黑帮，盛极而衰。看西安法门寺的物件，读中晚唐的诗，我能想象到，敦煌仿佛现在的上海，西安仿佛现在的北京。唐文化中有很多非汉民族的元素，丰腴、简要、奢靡、细腻、肉欲、通灵。但是，我需要细节，需要有时间细读《旧唐书》、《祖堂集》、《五灯会元》。

有什么办法呢？时间就像海绵里的水，老膀胱中的尿，小胸膛上的奶沟，只要挤，还是有的。

八

"此地之娼颇多，绝无可观者。余于旁观，其侍客颇殷，不谈歌舞。有欲挟邪者，与语即诺。虽无甚味，有为者想必痛快。"

此地说的是香港，此时是一九〇九年。是年，齐白石四十五岁。看来，广东的草根、服务、爽利是有传承的。

香港那时候还是个小镇，依太平山而建，西边是英国兵营，东边是小渔港。齐白石吃完小海鲜，喝完小酒，辞别淫友，走在窄仄的石板路上，咽一口口水，再咽一口口水，喉结起伏，心脏翕合，抬头有月亮，月亮还是平常的模样。

九

"民国六年乙卯，因乡乱，吾避难窜于京华，卖画为活。吾妻不辞跋涉，万里团圆。三往三返，为吾求宝珠以执箕帚……宝珠共生三男三女，亦吾妻之德报也。"……"予少贫，为牧童及木工，一饱无时，而酷好文艺，为之八十余年，今将百岁矣。作画凡数千幅，治印亦千余。"

不论新旧社会，这样的老婆都少有。和禅宗一样，在中国越来越稀少，在日韩还有些残留。

元气真是奇怪的东西。元气足的人，如果是猎人，就是比别人多打很多只兔子，如果是木匠，就是比别人多做很多把椅子，如果是物理学家，就是比别人多想出很多个公式，无论什么职业，都比别人更热爱妇女，都比别人多生很多孩子。

齐白石五十七岁那年，左手第一次触摸十八岁的宝珠之后，右手画了怎样不同的虾？

齐白石八十八岁那年，盯着看新凤霞，争辩说："我这么大年纪了，为什么不能看她？她生得好看。"新凤霞说："我的职业是演员，就是给别人看的，看吧，看吧。"

齐白石九十三岁那年，看到一个二十二岁的演员，心中欢喜，盘算如何娶了回去。

人生残酷，至死犹闻鲜屎香。

十

"安得手有嬴氏赶山鞭，将一家草木过此桥耶！"

年岁还远没到齐白石写这些字句的岁数，就已经开始怀恋从小长大的地方。

在从小长大的地方待，最大的好处是感觉时间停滞，街、市、楼、屋、树、人以及我自己，仿佛从来都是那个样子，从来都在那里，没有年轻过，也不会老去，不病，不生，不死，每天每日都是今天，每时每刻都是现在。小学校还是传出读书声，校门口附近的柳树还是被小屁孩儿们拽来扳去没有一棵活的，街边老头还是穿着跨栏背心下象棋，楼根儿背阴处还是聚着剃头摊儿，这一切没有丝毫改变。

从小长大的地方是最好的地方。在我心目里，北京是最好的城市，垂杨柳是北京最好的地方。从垂杨柳出发，我最想去的地方，几乎都在半小时骑车车程之内：可遛弯的护城河，有大树可蹭的天坛，可以洗胃去宿酒的协和医院，有酒有肉的东北三环，可以斗智斗勇的华威桥古玩城，有半街旧书的琉璃厂。

怕的是官府手上的赶山鞭。脑子进水，手脚躁动，什么地方开始有些历史，挥鞭子就灭。垂杨柳的北边已经盖上富力城，西边的和平一村二村三村都被抹平，据说留给中央直属机关和总后，原来的马圈、鹿圈等等地名已经消失。估计不等我老到齐白石缅怀家乡的岁数，垂杨柳也会彻底消失，被名敦道、又一城、优圣美地、欧陆玫瑰之类代替。

■
十一

"夫画者，本寂寞之道，其人要心境清逸，不慕官禄，方可从事于画。见古今人之所长，摹而肖之，能不夸；师法有所短，舍之而不诽，然后再观天地之造化，来腕底之鬼神，对人方无羞愧。"

在正经全职工作中认识一个老哥哥，老到几乎应该算爷爷辈儿的，梁宗岱的关门弟子，法文英文都极好，德文能读能说。改革开放之初在蛇口，重要的政策制度都是他起草制定的。

"当初蛇口什么都没有。晚上睡觉，有人敲门，基本都是从珠江偷渡的大圈仔。我们基本不开门，嚷嚷一句，还没到香港呢，接着往南游。"

"当初可惜了，当初没和李嘉诚谈妥，没把深圳港集中在蛇口，也没敢答应中央，把整个南山半岛都划进蛇口。"

"当初碰到好些东西，过去的规章制度里没有，不知道如何办，也不知道向哪个部门请示，常常这么写文件：党中央，逗号，国务院，冒号，然后说事儿。"

文集出了，送了老哥哥一套。几天后接到电话，背景有些嘈杂，基本意思如下。

"我好久没看完一本中文文艺书了，春宫美女图不算。其实，我近二十年能从头到尾看完的，除了《红楼梦》，就只有你这几本书了。很好，非常好，才华横溢，我一边看一边骂，这个小浑蛋，这个小浑蛋。"

"你不该长期做咨询。那种事儿我都能做。你常常写到你老妈，她并非寻常人。把你生成这样，你一定要多写。不多写，对不起你爸妈生你成这个样子。"

"社会成就，官禄名利，都虚得很，祖坟上飞来一只鸟，拉一坨屎，屎里有颗种子，祖坟上就长出草，他就发达了，其实，屁也不是。温饱就好，你不需要成就，文章憎命达，你需要不成就。"

"诗呢，需要疯狂，非人力可控。小说，你写得好，但是你太顺了，没有磨难，没有上刀山下火海，小说厚不起来，成不了《红楼梦》。散文，你写得好，而且，散文写得更好，不需要磨难。我看你运势，从一辈子来看，散文上的突破比小说可能性大。"

文章窄门。曾经有写东西的，一不留神和窄门里的《红楼梦》比，再也写不出像样的东西了。曾经有写东西的，一没把持住，世俗风光发达发胖，窄门对于他变得更窄了。

钱害人。哪天放着成堆的钱不挣了，退休，做回妇科医生。天气差的时候写写中文，天气好的时候杀杀人。

和《红楼梦》比不吉利，我和《金瓶梅》和《史记》比吧。磨难啊，宫刑啊，什么时候到来啊？

■

十二

　　"画中要常有古人之微妙在胸中，不要古人之皮毛在笔端。欲使来者只能摹其皮毛，不能知其微妙也。立足如此，纵无能空前，亦足绝空。学古人，要学到恨古人不见我，不要恨时人不知我耳。"

文章和画和红烧肉和小姑娘一样，虽然不是跑百米，没有非常绝对的标准，但是的确有非常实在的标准。

一根金线不绝如缕，古今并无太多不同，不因汉赋、唐诗、宋词、元曲等等形式而改变。在明眼人看来，整出来的东西对不对，有没有，到不到这根线，判若云泥。金线之上，可以荒荒油云、寥寥长风，也可以流水今日、明月前身，各花开各色，各花入各眼。

都是四人帮害的。这根作为文脉的金线被遮挡被扭曲，绝大多数人的东西离这根金线太远，所以绝大多数人极力否认这根金线的存在。

长远看，金线之下，光搞形式和流派和特征没有任何意义。千百年后，评价今天文字的标准是司马迁、杜甫、张岱，不是今天的余秋雨、郭敬明、卫慧。

"余尝见儿辈养虫，小者为蟋蟀，各有赋性。有善斗者，而无人使，终不见其能。有未斗之先，张牙鼓翅，交口不敢再来者；有一味只能鸣者；有或缘其雌一怒而斗者；有斗后触髭须即舍命而跳逃者。大者乃蟋蟀之类，非蟋蟀种族，既不善鸣，又不能斗，头面可憎。有生于庖厨之下者，终身饱食，不出庖厨之斗。此大略也。若尽述，非丈二之纸不能毕。"

写文字的，眼睛得毒。脑子里底片的像素要比其他人高，尺幅要比其他人阔。随便看一眼，心里的血窟窿比常人大很多。多少年过去之后，血窟窿还得滴答有血，从脑子的硬盘里随调随有。可以不天天写，但是不能有任何时候停止感动和好奇，心里肿胀，要表达的永远要比能表达的多。

在医学院，先学大体解剖，再学神经解剖。过了才半年，上第一堂内科学的时候，系主任讲导论，问，你们还记得颅底都有哪些大孔，供哪些大神经大血管通过吗？我们都忘了。系主任讲，我也都忘了。

现在再想，整个医学八年，还记得什么。除了认得二月兰和紫花地丁、体温三十八度以下不要吃退烧药、阴道出血要排除癌症等等傻子都知道的常识，没记得什么。但是，我记得卵巢癌晚期的病人如何像一堆没柴的柴火一样慢慢熄灭，如何在柴火熄灭几个星期之后，身影还在病房慢慢游荡，还站到秤上，自己称自己的体重。

从这个意义上讲，学医的八年是我练习素描的八年。

十四

"作画最难无画家习气，即工匠气也。前清最工山水画者，余未倾服，余所喜独朱雪个、大涤子、金冬心、李复堂、孟丽堂而已。"

文章是自己的好。让写文章的人佩服别人，难，哪怕自己写得再烂。

所以，别问写东西的人，佩服谁。最多，问，喜欢谁。最多，加个限制词，中文作家里喜欢谁，省得听到一堆英文、法文、德文、西班牙文人名的中文硬译。最多，再加个限制词，除了你自己，中文作家喜欢谁，省得这个写东西的人在这点上不知所措、狂顾左右。

所以，问我，我喜欢司马迁。司马迁牛逼，才情、见识、学养、文字都好，机缘也好，被切之后，心灵上受摧残，生活上衣食不愁，国家图书馆对他完全免费开放。

我喜欢刘义庆和他的门客，简单爽利地比较人物、描述细节、指示灵异，汉语的效率被他们发挥到接近极致。

我喜欢李白，他酒大药浓吴姬肉软的时候，文字和昆虫一样，拍打翅膀飞向月亮。

我喜欢沩山和仰山，为了说不得的教旨，借鉴各种外来语语法，变换各种姿势蹂躏汉语，探索汉语的极限可能，推动古汉语到近代汉语的转变。

"凡作画，欲不似前人，难事也。余画
山水恐似雪个，画花鸟恐似丽堂，画石恐似
少白。若似少白，必亚张叔平。"

汉语基本词汇三千个，没被反复蹂躏的没有一
个，摸到金线容易，金线之上，难得不同。

有些傻逼问题，很容易问，实在难回答。

比如：你的新小说写的是什么事儿啊？

比如：你心目中最美丽的女性是什么样子啊？

比如：你和王朔和王小波和阿城有什么区别啊？

学习刚烈的禅风，一声断喝。

淫荡书卷。

我比王朔帅。

我比阿城骚。

我比王小波中文好。

"余之刻印，始于二十岁以前。最初自
刻名字印，友人黎松庵借以丁黄印谱原拓
本，得其门径。后数年，得二金蝶堂印谱，
方知老实为正，疏密自然，乃一变。再后喜
《天发神谶碑》刀法一变。再后喜《三公山
碑》篆法一变。最后喜秦汉，纵横平直，一
任自然，又一大变。"

叹息。

人定输天。

有一天走在香港上环的街头，吃了点心，吹了凉风，一点酒没喝，忽然觉得死是件很愉快的事儿，仿佛吃饱了，不如归去，去睡一觉儿。脑子里有诗浮现：

忍

皇后大道西

菜铺昌记

你有懒汉衫

你抽鬼佬烟

你挑拣着蔬菜洗她们的身体

叶子燃烧所以一切是假的

你怎么还在呢

"不用扎眼儿了

我身上的洞够你用了"

"大道无门

我怎么就进你这儿了？"

我是浑蛋我是懦夫

我替老天管好自己

不去祸害人间不去祸害你

争取活得长一些。等着这瓶红酒变复杂。等着这壶铁观音淡成佛。等着看老天这个傻逼，根据四季和雨水，几十年，能在我这摊牛粪里种出什么样的花朵，能变出什么样的花样。

"此画山水法前不见古人。虽大涤子似我，未必有如此奇拙，如有来者，当不笑余言为妄也，白石老人并记"……"余作画数十年，未称己意，从此决定大变。不欲人知，即饿死京华，公等勿怜，乃余或可自问快此时也"……"从严画山水者唯大涤子能变，吾亦变，时人不加称许，正与大涤同。独悲鸿心折。此册乃悲鸿为办印，故山水特多。安得悲鸿化身万亿，吾之山水画传矣，普天下人不独只知石涛也"……"大涤子尝云，此道有彼时不合众意而后世鉴赏不已者。有现时轰雷震时，而后世绝不闻问者。人奈我何。"

过去，要洗完手才敢读唐诗。现在，厕所里，唐诗三百首，不会淫诗也会淫。

过去，读唐弢、朱自清、西谛书话，觉得五四一代牛逼大了，国学西学都好，又浇汁儿国难，想不成大师都难。现在，看完所有能看的，除了陈寅恪提出"独立之精神，自由之思想"真啃节儿，除了林徽因模样儿真好，除了周作人中文真好，这一拨，对汉语的整体贡献不如格非、马建、苏童、马原（年轻时候）、余华（小时候）、朱文、毕飞宇。

"北京三部曲"里，有过去汉语从来没有过的东西，读不出来，不是我的问题，是你的问题。

■
十八

> "印文：吴懋。批语：置之伪汉印中，人必曰：今人
> 真不能也。余曰：真汉人未必过此……印文：曾经栾城
> 聂氏收藏。批语：三百年哪有此物在尘世？称之者可对
> 之下拜，妒之者必隔座骂人……印文：泊庐。批语：此
> 印，吾与孔才弟外，天下人有梦见者，吾当以画百幅为
> 赠。请订交于晚年，何如？……印文：雨洲。批语：神
> 物也！虽有学力不能为此印，腕下有鬼神，信然。"

这种极品臭牛逼，和余秋雨大师无关，他没这个才情。

反正闲着也是闲着，反正不上税，我来模仿一下极品牛逼。

"好好看看这十万字，不仅活着的人写不出，过去千年里的古人也未必写得出。"

"好好看看这十万字，上数三百年，下数三百年，哪有这样的活物？跪安吧，别起来了。"

"好好看看这十万字，除了我和皇叔刘备，天下其他人能梦到，我抽他一百个巴掌左脸，我抽她一百个巴掌右脸，他撒谎，她撒谎。"

"好好看看这十万字，你把国家图书馆都读完，也读不到，也写不出。"

十九

> "题梅花图：如此穿枝出干，金冬心不能为也。齐濒
> 生再看题记，后之来者自知余言不妄耳。"

同上。

"刻印，其篆法别有天趣胜人者，唯有秦汉人。秦汉人有过人处，全在不蠢。胆敢独造，故能超出千古。余刻印不拘前人绳墨，而人以为无所本。余场哀时人之蠢，不知秦汉人人子也。吾侪亦人子也，不思吾侪有独到处。如令昔人见之，亦必钦佩。"

就算司马迁是两米五的横杆，我也要跳跳，摔死算。有鸡鸡的还鸡不过没鸡鸡的？

"题网干酒罢：网干酒罢，洗脚上床，休管他门外有斜阳。"

干完活，喝完酒，捏完脚，睡了，睡了。

大 画

石涛：

见信如晤。

作为一个画痴，不是痴迷的痴，而是白痴的痴，我在二〇〇九年夏天快过去的时候读了你的《苦瓜和尚画语录》。有些话，想告诉你。

其实，我成为画痴也不是天生的。我曾经很喜欢画画，小学时候，临摹《三国演义》小儿书，可像了，临人像人，摹马像马，笔出如刀切西瓜，笔入如火中取栗，能圆能方，能直能曲，能上能下。我画的现代三国演义被送到区里，然后再被送到市里，和其他区的画画天才比拼被送去联合国的机会。后来我没被送到联合国。多年后，我一九九九年第一次去纽约城，在联合国总部，还看见和我一起比拼的其他画画天才的画，摆在联合国总部的墙上，我照了一张相。再后来上了中学，图画老师让我们画南瓜，我仰仗我原来画张飞脑袋的基础，画得最快最像，图画老师还是给我二分。他最小的闺女也在我们班上，她笑得很甜，坐我同桌，我们经常聊天，但是不是我给她递纸条，而是她给我递纸条啊。在那个图画老师之后，我失去了所有对画画的兴趣，也失去了所有对老师的闺女的兴趣。多年后，我做过一个梦，梦里那个图画老师还是让我们画南瓜，我画到一半，举起南瓜拍他。

关于个人，你说："太古无法，太朴不散，太朴一散，而法立矣。法于何立？立于一画。一画者，众有之本，万象之根。见用于神，藏用于人，而世人不知。所以一画之法，乃自我立。立一画之法者，盖以无法生有法，以有法贯众法也。"

你中文水平和你国画水平相比，实在差。你在你所有论述中，关于什么是"一画"，始终没说明白。我试着替你说说吧。

和所有艺术形式一样，上古时候，画和文字一样，毫无章法，全靠一腔赤诚。那时候，如果想睡一个姑娘，百分之八十的人说不出口，能直接睡了就直接睡了，不能直接睡的就想着她的样子自摸了。剩下百分之十九的人，说，我想念你。剩下百分之零点九的人，说，我想睡你。最后百分之零点一的人，说，看不见你的一天，漫长得仿佛三年。这百分之零点一的文艺青年，在中文的形成期写出了《诗经》。之后，这些文艺青年慢慢繁衍，文艺青年多了，太朴散了，就不得不立规矩。每个文艺青年都有自己的邪屄歪屄，如何定位？如何使用？可以说得很复杂，也可以说得很简单。和大多数其他事物一样，复杂的基本都是错的，最简单就是，守好你自己的那个邪屄或者歪屄，诚心正意，宠辱不惊，画出自己的一画，不是别人的一画，不是自己的两画。就那一画，耗尽自己所有的歪邪，孤注一掷，倾生命一击，成与不成，你都是佛。

关于古人，你说："识拘于似则不广，故君子惟借古以开今也。至人无法。非无法也，无法而法乃为至法。凡是有经必有权，有法必有化。我之为我，自有我在……古之须眉不能生在我之面目，古之肺腑不能安入我之肺腑，揭我之须眉，纵有时触某家，是某家就我也，非我故为某家也。"

你们当时面临的问题和我们现在面临的问题是一个问题：如何处理个体和古人的关系。但是你们当时的状况和我们现在的状况几乎完全相反。你们清朝初年，几乎所有名家都讲师承，讲这笔是多么董多么巨，这墨是多么沈多么赵。大家看古人纸上山水的时间远远多于看黄山和富春江的时间，大家临摹古人的时间远远多于写自己心中块垒的时间，出笔没有古意，仿佛光膀子出长安街，基本找抽。现在，中华人民共和国六十周年，名家几乎都没有师承，几乎都进修或者自修过表演系、导演系或者投资系课程，几乎都和狗一样走捷径，把名利两点之间直线最短当成公理。"豫章太守顾劭，是雍之子。劭在郡卒。雍盛集僚属自围棋，外启信至，而无儿书，虽神气不变，而心了其故，以爪掐掌，血流沾褥"，"戍卒叫，函谷举，楚人一炬，可怜焦土"，"乘兴踏月，西入酒家，不觉人物两忘，身在世外。夜来月下卧醒，花影零乱，满人衿袖，疑如濯魄于冰壶也"，类似这样气韵的文字，你从一月一日的人民日报看到十二月三十一日的人民日报，你从一月刊的《收获》看到十二月刊的《收获》，你看三年，你不会看到一处。

个人和全体古人的关系，应该是昆仑山上一棵草和昆仑山的关系。在长出草之前，需要先爬昆仑山。如果不明白什么叫高山仰止，先别说"俱往矣"，先背三百首唐诗。知道昆仑山有高度之后，开始爬吧，学杜甫学到风雨掀翻你家屋顶，学李白学到梦里仙人摸你头顶，学李商隐学到你听到锦瑟的一刹那裤裆里铁硬。学到神似之后，是血战古人，当你感觉到不是自己像杜甫、李白、李商隐，而是杜甫、李白、李商隐像自己，就是到了昆仑山顶。是时候长自己的草了，不是杜甫的草，不是李白的草，是自己的草。这个时候，长一寸，也是把昆仑山增高一寸，也比自己在平地蹦跶一米，高万丈，强百倍。

关于现场，你说："笔与墨会，是为氤氲，氤氲不分，是为混沌……不可雕琢，不可板腐，不可沉泥，不可牵连，不可脱节，不可无理。在于墨海中立定精神，笔锋下决出生活，尺幅上换去毛骨，混沌里放出光明。纵使笔不笔，墨不墨，画不画，自有我在……人写树叶苔色，有深墨浓墨，成分字、个字、一字、品字、幺字，以至攒三聚五、梧叶、松叶、柏叶、柳叶等垂头、斜头诸叶，而形容树木山色、风神态度。吾则不然。点有风雪雨晴四时得宜点，有反正阴阳衬贴点，有夹水夹墨一气混杂点，有含苞藻丝缨珞连牵点，有空空阔阔干燥没味点，有有墨无墨飞白如烟点，有如胶似漆邋遢透明点。更有两点，未肯向学人道破，有没天没地当头劈面点，有千岩万壑明净无一点。噫！法无定相，气概成章耳。"

现场有神。

重视个人并不意味着你是神。有的时候，你是神派来的，有些时候，你只是一堆蛋白质。哪怕你站在昆仑之巅，你所有的修为，也只是笔。现场是墨，是未知的定数，是神派你来的一瞬间。忘记逻辑和知性，忘记个人，甚至忘记笔，忘记已经站在昆仑之巅，忘记跌进深渊的恐惧。你能控制的太少，你甚至不能控制笔触及宣纸的一瞬间。

你见过一炷香在香炉上空升起吗？你感觉不到风，但是香为什么氤氲成那个样子？你控制得了所有你感觉不到的风吗？你控制得了墨要长成的模样吗？

血战打败古人之后，精尽长出昆仑山上一棵草之后，天还是遥不可及。但是这个不重要，云在青天水在瓶。

无由会晤，不任区区向往之至。

冯唐

浩荡北京

　　我第一次感到北京浩浩荡荡、辽无际涯是在小学二年级。我生在北京东郊一个叫垂杨柳的地方，那里我从来没有见到过一棵飘拂着魏晋风度和晚唐诗意的垂柳，杨树爬满一种叫洋剌子的虫子，槐树坠满一种叫吊死鬼的虫子，满街游走着工人阶级，衣着灰暗眼大漏光，怎么看怎么不像这个国家的主人。苦夏夜，男的工人阶级赤裸上身，女的工人阶级大背心不戴奶罩，为了省电，关掉家里噪音巨大的风扇，或坐或站在杨树槐树周围，毫不在意洋剌子和吊死鬼的存在。我每天走三百五十四步到垂杨柳中心小学上学，走三百五十四步回家吃饭。我小学二年级的一天，学校组织去人民印刷机械厂礼堂看《哪吒闹海》，从垂杨柳中街一直走到垂杨柳南街的最东端，作为小朋友的我们俩俩手拉手走，整整一千零三步，真是遥远，我的手被拉得酸痛。电影散场，我站在垂杨柳南街上看旁边的东三环南路，当时还没有任何立交桥，好大一条河流啊，一辆辆飞奔而过的二一二吉普、一三〇卡车都是一团团的河水，河的对面是人民印刷机械厂的厂房，像个遥远的另外的城市。海要比这大河更凶猛，我想，龙王真是可恶，哪吒的脑子也一定被驴后蹄子踢了，怎么能闹得过海。我长大了，仰面躺下，成为一条木船，阳具竖起，内裤就是风帆，西风吹起，我就扬帆而去，横渡这大河，脱离北京。

■

1. 此城何城？

地理书上说："距今一亿多年前的中生代晚期，在中国东部发生了一场强烈的造山运动，火山喷发、地壳变动、山地隆起，这就是著名的'燕山运动'。"运动之后的北京地区，三面环山，中间是平原，向东南开敞，如同一个海湾，北京及其周围可以形象地称为"北京湾"。漠北的野蛮民族打到这里，冬天的时候，觉得北风还能如刀，残阳还能如血，认定这里是他们可以用一定形式定居下来，而又不会渐渐失去彪悍兽性和简强判断力的最南端。再往南，过了淮河，杨柳岸的暖风就会吹融刀剑，醉泥螺和黄鱼鲞就会催生骑兵肚皮的赘肉，口小如樱桃奶小如核桃的女人就会柔软各个部落首领的身心。江南的汉人也逐渐悟出了中国历史上的一个重要规律：北京东南的所谓中原无险可守，北方异族入侵，一失北京、中原难保，江山难保，不在北方建立都城，就是自行加速政权的灭亡。于是平安险中求，明成祖朱棣不贪恋江南的暖风、醉泥螺以及小奶美人，迁都北京，在沙尘暴中真切感受塞北的威胁，在威胁中时刻警惕着。

北京的雏形是蒙古人在元朝奠定的，至今不变，三点突出：

一、四四方方。确立中轴线的设计，"左祖右社，面朝后市"，在大城之内，一条大马路与中轴线垂直相交，马路以北是中央部分，中央部分的前方是朝廷，后方是市场，左面是太庙，右面是社稷坛，清清楚楚。这条大马路，经过历代自大狂和虚无的民族主义者反复修建和拓展，形成了现今毫无人性的长安街。最宽处近百米，基本就是给坦克行驶和战斗机起落用的，心脏不好的小老太太小老大爷横过马路，先舌下含一片硝酸甘油。在上海或者香港等等依海而建的城市里，一百米的距离，已经做了头修了脚洗了衣吃了饭买了菜钉了鞋寄了信会了朋友。城市规划院的一任老院长跟我说，别笑，为了阅兵的首长们站在天安门上，一抬头就能舒服地看到新式的战斗机从天空飞过，长安街两边，即使是在东三环附近，建筑物也要限高两百米。二〇〇〇年左右，开发商开始一起炒CBD的概念，朴实的大北窑桥，也更名为国贸桥，所有附近的楼盘都夸耀长安街和东三环形成的"金十字"，我认识的一个法国设计师也被请来做CBD的整体规划和功能定位，他老实跟我说，这哪里是什么金十字，简直就是他妈的天堑，你们扒了美丽的城墙，修了二环三环四环五环六环，在飞机上看就是城市的一道道紧箍。

二、正南正北。四方的元大都，街道笔直，正南正北，正西正东。最近，花市斜街等唯一几条歪道也因为城市建设被消灭了，只剩后海附近的烟袋斜街，依湖成形，还在。蒙古人数学不好，如果打到北京的是哥伦布，建完这个四四方方正南正北的城池，南北走向的，都叫街，东西走向的，都叫道；街道通通编号，一二三四五，甲乙丙丁戊。如果那样，到了现在，打车赴局，和出租师傅就省了很多口舌。蒙古人不是哥伦布，所以现在去个没去过的地方，要先问清楚附近的地标建筑。上个世纪八十年代末，手机还基本用于军事，装固定电话还要贿赂电信局员工要排队等待要交五千元押金，我的一个大哥开始做生意，和杨树下槐树下的工人阶级说，要不要钢材，要不要火车车皮，要不要苏联造的客运飞机？在现在看，大哥当时的名片依旧实用：办公住址，一〇二中学西南五十米垂杨柳西区二楼，电话，六七八七八六四让小玲子妈妈叫一下。

三、亲水建城。弃金中都的小家子气的莲花池水系，以上通下达的高粱河水系为设计中心，挖了通达江南的大运河，运河北边的终点就是什刹海。于是北京有了水喝，有了水景，水路运来的醉泥螺还基本新鲜，吃了不会闹肚子，运来的小奶美人依旧眼神忧郁，从头发看到脚尖，耳边就响起《声声慢》。什刹海、北海、中南海连接成片，对一个城市而言，极其奢侈。纽约曼哈顿中央公园以及旧金山金门大桥公园的设计都是由此产生灵感，所以华尔街上的银行家今天才有舒展水景看，不至于大批量疯掉，旧金山的同性恋才能在光天化日下在公园的大草地上手拉手，走啊走，心平气和仿佛魏晋时候号称BAMBOO SEVEN的七个男人。那个法国设计师跟我说，新中国成立后，北京城最大的遗憾不是拆了城墙，而是没把什刹海北海中南海合在一起，建个开放式的大公园，给作为国家主人的工人阶级颐养心灵。

这个法国人回国之前的一天，北京来了沙尘暴，宇宙洪荒，天地间一片混沌赤黄。法国人兴奋地在长安街上行走，问我说，这里是不是传说中的火星？我想起很久远的一天，我陪我的初恋在中山音乐堂听管风琴，出来的时候也是沙尘暴，所有的星星都没了，所有的路灯看上去都像星星。我们沿着长安街一直走到国贸，然后再沿着东三环一直走到团结湖，我的初恋表情坚定头发飞扬，她笑了，我看到街边的玉兰花开了，她唱《晚霞中的红蜻蜓》，我觉得比鸟叫好听多了。我问她，你是不是来自火星？我的初恋说："我真的怀疑你是不是北京孩子，要夸我长得像天仙，就眼睛看着我，舌头伸直，直截了当地说，不用转弯抹角地说什么月亮，什么火星。"

2. 今夕何夕？

　　北京最不缺的是历史，二〇〇〇年前联合国评定的世界文化遗产，中国一共十九个，北京占了六个。而且不像西安等等过早辉煌过的城市，北京所有的历史都是鲜活的或者根本没有死过。我飞快地去过一次西安，秦始皇陵远看像景山，但是不是公园，不让攀爬，华清池仿佛某个民营企业在后院自己凑合挖的澡堂子。十年前，爬黄花城野长城，农民兄弟一块钱卖我一根玉米，十块钱卖我一块五百年历史的明代长城城砖。春天的时候，和姑娘去天坛，在墙根下拣荠菜，摘嫩枸杞叶子，中午配着鸡蛋炒，煮清汤。风吹过来，没有尘土，也没有杨花柳絮，我眼看着，一根枯死的枝杈从巨大的柏树上摇落，柏树腰长得那么粗，也应该是三四百年的生命了。和所谓艺术家们吃饭，某个饭局上，某个姑娘扎眼，五官嚣张，两眼一抹兽光，似乎非我族类。听熟悉情况的人介绍，这个姑娘有几分之几的满人血统，几分之几的蒙古人血统，妈的妈的妈的妈使用下半身和咸丰皇帝战斗过，如果大清不亡，她会是个格格。二〇〇五年，陕西周原发现四墓道的西周王侯级大墓，打开空空如也。我和几个古董老大开玩笑，拉两车武警封锁东三环北京古玩城的所有出入口，撬开大小所有保险柜和暗门暗锁，脱光古董老大们所有的衣服，搜查所有可以藏东西的所在（包括古董老大身体上的各个孔穴，难保里面没有西汉上等白玉做的整套含蝉鼻塞耳塞肛塞），就会呈现中国二〇〇五年最大的考古发现。

历史长当然好，民族可以自豪，可以冲淡眼下很多问题。北京的悠久历史中，最夸张的是周口店北京猿人。五十多万年前的旧石器时代遗址啊，意义重大。几乎所有的新物种都产生于非洲，比如埃博拉病毒和艾滋病。西方学术界认为，除了中国，所有其他原始人类都起源于非洲。这种认可极为难得，河南偃师二里头郑州二里岗都挖了那么多年，西方还是一直不承认夏朝的存在，更不要说三皇五帝，在他们眼里，中华文明凑不到5000年。唯一的一个北京人头盖骨后来在协和医院神秘地消失，一定是日本人干的，仿佛六十年代的人没有学好任何一门功课，都是四人帮害的。之后好像又找到一些碎骨和牙齿，据见过那个丢了的头盖骨的专家说，一定是同一批人身上的，证据确凿。六十年代美国登上月球也一定是真的。我做肿瘤研究的时候，也偶尔听说同道做出了非常喜人的科研成果，然后传出动物模型意外跑失或者被游荡的民工杀了吃了，所以需要追加科研经费，重新培养兔子和老鼠，这些应该也是真的。

已经死了的或者快要死了的历史集中起来，活在博物馆。人家送我一本北京博物馆套票，八十元，可以逛上百个博物馆。我心里流淌着口水，幻想着有时间休个无比悠长的假期，和懂明清家具的老大逛紫檀博物馆，和懂书画的老大逛故宫博物院，和懂青铜瓷器玉器的老大逛国家博物馆。一个上海人问，总说北京有文化，这些博物馆，多数北京人连名字都不知道，别说去过了，你一辈子也不一定都会去一遍。我说道理很简单，最奢侈的不是实际享受了多少，而是有享受的权力和自由，所以手机才具备摄像和看电影的功能，所以中年男人才会羡慕皇帝的三宫六院。

我想，就像一把茶壶，茶叶在茶壶里泡过一段时间，即使茶水被喝光了，即使茶叶被倒出来，茶气还是在的。北京是个大茶壶。太多有权的有钱的有性情的人像茶叶似的在北京泡过，即使权没了钱没了性情被耗没了，即使人死了，但是人气还在，仿佛茶气。鬼是没有重量的，我想，死人的人气也不会很沉吧，沙尘暴一样，几十年、几百年、几千年，飘浮在这座城市上空。复杂丰富的城市里，活人也变成鬼，熟悉过的老大，喜欢过的姑娘，我对他们的记忆如同可吸入颗粒物，天空灰蒙蒙的，载我的出租车开过华威桥，一个恍惚，我听见一个老大的声音：仔细看看这个白玉鸡心珮，拉丝对不对，游丝纹对不对，是西汉的还是宋朝仿造的？你再仔细看看。我听见一个女声在唱：晚霞中的红蜻蜓你在哪里啊，少年时候遇见你，那是哪一天？

3. 彼何人哉？

判断对于一个城市熟悉程度，我有一个自己的标准。比较熟悉就是我知道这个城市里什么地方有好吃的，我知道什么地方的酒又好又便宜。很熟悉就是城市里最好吃的馆子，老板或者老板娘是我的朋友，喝多了有人送我回家或者去医院。极其熟悉：城市里最好吃的馆子，我去了，老板或者老板娘会自己下厨房，炒菜上桌子，老板和我干第一碗酒或者老板娘看着我夹第一口菜，喝到极高，送进医院，急诊室门口有四个以上的医生弟兄等着看我的熊样。

如果这样分类，我极其熟悉的城市，只有北京。

一个上海人较真儿，在上海成为经济首都之后，说，有了经济实力才能谈得上文化，问，北京是文化首都，凭什么。如果逛一下北京的夜店，听听聊天，了解一下夜店里的人，就很容易明白。北京集中了全中国百分之五十以上顶尖的文学家、画家、雕塑家、音乐家、歌手、地下乐队、演员、摄影师、建筑设计师，走进一个这些人常聚集的去处，随便就看到一个横断面，有的已经成名了，有的还在混，成名的，不一定有才气，但是的确努力，在混的，有的才气浓重，在眼睛里忽明忽暗缭绕盘旋。我看着那些刚出道的才情浓重的人，我知道这些人中，必定有一部分会在某种程度上不朽，尽管这些人现在可能还汗味浓重鼻毛悠长，还没找到合适的表达方法，还没用过信用卡还不会说纯正的普通话，就像我在斯坦福大学的棕榈大街上，听那些话都说不利落的毛头小伙子聊他们的创业计划，什么血管生长素抑制因子治疗肿瘤，什么DNA芯片，我知道这些人早晚会创造出下一个辉瑞和惠普。在北京的一个桑拿天里，我蹭票在工体听了许巍的第一个个人演唱会，他唱到三分之一的时候嗓子就劈了，声音锉刀一样割耳朵，唱到最后，他终于撑不住，哭了，他一定想起他来到北京城这十几年，多少人没有混出来啊。坐我前排一个女孩，浑身打了无数的洞，穿了无数的金属环，挥舞着荧光棒，喊，许巍，我爱你。我心里想，又一个小混混，混出来了。

有个美国知识分子说，北京最像纽约，上海不像，太不像了，有股票交易市场又怎样。在北京和纽约，一个人必须非主流才能入流（You have to be out to be in），而在上海，这个人必须入流才能入流（You have to be in to be in）。我们在东三环靠近农展馆附近有个食堂，没有名字，没有霓虹灯招牌，水泥地，水泥墙，金华土菜。艾未未的设计，招牌式的冷静干燥，没有多余的一点儿零碎。保尔·柯察金的那句"当你回首往事的时候……"影响了我的上半生，艾未未说，人不应该追求快乐生活，快乐就像糖一样，只是人生的一种味道，这句话我时常想起，或许会影响我后半生。在食堂里，我见到各种非主流的人：有自闭症嫌疑的小提琴手，说话从不看人眼睛，从脸上看不出年龄，酒喝到老高才放开些，死活让我叫她舅妈，她出的唱片上全是外文，据说她是国内第一把小提琴，男的女的都算上。有二十年没写东西了的作家，对古玉和旧家具的见识远远在对文字的见识之上，从小到大，唯一做过的一份正式工作就是在作协当他爸的秘书，他爸早就仙去了，他还一直是他爸的秘书，每月从作协领一份工资。有满头白发的老诗人，没有工作，娶了八〇后的姑娘，姑娘的爸爸比他小两岁，叫他大哥，他还贷款买了房子，还生了胖儿子。老诗人常劝我，别眼馋，八〇后的嫁给了他和杨振宁，再过两年，九〇后的就会看上我，一拨一拨的，耐心等待，别着急。总之，除了我，基本没有见过一个需要朝九晚五穿西装打领带上班的人。唯一的例外是一个税务局处长，快五十了吧，一天喝多了，反复念叨，他应该快升副局长了，他辛辛苦苦啊，副局长牛啊，没完没了。一个姐姐平常总是微笑着，喝很少的酒，吃青菜，终于忍不住了，说，你有完没完？我老爸进政治局那年你中学还没毕业呢，又怎么样啊，现在还是天天傻子似的看新闻联播，测血糖看糖尿病好点没有，雍正皇帝用的第二任宰相是谁啊，有人记得吗，我看你还是省省力气吧。

　　一次喝多了一点，借着酒劲拨我初恋的手机，问她在不在食堂的附近，有没有开着车，可以接我回家。她的车开得又快又稳，我说北京开始没劲了，出国的出国，去上海的去上海，生孩子的生孩子，一桌麻将都凑不够手了。她说，哪儿那么多要求，北京至少还有人驮你回家去。她还说，给我带了明前的新茶，今年雨水大，是小年，让我将就喝，如果敢先喝别人送的，就腐刑伺候。

二十七岁之前，我没出过北京，第一次坐飞机，就飞到了旧金山。之后四年间，飞国航，积累了三十五万公里里程，我想，我算是脱离北京了吧。但是偶尔在南方遇到风沙，摸到腰里拴的红山青玉鹰，见到白发的诗人或者收到我初恋的短信，问，最近如何？我楼下的马路就恍惚变成东三环，天边就隐隐压来沙尘暴。我想，我无处可逃，就像孙悟空飞不出如来那双肥厚的手掌。

旧富香港

　　我所在咨询公司的大佬，不到五十，须发皆白，说，在香港做了二十多年咨询，每周平均干七十个小时，需要休息半年，检点岁月，等等自己的魂魄追赶上自己的身体，看看自己会不会被回忆噎着。我问去哪里休息，他说去澳洲，那里和香港完全不同，天高地迥，了无人烟。我说，好啊，离开香港前，一起吃个饭吧。

　　为了给大佬留下美好的印象，秘书建议去九龙那边洲际酒店二楼的一个叫勺子（Spoon）的法国菜，落地玻璃窗，窗外就是海，海的对面就是维多利亚港。晚上七点半开吃，景色比菜强很多，菜的外在气质比内在味道强很多，基本就是给眼睛吃的。从落地玻璃窗向港岛望去，太平山北面，从东到西，沿着的狭长山坡和填海区，种满了高楼：国际金融中心二期、一期，交易广场，中银大厦，长江中心，太古广场等等，看上去比背景里的太平山还高。天色已经暗了，海水如青玉，眼睛还分辨得出起伏荡漾和半透明感，太平山如墨玉，各个高楼的灯光都亮了，颜色不一，都是晶亮闪烁，仿佛嵌在墨玉山子上的各色宝石珠钻。从九龙天星码头，轮渡频繁地开往港岛上的中环码头，轮渡上灯火也亮着，仿佛给墨玉山子锦上添花而去的散碎珠子。

在我的强烈要求下，大佬坐在面朝海景的座位上，我面冲他坐着，八点半钟，维多利亚港开始放焰火。墨玉山子仿佛承载不住这许多晶亮闪烁的宝石珠钻，开始向天空喷涌，然后慢慢在重力的作用下洒落，夜空在几秒钟之间变得同样晶亮闪烁起来。大佬强烈要求我和他同坐到面朝维多利亚港的座位上，焰火更盛了，周围所有人都放下刀叉，停止咀嚼，我发现基本都是两两成双的情侣，由于祖先杂交的历史差异，眼睛颜色不一，在焰火的映照下都晶亮闪烁着，仿佛各色宝石珠钻。我的手机震动，收到短信：今夕七夕，你这个没心没肺的在干什么？不准喝酒，不准目露邪光，看到漂亮姑娘不准随便搭讪。夜色更沉，餐厅的灯光昏暗，我们周围成双成对的小男女开始挨挨擦擦，脖颈开始像游水禽类一样相互缠绕盘旋。我和大佬正襟危坐，遥望窗外，窗外的景色真美。

"今天是七夕，国产情人节，要不是咱们年纪相差悬殊，估计会被周围人当成同志。"我说，帮助不懂中文的大佬理解，周围为什么这么多成对的小男女，焰火起时，为什么小男女们都努力伸长脖子变成了游禽。

"噢。"大佬继续看着窗外，"香港的确是个美丽的城市，只是在衰落。"

"看不出啊，这么中看不中吃的餐馆，这么贵，还这么多人，几乎满座了。"

"九十年代初，这家餐馆靠窗的这种位置要提前一个月预订，每天晚上会翻三次台。"

仔细想来，大佬说得不错，香港的确富过，暴富、大富过，城市奢华、精致、高效、有序。

　　港岛就是南中国海里一座冒出海平面的小山。能捡捣出来的地方，梯田一样，都种上了高楼。能通过环境评估和平息市民反对的时候，都填了海，然后再种上高楼。港岛和九龙之间，已经不是海了，是条不能算很宽的河，坐游船出海，当地不叫出海，叫游船河。再努努力，再填填海，九龙和香港就接上了，河变成地下河，人和车也不用坐船或者通过隧道往来了。从新中国成立以后到改革开放之前，三十年间，偌大一个中国，只有香港一个对外的通道，即使再挤，热钱游资各方势力也要往这个弹丸之地继续挤过来，在皇后大道上有个撒尿刷牙放把凳子的地方，仿佛一个正青春的少年，只允许在鼻尖一平方厘米的地方长青春痘，鼻尖这一平方厘米，想不珠钻般熟糯灿烂，也难。也就是这种历史条件下的独特性，再加上大英帝国百年殖民造就的法制和说英文的劳动力群体，在三十年间，把香港从一个英国的小兵营和补给站，推挤成为世界第一大港口，第三大金融中心，地皮第三昂贵的大都市。

　　由于地皮难得，所以用心建设。建成的高楼仿佛德国造的万宝龙笔，细细观察，每个细节都在不露声色中被精确地照顾到，每一寸土地都被顶尖的建筑师用当时最好的技术和工艺压榨出最大的功效。由于高楼密集，高楼之间游廊相连，人车全部分流，百分之八十的情况下，商务会晤步行可达无须坐车，打雷下雨不用打伞。因为密集，常常能撞见名人，感觉活在沸腾的生活中。在不到一年的时间里，我在机场赶飞机撞到两次周星驰，戴副墨镜，麻布衣衫，身体瘦小如去了毛的柴鸡，表情呈现早期抑郁症面容。我在酒店吃早茶或者中饭两次撞到成龙，就坐在隔壁，和几个老外在谈事儿，白色便西装，米色便西裤，五十男人一枝花。我在汇丰银行总部楼下的自动取款机上取点现金，瞥见何鸿燊车牌是HK 1的罗尔斯罗伊斯在旁边的小路右转，开向皇后大道中，他坐在司机的后面，右手边应该是保镖，保镖戴着金丝眼镜，脸上没有横肉，眉宇间竟然还有些温文。离汇丰银行总部大楼几十米之外，就是东方文华酒店，那里有好吃的蛋糕和巧克力，那年愚人节的那个晚上，我想，一定有不少人看到像落花一样从酒店坠下的张国荣。尽管高楼密不透风，但是供人民舒展身心的保留地不容侵犯。高楼之间，依山就势，是公众免费运动场和盆景一样的街心花园和儿童乐园。坐出租车五分钟，保护完整设施完善的太平山就敞开三四个登山口等人攀爬出汗削减肚腩，山路树大蔽日，偶尔见得到小兽出没。坐地铁三四站，就是铜锣湾的游艇码头，坐游艇出去不到半小时，就是了无人烟的离岛和浩瀚的太平洋。这种密集下的方便，在世界其他任何地方，我都没有看到。

人民有了些钱，吃喝嫖赌。温饱之后，再有些钱，买房买车，香港街上的奔驰车和上海街头的桑塔纳一样普遍。一个人有两辆车了，再有些钱，买艺术品买古董。尽管已非盛时，克里斯蒂在港岛会展中心开秋季拍卖会的预展，依旧人流如织，小老头们表情儒雅，稀疏的白发梳理得一丝不乱，小老太太们扑点点淡妆，肌肉萎缩了的手腕上，老坑的翡翠镯子，水足色浓，映得那只戴镯子的整个小手都是隐隐的翠色。无须交任何押金或者提供任何证件，每个人都可以对任何一件拍卖品上手，即使是康熙的羊脂白玉国玺，也可以请服务生从玻璃柜中拿出来，然后放自己的手在玉玺的雕龙上面，眼睛微闭，隐约感到康熙的手刚才还放在上面，余温尚在。皇后大道中靠南一点，是荷李活道。两千来米长的小街道，两旁全是古董店，书画瓷器家具玉器。看店的男性居多，年岁不一，三十来岁到七十多岁，同样欺生，同样骗人没商量。古玩这个行当自古不禁骗，于是恍惚间这条街就是两千米的江湖，每个店主其实都是使剑的高手，从柜台里拿出来的每件东西都是一着剑式，等着看你破解或者出血。过过招，挑出几件足以乱真的新工老玉，说，"这些不对"，盘盘道，说，在北京古玩城，我常常和河北小崔、广东阿蔡以及河南大张喝茶，店主的杀气渐渐熄掩，给我泡一杯陈年的普洱，问我是自己做生意还是收藏。店主的眼睛看一样不远处的太平山，说，手上走过太多的好东西啊，去了台湾，去了美国和欧洲，去了这太平山的半山和山顶的豪宅。"有时候觉得对不起祖宗，但是又想，这里面有运命和劫数，留在国内，真的一定比放到大都会博物馆好吗？留在国内，躲得过'文革'吗？躲得过贪官吗？"我去过一个老收藏家在半山的公寓，殖民政府早期给政府官员盖的房子，一点没有香港盖楼常见的尖酸局促，反而有些北京西城各个部委老房子的气度。公寓的外表破旧，但是高大干净，草木浓密，进屋，老收藏家穿个棉布圆领衫大裤衩子，关上客厅大灯，打开四周射灯，屋子就成了一间博物馆：光顾景舟仿时大彬的紫砂壶就有十几把，光商代圆雕的玉兽和玉人就有四五个，玉种、刀工、沁色都好，纽约大都会博物馆的中国厅里，这种成色的东西也只有一件。老人说，玩古的最高境界不是拥有，而是暂得，玩古的人都是出纳，经手而已，所以有重宝不如有好眼力，眼睛看到了心里微微醉了就好了。老人还说，缘分未到，还有些好东西存在汇丰银行总部地下室的保险柜里，这次看不到了。

大富之后，香港纵容性灵。六百万人口的香港，写字的有李碧华，单就文字而论，十三亿人口的大陆，有几个比她更灵动妖娆？拍电影的有王晶，累了一天，谁会舍弃大俗大雅的王晶而去看假艺术真媚俗的张艺谋？谁写中国现代文化史能不提周星驰？还有一双小眼睛桃花盈眶的梁朝伟，一身全是戏和绯闻的黄秋生，还有王家卫，他在《2046》一部片子里安排梁朝伟摸到了我所有想摸的女影星。三十年大富，不足以让香港产生大师，王晶们少年时还全是庙街恶男还一点不知道有诗三百，但是足以让香港产生对艺术的大度，对天才少年们的纵容。

八十年代初，改革开放之后，香港不再是唯一，开始衰落。

香港实在太挤了，我走在港岛的便道上，如果赶时间，想走得快些，常常有在北京二环以里开了一辆大切诺基的感觉，必须闪转腾挪，左突右冲，口中大声唠叨着"唔该（广东话对不起的意思），唔该"，碎步急行。有一次，我走过香港的某个便道，便道旁的一家干货海鲜店正支起竹竿脚手架，修葺店面。我拖着一个上飞机不用托运的小拉杆箱，迎面走来一个大汉，我说"唔该"，他或许没听懂，反正没侧身给我让出一点空隙，我只能在运动中闪身，拉杆箱的轮子扫到脚手架的竹竿，头上一个声音忽然狂叫"小心啊，要搞死人啊"，我抬头，一个老头双手双腿死死抱着竹竿，拉杆箱过处，竹竿摇动，老头摇动，仿佛过分成熟的要马上掉下来的人参果。

香港实在太贵了，同样的东来顺，深圳蛇口六十个品种任点任食酒水全包，午餐二十八元一位，香港九龙二百八一个人，勉强吃个八成饱。站在南山上看蛇口港，眼前是一排排崭新的岸基桥吊。距离集装箱生成的珠三角工业腹地近，不用通过深圳和香港之间的关口，装卸费率低一半，深圳港超过香港港，只是一个时间问题。好几个香港本地人的父母退休之后，办妥加拿大移民之后，决定移民深圳。加拿大除了冷还是冷，除了春天在自家院子里种点大麻留到冬天慢慢抽，还能有其他什么精神生活啊？在香港买碗粥的钱，在深圳点两菜一汤，在香港按摩一个脚趾的钱，在深圳做足三个钟送生果盘。荷李活道上古玩店老板说，如今，香港收藏家团伙敏求精舍的成员垂暮凋零，又不见新人成长，现在最大的古玩市场在北京，最强的购买力在北京和浙江，不如去北京开家分店，留着香港老店，专卖鬼佬仿制工艺品，和北京新店还能有个照应，偶尔洗洗灰钱。

晚上九点钟，维多利亚港的焰火完毕，我和大佬离开那个叫勺子的法国餐厅，坐轮渡回港岛，我说，尽管衰落，香港还是有完备的法律和秩序，深圳有砍手帮，广州流行飞车党，两个烂仔一辆摩托，一个人负责开车和砍断皮包带子，另一个人负责牵走皮包，警方最近科技创新，推出类似宋代岳家军的勾连枪和清代雍正皇帝的血滴子，不知道能不能制伏飞车党。我说，这样吧，老大，你反正也积攒了一些钱财，也不收集古董，也不包养二奶，不如买个太平山顶的豪宅，你去澳洲思考人生的时候，我帮你看房子，不收费用。

二楼和地下室的风景

　　一个人，拎着一口箱子和一台手提电脑，初到香港，组织安排周到，有一张床睡觉，有个杯子喝水。香港饮食天下第一，肚安不是问题，出门，望左，四个茶餐厅，望右，四个茶餐厅。但是，心安处才是家，最好能有个姑娘。没有姑娘，最好能有几个朋友，没有朋友，至少能有几个网吧可以联系上革命同志，至少能有几个书店可以买几本书打发忽然多出来的时间吧？

　　香港地仄人稠，你在中环皇后大道中放个屁，几十个人嗅到，七八个人听见，一两个人怀疑是不是有人推了一下他们的腰眼儿，没有一个人回头看你。"天下熙熙皆为利来，天下攘攘皆为利往"，大家都忙。我以前做咨询的时候，带两个分析员去香港做项目。其中一个黑龙江小伙子，笑脸如丰泽园的烤馒头，纯洁而朴实。他是第一次到香港，走出长江中心的办公室，满眼高楼和奔驰车，他半分钟数出了十八辆。他对我说了两句话，第一句是："咱们今晚吃点好的吧，吃鱼，吃虾。"第二句是："香港就是一个山啊。"

　　因为是个山，所以想盖楼，除了开山，只能填海。土地来得不容易，所以盖出来的楼都有两个特点，一是又瘦又高，仿佛莫名其妙竖起来的一个一个中指。二是贵，金融风暴之后，楼市大缩水，现在的楼价还是比北京上海高出五倍。和租房的小生意人聊天，最常听见的话是：寒啊，都是为房东打工。房东最常说的话：我才惨，我现在还是负资产。所以一楼旺铺，都是卖女人擦脸油和欧洲小皮裙之类的暴利行当。书店不是在二楼就是在地下室。

二楼书店里，号称"大哥大"的是港岛洪叶书店。按图索骥，出了铜锣湾地铁口，时代广场星巴克右拐就是。一楼有个人口，巴掌宽，两百斤的胖子，提个包，要拧身而入。楼梯两侧是招贴画，多数是时下畅销书的，比如章怡和的《往事并不如烟》，还有最近的艺术展览和小剧场预告。快进二楼的地方是《明报》周日的读书专刊，最近的一期是章含之和洪晃的访谈，洪晃一张明晃晃咧嘴而笑的大脸吓了我一跳，我想，最近和"立早章"有关的人都牛逼了啊。

二楼的铺面也不大，约北京三联书店面积的五分之一，而且低矮，承重梁碰到我的额头。只有一个伙计，看店兼收银。他是个三十多岁的胖子，坐在柜台里，像是劈了一半的葫芦，平的一面冲墙，鼓的一面冲人。他穿了件鸡屎黄佐丹奴短褂儿，二目无光，鼻毛微长。时值周六的下午，店里稀稀拉拉不到十个人，看的多，买的少，萧条。书胡乱摆着，书架上没有门类说明。有一半的书是大陆版的，除了书目旧些、少些，选书口味差些，价钱贵百分之三十至百分之一百，和深圳书城卖的没有区别，基本上内地流行什么，香港流行什么。但是，见到了余秋雨，没见到任何一拨儿美女作家，心想，有些在国内被禁了，如果连港澳台同胞们都不使劲帮一下，美女作家的液体和狗不理包子从哪里来啊？另一小半是台湾版书，价钱比台北也贵了百分之五十，除了臆想出来的小道政治分析，就是董桥、余光中之类的塑料花、纸花和绢花，就是唾液分泌过多综合征的话痨李敖。唯一撑门面的香港版书是亦舒系列，整整三层书架，真是不能不佩服那些写作习惯比月经还规律还坚持不懈的作家们，确实多产。洪叶书店里，唯一体现"大哥大"风骨的，是店铺尽头摆的四张桌子十几把椅子，免费供逛书店的人歇脚，还没人逼着你必须买饮料。

在香港最出名的书店，第一次来，一本书也没想买，我郁闷。

地下书店的代表，也在时代广场。连卡佛卖擦脸油的地下一层，有很大的一家叫"PAGE ONE"的书店，店门口右手柱子上，是隶书的中文译名："页一堂"。店挺大，百分之九十是外文书，可能是纸和油墨用的不一样吧，一进去，仿佛到了缩小版的"Barnes & Noble"，满眼的英文告诉我们，洋鬼子在这里盘踞过九十九年，阴魂还浓，在精神领域还有市场。最突出的是画册和国外杂志，都是细分门类，排了小十个架子。画册建筑、设计和时尚居多，本来想找Jessica Rawson等几个恋物癖写的中国古玉研究，没有得逞。杂志就算了，要找的东西，网上基本都有。转了一圈，唯一想买的是一本英文实用书，叫《如何在35岁之后把自己嫁出去——基于我在哈佛商学院的所学所练》，准备送给我一个事业心和排卵一样旺盛的剃寸头的姐姐。但是，考虑到积德、厚道和怕挨抽，最后扔在收款台旁边。

气急败坏之下，我沿着皇后大道一路向西，走到上环老区，终于在一家叫"新辉"的打折书店，买了三联文库中的两本小书：郁达夫的《一个人在途上》，张中行的《北京的痴梦》，小三十二开，装帧素面清丽。还有台湾人邓淑蘋编的《〈古玉图考〉导读》，原书影印，导读配胶版彩图。付款的时候，店员小姐正在读一本孟妮写的《吻我请关灯》，她一边收钱，一边眼睛不离书本。

我偷偷看了她一眼，心想，一定得关灯。

挤呀挤

香港真挤，每条街都是王府井，都是淮海路。

为了离上环的办公室近，公司把宿舍安排在西营盘。那个是老城区，英国殖民地的时候，最初驻扎过军队。现在，满眼老头和老太太，捅开一楼临街的房子开小店，忙的时候做生意，闲的时候在铺子里搓麻将，人气扑鼻。店都开了几十年了，一见我就知道是刚来的，争着夸我普通话说得标准，基本没有口音。感觉仿佛北京的二环路以里，唯一的区别是，北京二环以里拥挤着的，多是一层的大杂院和四合院，香港的上环，一个挨一个，多是二三十层的瘦高楼。大杂院里，总有一两棵槐树、枣树、石榴、香椿、丁香或是半架葡萄，拧着挺着，冲破临时搭建的小厨房和小厕所，在饭香和粪气滋润下顽强地开花结果。站在院子里，抬起头，是老大一块蓝天和吹着流氓哨的鸽子。香港老城区，常是单行线，没有自行车道，人行便道三瓣屁股宽。一个长着两瓣屁股的人迎面遇上另一个长着两瓣屁股的人，小声说一句"唔该"，一侧身，三瓣屁股在蹭与不蹭之间交错而过。人行便道上遍铺水泥，没有一棵树，路边偶尔有个街心花园，隔几十米望去，常常误以为是谁家阳台上摆的盆景。仰起头，坚持久些，楼与楼之间的一线天空上，或有老鹰飞过，好像谁放的风筝。

挤有挤的好处。

我站在这个老城区的任何一个路口，向任何一个方向一望，至少有三个茶餐厅，三个洗衣店，三个杂货铺，三个水果摊，三个巴士站。我住三楼，对面的三层楼里，一家人新换了大屏幕等离子电视机，新机试碟，放《金鸡》，没拉窗帘。我推开窗户，对面的电视里，刘德华正以香港十大杰出青年的身份，教育资深职业妇女吴君如：要以一团火的精神对待所有劳苦男性嫖客，提高服务意识和床上技巧，做一名扎根基层的职业妇女。只有这样，一旦这样，她就有希望了，社区就有希望了，香港就有希望了。我的眼睛里，吴君如的脸有面盆那么大，我也有希望了，我不用自己买电视了。对面人家拉上窗帘的一瞬间，我恍惚想起好多年前，北京住的大杂院里，有人添了第一台电视，日本产的，黑白的，红色塑料壳。所有小孩都端着饭碗，拎着马扎到那家去看，那是一个叫《敌营十八年》的让人废寝忘食的幼稚电视连续剧。

几年的工夫，上网从无到有，变成人类一种基本需要，排名在空气、可乐、麦当劳、《龙虎豹》之后，在老妈、老爸、老婆之前，几天上不了网，阴阳不合，六神无主。在香港，提供宽带上网服务的有三家：SO-NET，i-CABLE，和电信盈科，一样的缺德，都必须签订一年以上的合同。提前解除合同，每月照付100元。我叹一口气，打开我带迅驰芯片的ThinkPad，惊喜地发现，无线上网服务列表上，竟然有三个可选：Piano，J@home，Crazy Horse，一定是周围几个楼里的猪头三，狗眼四。随便选了一个，系统警告我不安全。

"妈的，感到不安全的应该是猪头三和狗眼四，我上。"随便挑了一个，我无线高速浏览到新浪新闻。

在上下班高峰的地铁里，更是人挤人。还好，毕竟是香港，有空调和香水。人们目光呆板，望着车窗外，车窗外是隧道，一无所有。偶尔有几个年轻人塞着耳机听音乐，基本没有人读书。唯一一次看见人念书，是个学生仔，至多小学三四年级，还没长青春痘和胡子，个头刚到我屁股，穿着学校统一的蓝色毛背心，戴着牙箍。在周围一车的屁股中间，他的脸忧郁沉静，我挤过去，偷眼看他读的书，深红色的封面，书名叫《我不怕压力》。

看着他忧郁而沉静的脸，我忽然想告诉他，我们小时候玩过一个叫"挤狗屎"的游戏。天气冷的时候，教室里没有暖气，身上没有厚衣服，我们就找个墙角挤在一起，那可比香港的地铁挤多了，比上环和中环挤多了，我们挤得口眼歪斜，我们高叫着："挤呀挤，挤狗屎"，我们没一个不乐得前仰后合的。

桃源古巴

．

从小到大，想不明白的事儿挺多，在不同的时候，为不同的事情，动心忍性。

重要的举例：比如为什么收音机打开后能听到几十公里以外的声音？在少年宫，我买了一本《如何组装晶体管收音机》和一袋子预先配好的电子元件，像把萝卜白菜葱姜蒜通通倒进铁锅一样，我按照说明将电子元件全整进翠绿的塑料外壳。然后装上两节二号电池，拧开，塑料盒子里居然响了。我还是不知道为什么，我只是在过程中烫伤了左手，学会了电焊。

再比如为什么姑娘好看？在高中，我坐在后排看新年晚会上的女生日本独舞，她穿了一件大红的日本和服，手里的黄纸伞扭来摆去，那个和服一定是化纤类的劣等货，灯光透过大红，看见里面穿着背心儿的身子。我感觉舞台上的大红塑料花突然全都发出香味，我感觉我的眼睛忽然不近视了，我感觉我黄白色的大脑皮层波澜起伏仿佛一坨酒精炉子上煮着的黄白色的方便面饼。为什么啊，这里面一定有阴谋。

再比如时间。为什么时间可以如此浅薄？一脚迈过五年，一指捅破十年，一夜之间售票员阿姨管我叫叔叔，一夜之间跳日本舞的女同学有了能走路的孩子有了和街道王大妈接近的慈祥的表情。为什么时间又可以如此顽固？我闭上眼睛，想起那个大红，大脑皮层还能在瞬间记起，如煮开了的方便面一样嗞嗞作响。

这些没答案的事儿，不管重要不重要，后来都被忘得干净，仿佛怕影响自己的人生观世界观，耽误我利国利民。但是世界上存在像古巴这样的地方，仿佛人世的化石，时间在这些地方或逆转或停滞或流逝的速率极其缓慢，事物的轻重缓急和你以前安排的秩序完全不同，逼你重新思考那些没答案的问题：比如如何对付时间？再比如一生何求？

古巴首都哈瓦那早在1516年就被哥伦布及其后人"发现"，从那以后，一直是西班牙"探索"新世界的枢纽。四五百年间，十六世纪的、十七世纪的、十八世纪的，各式当时时髦的欧洲建筑在城市里自由生长，相互侵占，自然颓败，层层叠叠仿佛河南二里头夏文化层上面有二里岗商文化层。老房子绵延十几平方公里，是几十个上海新天地，但是没有一间房子是新天地一样的假古董，所有的细节除了岁月敲打的痕迹之外，都是原汁原味儿。老城里有几十个博物馆，建议买通票，至少看三天，其中至少十几个不看要后悔，比如一个叫做对敌斗争博物馆，详细教你美帝国主义尝试杀死卡斯特罗的各种手段，听说有个美国人看了一整天，后来学以致用，先后杀了他三任老婆而逍遥法外。还有一个叫做总督府博物馆，贿赂工作人员1/4元外汇券（与美金等价）或一瓶风油精或两盒龙虎牌清凉油，可以让你摸一摸十七世纪西班牙总督用过的抽水马桶：和江浙大款用的类似，夸大舒适，镶金包银，二楼大便，水冲到一楼去。老城区里，除了博物馆就是餐馆，房子都一样古老，窗玻璃都一样的哈瓦那蓝，饭菜都一样难吃，但是小乐队的老人声音如男童般清亮，唱起被《花样年华》抄袭的那首《或许、或许》，街上的姑娘穿着粉色紧身裤和粉色抹胸走过，腿长腰仄，屁股和乳房毫不费力地对抗地球吸引力高高翘起，引导你的灵魂飞升，饭菜的重要性忽然变得很低。

听说在一九五九年革命之前，当时的腐朽政府计划全部推平这个老城区，然后沿着海岸盖起全新的高层酒店、赌场和妓院，那时候美国还是《美国往事》里描述的时代，还在禁酒，连续几年，全美年度黑帮大会，都在哈瓦那召开，对这个城市有大量的吃喝嫖赌抽的需要。一九五九年革命之后，新政府不喜欢吃喝嫖赌抽，而且闭关锁国，没钱对老城动手，又对老东西有起码的品味和对时间有起码的敬畏，距离老城一段距离，修了新政府的办公区。这个老城区，一九八二年被联合国定为人类文化遗产。我在老城区海明威常睡觉的"两世界酒店"喝甘蔗酿的朗姆酒，痴想，这四五百年，相当于中国的晚明和大清，如果一九四九年解放的时候，北京不拆城墙，二环路以内不动，在现在望京的所在建新的政府办公区，把中南海、北海、什刹海围成一个像纽约中央公园一样的巨大城中公园，那么我们北京的旧城，该是一种怎样的美丽？和现在哈瓦那的，应该有一拼。

古巴其他的小城比哈瓦那人少很多，但是一样旧旧的，慢慢的，干干净净的。城市中间都有一个广场，中心是花园，野狗晃荡，没人吃狗肉也没多少人有富余的粮食养狗。间或有标语，"不革命毋宁死"，"社会主义好，资本主义糟"，"五英雄归来"。古巴最近被美国查获了五个间谍，他们在古巴被称为五个英雄，逢年过节人民们就到广场集会、游行、唱歌、跳舞、泡妞，控诉美帝国主义，呼唤五个英雄归来。广场周围是博物馆或是学校和旅游商店，卖给游客切格瓦拉胡须飞扬睫毛修长的妖媚照片、HAVANA CLUB朗姆酒和COHIBA雪茄。一盒COHIBA SIGLO V，五支，60外汇券，是普通古巴人三四个月的工资。给古巴老百姓开的商店里，货架上基本是空的，货一上就空，用不到库存管理。扫帚和墩布和水桶卖得最快，所有古巴人都爱清洁，都在阳台上养鲜艳的花朵。

小城里，老百姓住的房子一般都几百年了，革命以后就没修葺过，街道一般都有几百年了，革命以后基本就没修葺过，蓝天和阳光和一英里外的海滩也都有好些年了，海蓝得发黑，时常有姑娘在海滩的蓝天下晒太阳，太阳出来，就脱光上衣，太阳落下，就披上上衣，革命前和革命后没什么两样。饭桌上，大家吃得都一样，红豆饭和蔬菜沙拉，过节或是来了客人，有烤猪肉和小龙虾。街上，老人晒太阳，一般都八九十岁了，抽着自己卷的雪茄，混吃等死，一脸幸福。我要是那么大岁数了，守着出产世界上最好烟草的土地，我就试试种植大麻，卷进雪茄，抽不完的卖到加拿大。汽车烧劣质汽油冒黑烟，一般都五六十岁了，三十年代的罗尔斯罗依斯，四十年代的奔驰，五十年代的福特，撞坏一辆，这世界上就少一辆，和中国四川卧龙的大熊猫一样。公共交通不发达，出去办事儿，基本靠当街截车，所以一般一上午只约一件事儿，迟到一两个小时，没人奇怪。脸蛋儿和胳膊腿长得不好的，不容易拦到车，迟到三四个小时，也没人奇怪。而姑娘和小伙子是新鲜的，十五岁行成年礼，十六七岁，多数已经记不清自己交过多少个异性朋友了，眼睛全都清澈闪亮，听到古巴音乐，随时随地扭起天生的魔鬼身体，跳起SALSA舞，说今天晚上镇上有新年狂欢，同去同去，说除了海边就是舞会好玩了。那个新年晚会我去了，就一个破十字路口，一个破四喇叭手提音响放在路口中央，音乐放到最大，几箱劣质啤酒，早就卖光了，小一千个盛装的漂亮姑娘和小伙儿，堵塞了三四条街，跳到早上四五点。几年前，沿着八十号高速公路，我从美国的东部开到西部，再开回来，一个月里，遇到的漂亮姑娘和小伙子，都没我在古巴小镇上，那一个晚上遇见得多。

卡斯特罗今年七十九岁了，早几年就戒了烟，最近还当众晕倒，他的医生说共产主义一定能实现，卡斯特罗至少活到一百三。好些人开始谈论，卡斯特罗身后如何。没人能够万岁，我知道，卡斯特罗之后，一定有更多的古巴人抽得起COHIBA，喝上HAVANA CLUB。但是，我不知道，旧城的博物馆和老房子会不会被改做吃喝嫖赌抽，古巴人开上二〇〇五年款的宝马7系列一上午完成五个商务会晤是不是会觉得真的很快乐。

琴鹤

红灯青烟里的阿姆斯特丹

传说中，坏人们坑蒙拐骗偷，为的是吃喝嫖赌抽。现在，全球化了，吃喝到处都有，麦当劳、星巴克。赌博合法也不新鲜，二〇〇六年澳门博彩收入超过了拉斯维加斯。越南、柬埔寨、马来西亚边境上，赌场到处都是，吸引中国赌徒，创造的就业机会超过了边防军。中国西部的口号是，给我一张博彩牌照，还祖国三个浦东。但是毕竟时代进步，不是万恶的封建社会了，合法嫖抽的地方，世界上还是少有，所以在去阿姆斯特丹之前，周围的坏人们再三叮嘱，要逛红灯区、咖啡馆（COFFEE SHOP）、梵·高和伦勃朗的博物馆，要吃意境仿佛臭豆腐的当地奶酪。红灯区就在中国城西边儿，官方地图上清晰标注个大红圈，说是充满餐饮和夜生活。咖啡馆主营大麻，临街窗户上各国文字，基本意思是"恍如天堂"，最好的几家里，有尼泊尔、云南和加拿大当年最好的大麻。

会议最后一天，下午三点就提早散了，从酒店蹿出去看荷兰人民。

阿姆斯特丹古城运河纵横，据说不是像通惠河、什刹海那样为了漕运而是为了排水。绝大部分城市在海平面以下，房子建在石木支柱上。排水需要极其精细，台风来了，排少了，地下室和一楼进水，台风过去，排多了，石木支柱曝露于空气，氧化膨毁。沿着运河，两岸联排三四层小楼，细方红砖，密不容针地争夺向水的面积，同时形成街道。向水的一面统一开长方大窗，大窗又被细木窗棂切成小的正方形，窗户的面积几乎占了总面积的百分之八十。楼顶都尖，雕花、狮子绵羊之类，都嵌个牌子，"1668"、"1781"等等，表示楼的竣工年份。牌子上面都有一个憨实的挂钩，据说两个用途，一个用途是吊运大件家具电器。楼梯太窄小，百年前也没有能塞两个金喜善的韩国双开门冰箱，另一个用途是吊运八十岁以上腿脚不灵便的老头老太太。楼里没有电梯，百年前也没有几个八十岁还赖着不进天堂的老人。小楼和河岸之间，树木划分机动车道和自行车道，多银杏和香樟。机动车基本开不起来，自行车更加得意。荷兰姑娘身高平均一米七，皮白刺青，乳阔腰仄，骑在老式二八车上，比机动车还快，金黄的头顶几乎和路旁的银杏树一样高。运河里多游船，小的装三两俊男美女老流氓，大的载满各地游客。大型游船一定是定制的，满客后，船高刚好矮过运河上砖石桥半寸，船长刚好能在最宽的河面上掉头。河边有长木椅，坐着看对面的楼房，楼房里的窗，窗里隐约的姑娘。虽然河面只有二十米，但是毕竟是山水相隔，觉得对面的姑娘竟然有些遥远。北京城里基本没河，也没河边木椅，但是年少时候一样在三四层的板楼下，坐看楼里的窗，窗里的姑娘，平静的时候带着一包前门烟，不平静的时候带着一瓶北京啤酒。她知道我在吗？她不知道我在吧？知道又怎么样呢？楼周围没有银杏和香樟，槐树上有叫吊死鬼的虫子，杨树上有知了。半包烟之后，一瓶啤酒之后，楼顶的姑娘，头顶的星星，还有共产主义，当时觉得这辈子都想不明白，现在还是这样觉得。

像平壤街上悬挂领袖照片或者上海街上悬挂世博会宣传画，阿姆斯特丹满街挂着一个毛发浓重眼神迷离的男人画像，我想应该是伦勃朗吧，但是太晚了，他的博物馆来不及看了，太阳还没全熄，红灯还没上，先去古玩街SPIEGELKW ARTIER。和香港荷李活道类似，小铺临街而设，铺面小而深，比北京古玩城那种集中圈养有味道。铺子里，藏在铺底下的上好货色，同北京香港的古董铺子一样，没人引荐看不到，怕惹是非。放在面上的，多一二百年前的钟表首饰，还是那几个大名牌，Bvlgari、Cartier这类，百年过后，没有感觉一丁点过时。一个Cartier的小表，一厘米见方，宝蓝色刻度和指针，蓝宝石弦轴头，安静，好看。本来想买了做个手机串，后来过了遍脑子，没有哪个手机配得上，于是算了。一个Zeiss的单筒望远镜，黄铜，10X25倍，看皮壳，三五十年总有了，一个日本人反复看，店老板说，看百米外楼里洗澡的花姑娘，没有问题，屋子里水汽再大都没问题，日本人一脸的欢喜。街上也有东方的东西，多两三百年前日本明治中国盛清时候的物件，十六七岁刚修完礼仪课上过妆的小姑娘似的，傻子都知道好看。柜子里一块白玉合欢坠子，老板说是籽料，清中期，沁色好。心想，这个我懂，不是籽料，是山料，不是清中期，顶多到民国，不是沁色，是皮子，比《夜宴》里葛优拿的那块仿清中期硬被当成五代十国的坠子还假，还是让店老板留着骗老外吧。

阿姆斯特丹红灯区真的是一个区，跨两条河，十几条小街，疾走一圈会出汗。窄处不容车，宽处警察骑大马，周围两三处教堂，嬷嬷们青衣白帽，进进出出。临小街的一楼，开出一个个三四米的门户，落地玻璃门窗，一户，一凤，一帘，一床，一洗手池，一盏红色管灯儿。天光将熄，帘幕拉开，凤鸟们着三点，裸露其余，当户待客，窗顶红灯亮起，古老深远，映照路人心中同样古老深远的生命花火。凤鸟们中外荟萃，肥瘦搭配，守株待兔，游客们或忐忑不安，或兴高采烈，全部都很兴奋，都在于情于理于欧元盘算是否转化身份，从游客变成嫖客。越是窄的小街，红灯越浓，凤鸟越美丽，游客越多。最窄的一条小街，最窄处将将容纳一人，一个旅游团从一端鱼贯而入，另一个旅游团从另一端鱼贯而入，到最窄处，游人们必须仁义恭俭让，有进有出，同时兼顾左右的凤鸟纷飞。

周围很黑，只有灯红，所有人都开心，以为是在游历地心，忽然听见中文口音的英语：

"How much（多少钱）？"两个干部形象的中年男子，看年纪和气质，正处、副局左右，应该是第三梯队。

"Fifteen minutes, fifty Euro（十五分钟，五十欧元）。"红灯下，窗户内，欧女窈窕，腰小奶大。

"Receipt（有发票吗）？"

"Sure（当然）！"

"不好吧？"一个中年男子对另外一个男子说。

"有什么不好？下雨了，我们又没带伞，你左边房间，我右边，躲躲雨。"

因为合法，所以备感安全。街口有大汉，但是没有"仙人跳"，有避孕套，所以绝少难言隐疾。由于职业习惯，我迅速计算了一下市场规模：一次五十欧元，一次平均半小时，一凤鸟一夜平均八次，整个红灯区二百只凤鸟，其他毛片和纪念品、餐饮、性用品、性影院、性博物馆和性旅馆等等相关产业同凤鸟的实战产业规模类似。凤鸟也要休息，体检，一年按三百天计算，$50 \times 8 \times 200 \times (1+100\%) \times 300$，一年下来，几乎是五千万欧元的生意。

最好的咖啡馆也在红灯区附近，我决定过门而不入。学过医，我知道，老天造人，为了将来好控制，软件系统里留了几个后门，毒品就是最大的后门之一。和毒品相比，美人这个后门简直不值一提，36C美乳就是七八磅肥瘦相间的东坡肉而已。夜深以后，不进咖啡馆的门，大麻的味道也像美人长发一样，泪水一样，歌一样，诗一样，清风一样，从咖啡馆的门缝里渗漫出来，流淌在小街上，醇厚、温暖、镇定、安详、贴心、懂得。仿佛传说中的女神，阅尽沧桑，懂得一切，心大如海，胸大如海，怀里的男人永远是对的，永远受尽了委屈，永远脆弱而伟大。

在红灯区两条小运河交汇处，两边都是教堂，一个爱尔兰酒吧。我要了一升啤酒，一盘鸡翅。周围桌子上，遍布五十岁上下的老流氓，天色渐晚，酒半高了，老流氓们向每个路过的男人举杯，对每个路过的姑娘吹口哨，睥睨自雄、旁若无人。船开来，风吹过去，忽然升起一种在北京这种古城才有的不朽感。只有在这些古城里，时间才能停滞，你坐在你爷爷生前常去的酒馆，五十米外是你姥爷生前操过的窄逼，你爷爷你姥爷向你挥挥手，然后转身。不是死去，而是明天再见。

汉城首尔

科学训练时间长了，会不自觉地形成一个比较的习惯，仿佛人类所有的知识都是在确立标准品之后反复比较而形成的，比如猩猩和人，男人和女人，美女和才女。我从小在北京的垂杨柳、大北窑、龙潭湖一带长大，二十岁前没出过四环，在这个认知系统里，猩猩都在北京动物园，人民都要有个天安门广场，男人就是主席和总理，女人就是我妈和我姐，美女就是女特务，才女就是徐静蕾。

三十岁之后，满世界乱跑。每到一个城市，坐出租车，走路，开会，睡各个酒店软硬各异的床，会不自觉地把有限感知中的其他城市和北京比较。在有些国内的城市，看着不同颜色的眼睛和头发，明显感觉到身处异域，先想到数百年前，这里的商人一定使用不同的货币，这里的妇女一定穿着不同的内衣，再感叹清朝满洲人的刀马武功。而在有些国外的城市，恍惚间对着一张黄脸和一肩直头发就说普通话。这些国外的城市，包括东南亚不要太南的多数城市，包括洛杉矶和旧金山的某些区域，包括首尔。

首尔依山而建，顺江而筑，位居盆地，有北岳山、驼山、南山、仁旺山环绕，汉江流过市中心。房屋高高低低，随山水起落，没房屋和道路的地方，草木葱郁。多数的地方抬头见山，汉江很宽，徒步跨越颇要一些时间。晚上如果有大风吹起，第二天早上，在北京的东三环路上，抬头也能看到西山，只是距离有些遥远。如果当初建北京的时候把中心定在海淀，玉泉山周围，感觉或许更像现在的首尔。

坐首尔的出租车，和司机讲不明白去哪里，最简单的解决方式是写汉字，年纪稍大一点的司机，连蒙带猜基本都能搞明白。坐在出租车里，车窗里常常飘进个把繁体汉字，比如"崇礼门"，比如"景福宫"。其中有些汉字的搭配在中国很多年前就不用了，思量着有些新鲜，比如"旅客庭舍"，比如"初饮初乐"，仿佛在山东省的高速路上，偶尔看到"即墨"、"栖霞"，隐约感觉一些古老的文字像一些古老的蝴蝶品种一样，在非中原的地域因为某种隐秘的机缘幸存下来。还有一些汉字，或许在中原就从来没有这样被使用过，比如首尔街区的名字后面都加一个"洞"字，这样称呼街区，我没有在中文古籍中读到过。或许在千百年前，为了减少建筑的成本、时间和技术难度，这里的居民不盖房屋，而是挖山洞，一个山洞居住一个相对庞大的家族。甚至很多发音，相近得仿佛基本就是东北人咬了舌头或者喝多了之后发出来的汉语，比如"烧酒"，比如"南大门"。仿古建筑也大屋顶、飞檐吊角、神仙瑞兽，只是不用琉璃，只是四个而不是北京古建筑上常见的八个到十二个，只是最外面的不是北京的仙人骑鸡，而是一个穿着圆帽长袍的韩国男子。

走在街道上，和北京不同的地方也容易发现。路面很少有废纸和口香糖，很少有痰，很少龟裂塌陷。没那么宽的街道，但是车也没那么堵。没那么多洗浴中心，但是人也都挺干净。没有成山成岭地死人等等重大危机，最主要的几个交通路口也常常聚集几十个人演讲抗议，情绪激动地阐述自己作为独立个体的非主流立场。没有环球盛会佛骨传递等等重大事件，普通老百姓也聚集在广场上灯光很大音响很大笑容很大地唱歌跳舞。

首尔曾经在朝鲜战争中一片焦土，除了南大门和东大门没有一点真正的古迹留下。我在一个名叫汉城金融中心的写字楼上厕所，望见不远的北面一片青灰瓦建筑。问人得知，是新建的景福宫和韩国民俗博物馆。抓三个小时空闲跑去，景福宫无甚可观，比横店影视城精致些，比丽江木府大些，和北京故宫一样，很多地方圈着不让进去，很多地方在修。倒是民俗博物馆的院子里有两棵巨大的樱花树，连在一起，占地过亩。花儿使出全部的力气开放，遮蔽天日，满树粉白，不给叶子留任何空间。很多人在树下休息，好像想着心事，又好像什么都没想。花瓣在风中时疏时密地落地，好像有香气，又好像没有香气。

数百年前，同样的春天，如果这两棵樱花树还在，还会这样开放。树下应该没有这么多人，应该有一样青春开放的少年。女子闲闲地看着脚下沾着一点泥土的粉白的鞋，鞋里粉白的脚，感到风起，感到一绺头发从左边被吹到右边。男子闲闲地看着樱花，看着樱花里的女子，第一次觉得女子和花一样好看，眼神和花瓣一样缥缈，头发和花蕊一样柔软。

"二月开白花，你逃也逃不脱，你在哪儿休息哪儿就被我守望着。你若告诉我你的双臂怎样垂落，我就会告诉你你将怎样再一次招手；你若告诉我你看见什么东西正在消逝，我就会告诉你你是哪一个。"

自从人类繁盛之后，中国和外国在这些瞬间并无任何不同。

敦　煌

看商周玉、看晚唐诗、看写经的小楷、看明末清初的茶壶，越来越觉得天才是弱的、想不开的、贪图简单快乐的。

敦煌是又一个佐证。

天真蓝，地真黄，白杨树白银子一样。导游小姑娘说，原来敦煌是绿洲，百分之五十的绿地，尽管起风沙，雨偶尔还下。我估计，就像北京现在一样。导游小姑娘说，原来敦煌是国际性枢纽大都市，集中了全球百分之六十的丝绸、大麻、玉石、僧侣和职业妇女。我估计，就像上海现在一样。导游小姑娘说，再过几年，水就没了，敦煌也就没人能住了。我想，就像高昌现在一样。

离开大路，要开十几分钟才到莫高窟门口。门口附近最美丽的建筑是日本人捐的敦煌博物馆，和周围的山石土木浑然一体，不仔细看，感觉不到。门口还立着王道士的骨灰塔。导游小姑娘说他是民族罪人，傻到相信斯坦因是孙悟空的子孙，贪图小钱维持寺院，把经书和文物卖给这些外国人。后来王道士被人骂疯了，在沙山上跑来跑去直到死。我琢磨，王道士和我老爸差不多。我老爸相信任何新的都是好的，五十年代初回国，六十年代饥荒的时候，为了养活八个弟妹，把一整箱Leica相机和Cartier表之类的资产阶级物件卖给国营信托商店。他现在生活规律，上午天坛，下午垂杨柳棋牌室，晚上古龙晚期小说，有朋友来的时候做他的招牌红烧肉。明显的差别是我老爸疯不了。

莫高窟近三百多个洞窟，让人进去的不到十个。修葺好的洞窟，整齐划一，个个长得像公共厕所。讲解员小姑娘腰里别着大把的洞窟钥匙，走起路来叮当作响，仿佛售楼小姐，毫无好恶地讲解洞窟标准间的装修。

佛们长得好看死了，这么多年，也不衰老。和现在的文艺明星类似，敦煌的佛们有三个特征。第一，不男不女。面皮粉嫩，但是长胡子。手指粗壮，但是胸部隆起。第二，衣着暴露。穿得都很少，衣服都很轻薄，很多的皱褶，繁密的花瓣一样。第三，佩戴饰物。脚串、手串、板带、项链、发箍。白玉、水晶、玛瑙、琥珀、蜜蜡、琉璃、红珊瑚、绿松石、青金石。

车离开敦煌的时候，导游小姑娘让我看远处的山，一边是黄沙，一边是黑褐色的页岩，两边交汇处，清晰而明显的界线。导游小姑娘说，唐朝时候一个和尚，一定要去西天，走到这里，看到页岩上的金色闪光，以为自己已经到了西天，看到了佛，就住了下来，才有了敦煌。我琢磨，这个唐朝和尚或许是一时大脑脱水造成幻觉，他当时看到的佛到底是什么样子？心里要多大一个疙瘩，才需要造这么多佛像消解？他挖凿洞窟、塑造佛像时，想的是什么啊？参照的样本是十二岁寒食节的春梦还是十四岁秋游撞见的鱼玄机？

木心说，快乐是小的，紧的，一闪一闪的。一千年前，没有棋牌室和红烧肉，一点一凿塑造佛像，漫长劳作里的快乐也应该是这样的吧，仿佛尿水小小地汇集到膀胱，括约肌收紧的肿胀，一朝释放，闪闪的佛光。

天高帝远

有首歌是这么唱的，"当阳光照耀的时候，就该梦想"。从小到大，都是缺什么想什么。

上世纪八十年代，十几岁，肚子里没油水，和老哥、老姐坐在门口的板凳上，常常想起吃的。

"新出笼的富强粉馒头！"

"馒头上抹层芝麻酱！"

"芝麻酱上抹层果酱！"

"果酱上抹层白砂糖！"

"白砂糖上抹层碎花生！"

上世纪九十年代，二十几岁，鸡鸡初长成，东单、东四满街遍野都是女神，天花没有落处。六只鸡鸡的载体同住在东单三条五号十二平方米的男生宿舍，常常说起姑娘。

"小对眼不错。"

"很白！"

"小海棠不错。"

"很香！"

"小苹果不错。"

"很甜！"

现如今，走进二十一世纪的新时代，多数同辈男人，脸朝上平躺的时候，肚脐眼高过鸡鸡上的马眼。一周八十小时工作，一月两千元手机费，一年十万公里飞行里程。我和我恩师坐在一起，喝口茶，歇口气，常常畅想将来不工作的时候，找个地方逃离，天高帝远。

"不用手机！"

"诺基亚E95送人，黑莓8800送人，留个索爱被窝里看小黄MP4用，留个多普达当GPS野游用。"

"不查电邮！"

"电脑不装Lotus Notes，不装Outlook，不装Office，只装游戏，只装歌曲。"

"不穿正装！"

"黑西装送希望小学改棉袄，黑袜子送匪徒当面罩，各色领带捆在一起做墩布。"

我们讨论，如果在地面上找个类似天堂的地方，应该用什么标准。我恩师说："我的标准是：第一，有好吃的。第二，有好的按摩院。第三，有好的高尔夫球场。"我说："我的前两个标准和你相同。第三，有好看的姑娘能让我心中肿胀。第四，有好玩的人一起喝酒。第五，有书店卖我的小说。第六，有飞机场、火车站、高速公路。"

大理是个逃离的好选择。大山，小溪水。大湖，小古城。湖山之间的田地平坦润绿，怎么看，怎么觉着适合种植烟草和大麻。白族兄弟的馆子里，牛肝菌、干巴菌、鸡纵菌、松茸等等各种蘑菇。酸辣鱼，鱼吃完了，还可以往酸辣汤里免费续豆腐。猪肉刺身、炸黄金片，下风花雪月啤酒。古城博爱路上有聋哑人的按摩院，他们用手和你身体对话，飞快了解它的痛苦和委屈。三塔旁边有个十八洞的山地高尔夫球场，古城人民路上常常遇见饱含呆傻美的王语嫣、屁股很大还敢穿牛仔裤的马夫人、四处乱走的狗。小孩儿说，那只狗是他的，狗的名字叫耍耍。每年四月是当地的情人节，夫妻必须分开，和各自的情人消失三天。对于这三天，彼此不问、不说、不讨论、不着急、不嘀咕，三天之后重新在一个屋檐下，担水、吃饭、睡觉。

在大理住了几次，每次都睡不安稳。多梦，人脑程序源代码的暗门时隐时现。梦里，黑莓的红色指示灯在水面上乱闪，鬼火一样，灯塔一样。梦里，我好像总在不停地思考，每年，在那三天之外，我的情人以什么频率性交？每年，在那三天之间，我老婆的情人到底是谁呢？

怕应羞见

最近，对房子的兴趣明显大于女子。

生理学讲，新陈代谢的规律决定，男子过了三十五六，原来鞋底子抽都不胖不肿的，吸西北风喝自来水啃低糖黄瓜也长肚子。四下张望，年岁比自己小的狠呆呆的晚辈，有的官已经做得比自己大了，有的钱已经挣得比自己一辈子能挣的还多了。年岁差不多的弟兄，有的第三次婚姻也破裂了，重新攒了个没牌子电脑，打红色警报和帝国时代，有的生了三个女孩，老大叫星，老二叫月，老三叫日。年岁比自己大八九岁的老哥哥们，多数明白这辈子差不多了，一口元气泄了，邪火消灭，愤怒不再，头发很快秃了。操守差的，破罐子破摔吧，下坡的速度比上坡快多了，张艺谋拍了《英雄》、陈凯歌拍了《无极》、余华写了《兄弟》。于是，对世界的看法逐渐平和，世事练达，人事洞明，对姑娘的兴趣一点点淡了，看周围的女子越来越中性。这样的男人占人口的大多数。这么大岁数，内心火苗突突的中年色鬼，是异数，必要时需要保护。

另外两点加剧了这个趋势。一是姑娘的长相越来越假。化妆品让百分之九十五的一线影星仔细洗洗脸之后，不如二线城市公共汽车上的售票员。韩国美容医生的刀法越来越精，自从把造假

LV包的技术转让到河南，芯片和美容术就是韩国最自豪的高科技了。激素补充疗法和激素替代疗法在暗夜里传播，瑞士和日本注射型人胎盘素三个疗程下来，儿子叫你小妹。二是麻烦。这时候，喜欢上某个女子工程浩大。十年前的喜欢是真正的喜欢，不喜欢了就说不喜欢了，简单得就像从学三食堂转移到学二食堂吃晚饭。现在，换个刚做七个月的工作，手续要办仨月，别说身边换个一起待了七年的人。

秋天去青城山，看西南民居楼盘，蓦然动心。

一是距离机场近，一个小时车程，周末前后请两天假，就可以躲过来。二是距离成都近，四十分钟之外，就是事逼但是好吃的银杏酒楼，不事逼也好吃的红杏酒家，五块钱的采耳，五块钱一天的茶，二十块一天的麻将。三是供应有限，前山脚下的地差不多都盖上了房子，都江堰负责青城山建设事宜的市领导也跳青城山自杀了，圈地运动基本完成，交易成本必将上升。四是到了喜欢道教的年纪，不禁房事，不禁荤腥，鼓励吃白果土鸡和猕猴桃，文气简洁地说，就是乐生，土鳖唠叨着说，就是脸皮厚实就这么活着，活着活着就老了，活着活着就无耻了。

从楼盘坐黑摩的，两块钱，五分钟，到小山门，十分钟山道，过一个又像心型又像屁股的月城湖，见索道。坐索道过半，两腋风生，周遭柳杉换叶子，一绺黄穗从几十米高的杉树顶端落下，随风一两个抖动，在我面前坠下。心中一紧，仿佛二十年前，下了课间操，窥见十米之外，穿黄裙子的师姐弯腰系白球鞋带，一绺明黄的头发从脑后滑过脸颊，发梢在空气中随风抖动。

大 城

上海：

　　侬好。

　　我承认我从小对你有偏见。歌儿里唱，谁不说俺家乡好，何况俺家是北京。小孩儿靠近佛，没有是非概念，大人和舆论一推，就是满脑子成见。北京的马路比上海的宽太多，不是不方便，是特别设计，战时起落飞机，宁时多撞死些老头老太太。北京的风沙比上海的大太多，不是不宜居，是特别安排，现在培养男生更有兽性，将来移居火星。北京的姑娘比上海的邋遢太多，不是不美好，是特别逻辑，是坦诚，不洗脸都能迷死你的，就是你一辈子的女神，不洗脸能吓死你的，就是你一辈子的克星。何况北京还有毋庸置疑的优势，比如北京的庙宇、使馆、博物馆是上海的百倍，比如北京的影星、歌手、画家、诗人、作家、政客、哲学家等等非正常人类是上海的百倍，你说，上海和北京怎么比？

　　对于你的偏见持续了很久。这种偏见的慢慢加深和逐渐解除和两个上海女人有关。

　　最初和上海人有比较密切接触是在医学院，一届三十人，四个来自上海。他们和来自其他外地的同学不一样，其他外地同学带来地方特产，比如黄岩的带来蜜橘，无锡的带来烧饼，上海来的带来上海话。在北京的地界儿上，他们彼此欢快地用上海话抱怨北京如何如何不是人待的地儿，扭头问我，你听不懂吧？像不像日本话？四个上海人中，一个是女的，身材不错，长得也不错，自我介绍说从小练女子花剑。但是运动会的长跑和短跑她都不跑，都抓紧时间念书，她说她是练剑的，爆发力只在十米到十五米之间。我见过她的爆发力，从食堂门口到卖菜窗口，她的身体一个恍惚就到了卖菜大师傅面前，我们看过多次，但是没一个人看清过这个箭步是怎么迈的。当时，女生基本都发育完了，我们还在长身体，常常馋肉，急了，钱花光了，实验完了之后的狗、兔子、耗子都吃。还是最喜欢羊肉。有一次在炭火已经烧开了清水、羊肉的冰碴已经开始融化的时候，这个上海姑娘来了，白毛衣，手上拎着一根大葱，放在桌面上，说，我也贡献一把，我们一起吃吧。

那还是上个世纪九十年代，我碰巧去了一趟你的地界，高架桥正在搭，满城脏乱，水龙头里流出来的水是黄的，煮开了还是盐骚味儿，弄堂里的厕所是波音公司造的，比飞机上的厕所还精密。我理解了我们那个上海姑娘的精明。生活资源这么少，如果不争，怎么活？人这么多，如果不文明地争，怎么活？所以，来争吃一锅羊肉，带着一根大葱。

十年之后，我第二次到你的地界，竞标上海国资委下属一家公司整体上市的战略规划。负责接洽的是个上海姑娘，长得像金喜善，长得比金喜善好看。招标演示会上，上海金喜善戴了个浅粉红色的墨镜，放幻灯的时候，室内光调暗了，她也不摘。透过镜片，我看得到她深黛色的眼影。我们当时的工作小组和领导一致同意，为了金喜善，投标价格降一半。

从第一次接触到项目开始一个月，上海金喜善都不苟言笑，公事公办，头发盘起来，一副大出实际年龄十几岁的样子。之后我看了《色戒》，印象最深的是王佳芝的架势，没革命过但是要有造过好几次反的架势，没杀过人但是要有杀过了好几个的架势，没上过床但是要有幼儿园就不是处女的架势。回想起上海金喜善，我理解了，和干净的街道，和熨烫好的旗袍，和建筑上普遍点缀的到晚上亮起的灯光一样，你这个城市，不管怎样，先要挺起架势。不是装出，是挺起。

后来熟了，上海金喜善托我从香港买包，她说便宜不少，我说送吧，她坚持付钱。后来更熟了些，说她想进修，问我是读MBA还是读个市场营销的专科，说她想买个大一点点的房子，问我是卖了现在住的还是向银行多申请些贷款。我心里暗暗叹气，你这儿生长的姑娘，其实挺实在，只是这种实在不放在表面，只是实在的逻辑不同。上海金喜擅长成这样儿，如果是个北漂，基本不会想到念个实在学科，基本会为了艺术叉开腿挣出个金百万。王佳芝不是不知道说了是死，不是不知道人死了，再大的钻戒也不能戴着逛淮海路，但是透过六克拉的钻戒看到了大得像生命的情意，还是说出了"快走"。张爱玲不是不知道胡兰成从大众意义上看是个什么样的人渣，但是看到了他文字里看破了生命的伤心和一瞬间对自己的完全懂得，还是低到了尘埃里。

春天来了，余不一一，顺颂你地界上过几天开始的世博会大牛。

冯唐

美国，美国

　　最早学地理的时候，遇上一个老处女老师，穿白棉布长裙，要求我们记忆全世界二百个主要国家的名称、首都的名称、经济中心（如果不是首都）、大致位置和地图形状。非洲和欧洲的小国最难记，必须使用非常手段。当时流传一种叫"风暴迷"单词记忆法，就是把所有单词按照词根和发音记成各种凶杀、色情、不靠谱的东西。用在这个老处女的地理上，埃塞俄比亚的首都亚迪斯亚贝巴就被记成强奸场景："压地撕丫被扒"。最不费事儿的是美国，一个字，美。

　　一个什么样的国家，才配这样一个名字？

　　在去美国之前的十几年间，反复从各种渠道培养对美国的期望。我茁壮的老姐到了美国就成了窈窕淑女。心态不同了，神态就不同。我老姐发给我她在美国某花丛中和某个男生的照片，得过南京高校铁饼冠军的她，恍惚间竟然有小鸟依人的感觉。我的师妹在美国的男友给她寄来二十四双厚实的耐克棉袜，来年夏天，她换上短裙子，小腿光洁柔润得与众不同，夜深时候，发射荧光。我的妇产科论文导师是一九八〇年第一批公派留美进修的五十人之一，他和别人一样，带了六十包以上的方便面，还多带了两大罐子虾米皮鱿鱼丝炒的荤辣椒酱。一年之后，别人省下的钱，在免税商店给家里买了索尼电视机、东芝录像机、松下洗衣机，给儿子买了听美国之音用的飞利浦九波段短波收音机，给老婆买了香奈儿的香水，我导师把所有省下的钱和打黑工替人扎针灸挣下的几千美金买了台哈雷机车和一件花衬衫。之后的暮春到初秋，我导师多了一个爱好，做完手术之后，开着他的美国哈雷机车，穿着他的美国花衬衫，开出医院，东单北大街右拐上东长街，西行到西长街，右拐到南长街，北行到北长街右拐到景山前街、五四大街、东四大街，然后右拐回东四南大街，兜一个四方的圈圈，他的花衬衫被风撩起，露出用了五十年的肚皮，肚皮上了无赘肉。

到了美国的第一天早上，我就想改机票回去。早上醒来，发现房间里竟然有冲水马桶，窗外竟然有鸟叫，望过去竟然有个挺大的湖，晚上或许下了一点雨，开窗竟然闻得见泥土的味道。但是，真没人啊。从房间走出去五里，没见到一个人，早上九点了啊。想吃口东西，没有煎饼油条豆浆豆汁儿，没有包子饺子活鱼活鸡。勉强在一个叫爱因斯坦兄弟的小店啃了两个叫Bagel的类似烧饼的东西，比黄桥烧饼差太多，比腊汁肉夹馍差太多。

我一个人吃饱了站在荒无人烟的美国的街道上，想起之前对美国的种种期望，仿佛小时候对某个春游期待了很久，终于在一个早上，站在了某个乡镇企业家创建的影视城的门口。

人类最大的幸福或许来自期望而不是现实，比如传说中没见过的仙女、没吃过的糖果、没摸过的小手、没登上的月球。期望或许总有一部分变成现实，这种现实多数是幻灭。在幻灭的可能下，人类保持幸福的最好途径或许是不停地产生新的期望。

在香港清炒一盘楼花

　　如果权衡物欲、衣食住行和美女，除了美女，我最在意房子。

　　衣服，我最喜欢裤头、老头衫和拖鞋、舒服、省钱，掩盖身体缺陷，披挂这身打扮在夏末秋初的北京游荡，是人生最大的"不亦快哉"。如果没有美女和老朋友在，好食物的唯一标准是快，麦当劳大叔和狗不理是我的最爱。至于车，SUV是小鸡鸡男人的形象补偿，我的梦幻车型是长安奥拓都市贝贝，停车太方便了。还是房子需要投入，建得好了，可以躲进去，关门拉窗帘，面壁点炮，干什么谁都管不着。

　　我对房子的喜爱，也是我老妈的遗传。她是纯种蒙古人，有蒙古名字，会说蒙古话，心脏没搭桥之前，一顿饭，一个人能喝一瓶套马杆酒。我老妈对两种事物的反应总是非常一致：看见长相俊美的动物植物，总是说，拿回家炖炖吃了。看见风景清幽的山山水水，总是说，占一块地方盖个房子。记忆中每次他们单位分房子，我老妈都奋勇争先。一九七六年地震，政府鼓励民众自发建地震棚子，我老妈盖了三个，方圆五里，规模最大结构最精巧。后来政府勒令拆除，我老妈就是不从，双腿叉开，左手叉腰，右手把持一把九齿钉耙，矗立在以三个地震棚子为顶点的三角形中心，看哪个不知死的敢动。

当我老妈知道我在香港租房，立即电告：看看能不能买，租房便宜了房东，买房能留给子孙。股票是套人钱的，现金存银行，银行也能倒闭，真缺钱的时候，古董论斤卖都可能卖不出去，还是房子好，留给子孙收租金。我老妈没学过金融，不懂投资组合管理和流动性分析，但是分析得都在点上。

我到香港最初几天，简单概括，就是香港不适合人类居住。太挤。一街一街的人，挤到东挤到西，我站在有空调的房间里看，都会不自主地出汗。但是，待长了，就像在飞机上待长了一样，渐渐适应，渐渐体会出一些好处。从居住和生活来看，香港是个好地方。

好处之一，紧凑。在香港岛上，随便挑个地方，出门走路十分钟之内，吃喝嫖赌抽，洗衣取钱买报纸交电话费、宽带费都能办了，而且还有两个以上的选择。北京的皇气王道造成居住的不便，长安街有五十多米宽，即使是横穿马路到对面买个酱油，走路十分钟也不够。

好处之二，丰富。从上环到中环到湾仔，走路不到半个小时，你要吃哪国的东西，都能找到地道的馆子，日本串烧南蛮亭、川菜满江红，还有名字我不认得的黎巴嫩菜馆和摩洛哥菜馆。你要看哪国的书刊杂志，基本都能买到，中环的两个三联书店不比北京和上海的小，PAGE ONE有当期的What Hi-Fi，大业文物书店里，因为有台湾、香港本地以及海外的出版物，文物书的种类比北京文物书店以及琉璃厂海王邨邃雅斋还多得多。湾仔电脑城和时代广场的电脑、PDA，和音响器材，新货上架飞快。日本货上市比日本当地晚不过一个月，但是会比美国市场早三个月，美国货上市比美国当地晚不过一个月，但是会比日本市场早三个月。如果想暂时离开闹市，走路十五分钟，就可以爬太平山。山保护得很好，之于香港就好像中央公园之于纽约。反方向走路十分钟，就是海，海边有干净的椅子，基本上没有摆摊看手相的假和尚、摆摊套圈射击的三轮车、摆摊卖发光塑料手镯的小姑娘。

好处之三，成熟。总体印象，这是个诚实而有效率的城市，从政府到小民，做事的出发点都是与人方便与己方便。地方脏了，有人打扫，流程不顺，政府调整。上海和北京即使在硬件上能在十年内赶上，我不指望，软件上能在我活着的时候赶上。香港市民们不崇尚文化和思想，崇尚实用知识和技术技能，头脑简单地挣钱，头脑简单地休息，像佛经里说的，饿了吃，困了睡，激素水平高了去深圳。市民们把人类简单地分为两类，有钱的和没钱的。他们衷心地给所有他们认为有钱的人最为友善的态度。出于职业训练，他们也尽量给他们认为没有钱的人友善的态度。香港人比上海人简单。上海人把人类分为四类，外国白人，外国有色人，上海人，和外地人。外地人再有钱，他们都有种不给好脸色。多数城市的人，没有上海人复杂，比如北京人也只把人类分成两类：牛逼和傻逼，再比如韩国人也只把人类分成两类：男人和女人。

东西虽好，还要看价钱。香港地方不错，但是楼价吓人。即使现在的楼价已经普遍比最高点跌了一半，比较类似的地段，香港的楼价还是高出北京、上海五到八倍。

认识一个在某大投资银行做地产行业分析的大姐大，剃着刘胡兰式的齐耳短发，戴着瞿秋白式的黑边眼镜，香港本地人，连续几年被评为地产分析的第一人，在香港十多年，一尺房子都没买。认识她的人说，如果她今天在香港买了房子，第二天香港的楼市就会涨百分之十。我问她，从长远看，比如十年，香港和北京上海的房地产合理差价应该是多少。我没做计算，随便掂量一下香港的好处，我的心理预期答案是二到三倍。大姐大想也不想："如果说十年，至多百分之五十，不应该再多了。""现在的差价是五到八倍啊！"大姐大想也不想："北京上海会慢慢涨，香港会跌很多。"

我打电话给老妈，敌人火力太猛，香港楼价太高，强攻有风险，不如先去欧洲看看，比如匈牙利，成吉思汗最强盛的时候，匈牙利也是蒙古人的地盘，可以盖蒙古包和地震棚子。

换个裤头换个城市

我原来以为，换个工作，换个城市，就像换个裤头那样简单。

当时一个人从北京去美国，四六不懂，也就是简单托运两个巨大的箱子，随身书包里几十张盗版光盘，贴肉钱包里几张薄薄的百元绿色美钞，我首都机场里抱了一下面目如春花身体如高粱馅的女友，向老妈老爸挥了一下手，在飞机上曲折婉约地睡了一觉儿，就到美帝国主义的地方了：多数人讲英文，花草整齐，地上没痰和烟头，咖啡和可乐都散发着资本主义的味道。

所以想象从中国的北京转到中国的香港，我想应该像换个裤头那么简单：旧的褪下来，扔进洗衣机，新的从衣柜里拿出来，踹两下腿套上身体。

但是，离开北京就是第一桶麻烦。

虽然人实际上受雇于外企，但是名义和手续上我的单位是外企服务公司。外企辞职，签署各种保密协议和非竞争协议，交还机要文件、钥匙、秘书、门卡、公司信用卡、手机、电脑之后，还要去外企服务公司。在外企服务公司，我要结算我的各种福利保险，住房基金，具体金额的算法比对冲基金的高级操作还复杂，基本上它给我一个卡，给我多少我就拿多少，密码还不告诉你，还发给我一个存折，和这个卡不是一个银行的，这个卡和这个存折什么关系，一层楼的人也没能跟我说明白。还有，我的档案要存在北京市人才，交几百块，别问为什么。我也可以存别处，但是别处没有在外企公司现场办公，至于别处是哪些去处，在什么地方，什么价钱，北京市人才派出的现场办公人员不知道。还有，我的户口要自己存街道，我的医疗卡和缴费纪录我要自己留着。

然后是处理身外之物。先是房子，房子先要租出去，靠着我极简主义的装修风格，我租给了一个英国大使馆做文化艺术项目的半大老头。项目做四年，房子就租四年。那个装修是京城室内设计大师孔大的作品，孔大的特点是才气大，手巧，有急智，热爱妇女，人住澡堂，手机不在服务区。最初的设计是北欧风格的，有个真正的壁炉，大理石的，铺什么"蓝钻"和"黑金沙"，壁炉前懒睡一条狗。后来孔大说，时间不够了，"改现代日式吧。日本其实最好地继承了汉唐风骨，而且日本人咸湿。"后来孔大说，时间不够了，"改极简主义吧，最省钱的就是最好的，少就是多，少就是好。"就像相声里说的，画个扇面，美女换成张飞，张飞变成大树，最后只能扇面涂黑写两个金字完事儿。后来，房子租给英国人之后，孔大说，"欧洲人，艺术眼光最好。"我要搬出去，光书就装了四十箱。不可能搬到香港，这些书进了我香港的房子，我只有踮着脚尖坐在厕所里睡觉了。实在没人可欺负了，还有父母。书堆进老妈原来的卧室，箱子摞了三层。老妈在美国叫嚷，楼板要塌的。我说，我问过孔大，民用楼板设计强度是一平方米一百五十公斤，实际负载量可达三百公斤，我的书平均下来，也就是一平方米一百三十多公斤。老妈继续在美国叫嚷，楼板要塌的，楼下住着的老蔡是个好人。我说，您放心吧，我堆上书之后，还在楼板上跳了好些下，没塌，还到蔡伯伯家去了一次，相应天花板上也没看到裂缝。姐姐从美国打电话来，说老妈做梦把书箱子从一个屋子挪一些到其他屋子，累惨了，心脏病犯了，进医院了。除了房子，还有宽带网，我跟英国大使馆的半大老头说，你还是留着用吧，北京也没有《阁楼》卖，你老婆也不在，他说，是啊是啊。还有手机。我申请了一个语音信箱，录了个问候语，中英文各一遍，大意说，我到南方去了，有话就撂下。我反复听了好几遍录音，才勉强接受，电话里那个公鸭嗓的男声是我自己。

然后是处理身外之羁绊。颐和园的西堤和故宫后屁股上的筒子河，我带不走，但是要使尽全身力气，恶狠狠地看一眼，闻一鼻子，能摸的地方慢慢摸两把：一棵是柏树，另一棵也是柏树。古玩城带不走，但是坏蛋仗义行侠的玉商小崔劝慰我，香港有个荷李活道，荷李活道上也有坏蛋玉商，如果我眼力比他们毒辣，这些坏蛋玉商偶尔也被迫仗义行侠。"还有，还有，记住，别买传世的，一定只要大开门的生坑货，种沁工都要好。"小崔说。酒肉朋友带不走。我在一周的时间里，每天赶三个局，基本都见过了，至少能抵三四个月，不去念想。康宁按摩院的独眼龙老白带不走。我连着做了三个钟，肉体开始恢复弹性变得如同高粱饴。独眼龙老白一边按摩一边说："别急，我决定下月开始到旁边的朝阳中学学习游泳，听说从珠江口游水到香港去，并不遥远，听说香港最便宜的按摩一个钟也要一百三十八元港币，我要挣大钱。"三联书店带不走。又买了十几本，行李装不下，继续堆到摞了三层的书箱上，反正楼板下的老蔡总是有危险，反正老妈认定楼板要塌。姐姐说，我老妈已经定了机票，医生一同意，就飞回来，调整书箱，救老蔡。

然后还有到了香港的第二桶麻烦：旅行手续、工作手续、房子、手机号码及通知所有同志，银行户头、宽带登记、书店、技术好的盲人按摩院、各种银行卡飞行里程卡的联系办法更新。

工作需要，间或要去蛇口，然后便有第三桶麻烦：旅行手续、工作手续、房子、手机号码及通知所有同志，银行户头、宽带登记、书店、技术好的盲人按摩院、各种银行卡飞行里程卡的联系办法更新。不期望蛇口会比香港少多少麻烦。同叫中国移动和建设银行，北京分公司和广东分公司几乎是两个公司。我不抱任何希望。

所以，如果不考虑思念、纠缠、反复，以及双方亲友团，换个城市简直比换个老婆还麻烦。其实，我和老婆有各自的身份证、护照、手机，分开的户头和房子，技术好的盲人按摩院可以共用。过来人孔大说，其实，现在实行新的离婚法了，手续可简单了，将来就更方便了：有个机器像是自动取款机，两个人用结婚证一刷，自动离婚机的玻璃罩子就打开了，屏幕上说，你要离婚吗？两个人同时按Y，再分别按个手印确定，自动离婚机里伸出一把剪刀，把结婚证剪了，然后伸出一只小手，一人一个巴掌扇出来，然后就结束了。

有物先天地

　　大宗师说，有物先天地。小鸟执著地衔五色杂物回巢，小兽执著地叼五味杂物回穴，人执著地患得患失，物欲和物执的程序设计早于鸟、兽和人类的出现。

　　中文总结男人的物欲，最简洁的是《金瓶梅》。崇祯版《金瓶梅》的序言猜想书名的由来："盖金莲以奸死，瓶儿以孽死，春梅以淫死，较诸妇为更惨耳"，所以用这三个人的名字缩成书名。我的猜想是，金子似指潘金莲，实指财富，瓶子似指李瓶儿，实指酒，梅花似指庞春梅，实指女色。金钱酒色，是中国男人最大的物欲。

　　外国男人也是男人。英文总结男人的物欲，最简洁的用3W、Wealth（财富）、Women（女色）、Wine（酒），和《金瓶梅》总结的一模一样。也有说5W的，添了Watch（手表）和Wisdom（智慧）。手表本来就是西方物理学和工业化的产物，思考星空和道德律的中国人，有史以来不是被招安后阉割后安置到翰林院就是被简单杀掉活埋掉，所以手表和智慧不在中国男人的传统物欲中。

我原来不理解为什么财富也是一种物欲，觉得财富应该是实现其他物欲的基础，不应该和其他物欲在一个层面。后来见多了挣了一千万想十个亿、挣了十个亿想一千亿的男人，渐渐明白，这时候的财富已经不是其他物欲的基础，本身已经是一种最大最变态的物欲了，尤其是对于眼睛小、个头小、鸡鸡小、有个悲惨童年的男人。

过去三十年，我经历了从物质极度匮乏的时代到物质极度泛滥的时代。

三十年前的酒，是暖水瓶打来的散装啤酒和玻璃瓶打来的散装二锅头。散装啤酒到家已经热了，喝干几个暖瓶也不醉，觉得过去几缸几缸喝酒的水浒好汉，不过尔尔。现在的啤酒是不在青岛生产、不用崂山泉水的青岛瓶啤。现在的二锅头有五百块一瓶的，光天化日之下闭着眼睛说自己窖藏了二十年、三十年、五十年。欧洲和新世界的葡萄酒零关税进入香港，喝着一百块以上的纳帕，想着号称十二年陈的长城，感觉坐在MAN重卡里看着蜀国的木牛流马。

三十年前的色，是将校呢制服黑皮靴大波浪卷花头叼美丽牌香烟的国军女特务和坚贞不屈宁死不从爽死不叫的我党妇女战斗队长。现在的色，是淮海路上被时尚杂志长期指导下的女白领，是后海湖边溜达的女记者和女编辑，是腊肠小陈和劈叉小章，是硬盘里30G的饭岛爱和芹泽直美。

三十年前的财富，是陈佩斯点一百张十元的人民币。现在的财富是比拉斯维加斯还大百分之二十的澳门博彩和被我安全部门仔细研读的快速变幻的中国富豪榜。三十年前的好表是海鸥和上海，现在的好表是三问月相万年历陀飞轮百达翡丽和清宫鎏金铜镶嵌珐琅料石转花花盆顶报时鸟音乐钟。

物件的确存在高低贵贱，但是物欲和物执并没有太多区别。可以追求对物件高低贵贱的见识的增进，但是别期望登上华山不想着泰山，登上珠峰不得抑郁症，不感觉人生虚幻。或许正道是知道这些高低贵贱的差别之后，通过勤修苦练意识到，这些差异其实并不重要。重要的是不同物质在不同时候，给我们的同样的细小的快乐和温暖，仿佛黑暗中向一只小手握过去，不管它产于河南还是法兰西。只有在这种见识下，才能捡到篮子里就是菜，烂梨也解渴，才能不强取豪夺，不拧巴，不折腾。

大宗师说，不为物先，不为物后，故能为万物主。

择一城而终老

市场经济，更要规划。国家每五年根据国际国内形势做一个长期规划，企业每年滚动做下个五年的规划。战略要人力资源配合，所以经理们要求员工思考职业生涯，一眼看到生涯的尽头。隔着空啤酒瓶子排成的篱笆，遥望酒桌对面，最近常常听到三十岁的人遥想如何在四十岁退休，说从小习惯了"饶天下一先"早别人一步原来是早恋早泄早孕早产现在想早些退隐江湖，说人生苦短不能每小时都跑百米眼也花了脊椎也僵硬了小鸡鸡也渐渐温柔清秀了，说要赶在父母的牙齿只能啃面糊脑袋只剩糨糊之前有大把时间和他们打棋谱喝夜老酒炖五花肉教孙子背"林深人不知明月来相照"，说要选个城市盖个房子混吃等死终老残生。

如果腰缠大把的时间，让我选一个城市终老，这个城市一定要丰富。生命太短，最没有意义的就是不情愿的重复，所以人生第一要义不是天天幸福，而是不烦，就像伟大的小鸡鸡不是永远硬邦，而是像孙悟空的如意金箍棒。喜怒哀思悲恐惊，酸甜苦辣咸麻涩鲜，都是人生经验，整天笑的是傻强，傻强们长得都一样，他们的十八号染色体比常人多一根。生物教授说，衡量一个生态环境，最重要的是物种多样性。如果天下只有一种水稻，这种水稻的天敌一出现，全人类就没食儿吃了。如果天下的姑娘全是苏小小，小鸟依人，小奶迎风，湖南卫视说杨门不男不女的女将才是超级美女，全人类就绝种了。

一个城市的丰富程度，有四个衡量角度。第一是时间，时间上的丰富是指建筑的历史跨度，同一个城市里，方圆十几里，有六世达赖几百年前坐看美女如月的酒馆，有昨天才为青藏线建成的火车站和洗手间。第二是空间，空间的丰富是指建筑的多态性。一个城市，形式上，古今中外，不要全部大屋顶建筑外墙上贴石膏花瓶，也不要全是后现代极简主义，一门一窗一墙。功能上，吃喝嫖赌，不要全是食街水煮鱼，也不要全是天上人间洗浴桑拿。第三是时间上空间的集中度，要有细密的城市路网，让人能在最短的时间到达最丰富的空间，小便大酒，寄情人卡买猪头肉，敲寡妇门挖绝后坟，五讲四美三热爱，走路十几分钟或者最多骑车半个小时内全都解决。第四是人，人的丰富是指五胡杂处，万邦来朝，伊丽莎白对穆罕默德说，大哥，我不在中石油当前台了，让我和你混吧。劳模和人渣，清华理科生和地铁歌手，刘胡兰和刘亦菲，刘翔和刘罗锅，百花齐放，万紫千红。

如果按这样的标准筛选城市，上海不理想。虽然路网密集，生活精致方便，新长出的建筑也算有品味，金茂凯悦像个宝塔，上海博物馆像个铜镜，外滩中心像朵莲花，但是年头太短，外滩就像纽约几百条街道中的半条，基本上都是上个世纪初的东西，清中期都够不上。人也太一样，一样上班勤勤恳恳为老板打工，一样下班勤勤恳恳陪老婆，价值体系完整稳定，芙蓉姐姐之类，三秒钟就会被全体上海人归类为脑子坏掉了，然后不再提起，所以即使再闹几次"文革"，三周之后，上海人民还是毛蟹年糕梧桐旗袍。

香港不理想。殖民地时候的妓寮西港城就在国际金融中心（IFC）二期百米之外，英国无赖小伙子们带着洋枪在这里遇见苏丝黄，现在不做旧用，职业妇女产业由于劳动力成本等因素，转移到深圳东莞去了，每晚楼上有小乐队伴奏吃西餐跳拉丁舞，楼下卖电车模型和各种甜品，楼下学生仔吃"榴莲忘返"，楼上跳拉丁舞的型男型女能闻到。西港城西十五米，招商局华泰餐厅，每周四有水饺，皮薄馅大，华南第一，二十五块港纸管够。东五十米，港澳码头，一个小时快船到澳门，赌场强过拉斯维加斯，美金港纸换成塑料圆片片，圆片片扔给红桃方片钩疙瘩K叉。百米外国际金融中心二期，初看像电动鼻毛刀，二看像玉米，那里坐上地铁，三十分钟到机场，不到两个小时飞到吴哥窟，四百八十寺，莲花粉白，僧衣赭黄。但是，还是人，我不认识王晶、周星驰，不认识黄秋生、李碧华，不知道他们最早见到少年时代的邱淑贞，心里是什么感觉。

纽约不错。也够老，NYSE（纽约证券交易所）最早开盘的时候，满族人才刚刚在北京城站稳脚跟，还没有见过纸质钞票。那么多那么好的博物馆，让我不再痛心疾首中国文物流失海外，在这里，先人祭天的礼器至少不会担心被文革灭顶，不再担心被国家博物馆脑子坏掉的管理干部同国产美人豹跑车陈列在一起。纽约绝对五胡杂处，除了Harlem的黑人是当地人，其他都是外地的。道德宽泛，人不和鱼或者海藻乱搞，就不是新闻。但是，吃得太差了，一个"五粮液"川菜馆，一道不麻不辣的鱼就算纽约的头牌了。

古巴不错。够老，十六世纪初，就是海盗巢穴，到二十世纪中还是美国黑帮年度工作大会的长期地点。新中国成立之后，古巴革命党们内心纯净，内心没邪恶能量口袋里没钱破四旧，十几平方公里的老城，从东走到西，三十分钟走过五百年。烟有COHIBA，酒有HAVANA CLUB，绕岛一周，都是深蓝色的加勒比海，在岛上晃悠，到处都是腿长腰细的漂亮姑娘。但是，土地公有，住房公有，想买房子也没人卖给你，而且，卡斯特罗在欧洲医药和中国针灸辅佐下，身体真的还很好。

还是北京。最近三次回北京，没有一次见到蓝天。沙尘暴里，坐在啤酒杯子里，我问一个老哥哥，会迁都吗？老哥哥说，我们有生之年，可能性不大吧。我问，北京会变成沙漠吗？他说，我们有生之年，可能性不大吧。所以，还是回北京。后海附近整个四合院，不太现实。中等规模的四合院，占地五六百平方米，基本住了八九户人，不找三四个打手，没上千万，请不走。砖木结构，两小孩儿墙根撒泡尿就塌了，抹平了重盖，周围二三十个老头老太太找你麻烦。还是在城乡结合部找一块农民宅基地，自己人设计，自己人当工头，自己人画画补墙，我自己住。我问，只租二十年，二十年之后怎么办？老哥哥说，活这么大，我明白一件事，十年之外的事情，不想。

北京虽然已经不适合人类居住，但是还适合我思考，还能让我混吃等死，灵魂不太烦闷。

寄生在笔记本上的生活

因为有过悲惨经历，所以从小不喜欢笔。

小学的时候还开毛笔字课，讲课的老师，男的，分头，腰肢细软，睫毛翘长，现在想来一定是"玻璃"，写一手好的瘦金体。电脑打印机还不存在，庞中华的名头和现在余秋雨、韩寒一样响亮。我哥说，你瘦得像芦柴棒子，这辈子做肌肉猛男比较困难，写一手好字，看书看坏眼睛，出门衬衫上别一支上海英雄金笔，戴一架金丝眼镜，很拽，牛逼，又比较照顾我的先天条件。所以，我决心练好毛笔字。但是，班上有个男生，我怎么练，他的字都明显比我的好。他学柳公权，我学颜真卿，看他的字，想起名山大川，看我的，发挥想象，想起舒同，不发挥想象，基本就是猪肉包子、大胖丫头之类肥厚的东西。我换过很多次毛笔，什么八羊二狼，七羊三狼，六狼四羊，七狼三羊，听说"狼"其实是兔子毛，狼的成分越多羊越少，笔越硬，字越挺，但是对于我没用，即使是全狼毫笔，我写出来的字还是像个胖子。得出结论，笔不能让我很牛逼。初中的时候，开始写小说，处于自恋狂状态，十几万字的长篇。写残三支永生钢笔，右手中指远端指间关节生出老茧，变了形，永久性下垂不举，伸出去做下流手势，完全没有睥睨自雄的气势。在写残钢笔的过程中，屁股也扁平化了苔藓化了，站立再久也不能恢复一点点曲线。小说稿定名《欢喜》，在十七岁的时候寄给一家叫《中学生文学》的杂志，一个月后，杂志倒闭了。得出结论，笔让我倒霉，我最好忘记写小说这件事。十七年后，《欢喜》发表在《小说界》上，得了七千元稿费，如果发生在十七年前，我的命运将会彻底改变。十七年后，我发现我得了痔疮，也是那三杆永生钢笔害的，久坐血淤，血淤生痔，每月定期血溅裤头，影响我喝酒食辣的心情，在这件事上，自然界的规律如期应验，我的命运没有丝毫改变。

因为迷信机器，所以迷恋笔记本电脑。

最早接触笔记本电脑，是在北大，九一年，选了一门课，《计算机工作原理和286芯片》，老师的业余爱好是国际标准舞，他说，笔记本电脑在中国基本不存在，要是在中国有台笔记本电脑，很拽，牛逼。之前，在中学接触过电脑，单色绿屏幕，鬼火闪闪，进计算机房要脱鞋，屋子里飘荡一股脚、袜子和鞋的混合味道。人生第一次了解，女生的脚也可能是臭的，美丽女生的脚也可能是臭的，这点，女生和鲜花不一样。我姐已经在美国，不端盘子，也能上学过生活，她答应我，大学期间，供我周游中国，我说，还是送我一个笔记本吧。在北大的选修课上，我和老师反复讨论，如何从美国夹带一台笔记本过海关。我们讨论了清朝银库兵丁夹带库银和毒品贩子夹带海洛因的手法，觉得基本是屁眼运动，不人道，笔记本太大，不适用。另外的参考对象是文物走私，计算机老师说他去过纽约，大都会博物馆，两人高的北魏佛像，有好几十尊，比笔记本大多了，但都是清朝时候运出中国的，那时候的海关，腐败。我姐说，她命壮，五年前她能用我刻的青田石单位公章蒙骗出国，五年后就能什么招数也不用，把笔记本电脑带回国。那是一台东芝SATTELITE系列，英特尔486芯片，三十三兆赫兹主频，四兆内存，微软WINDOWS 3.2操作系统，十二寸黑白液晶屏幕，鼠标像个耳朵似的，要外挂在机身右边。第一次开机的时候，小屋子里一片漆黑，我觉得眼前亮起了一盏水晶宝莲灯。我哥也在，问，能看电影吗？能听音乐吗？还是黑白屏幕，看毛片分不清脸、奶子和屁股。我姐说，有彩色屏幕的，太贵了，这个黑白的都要两千美金，我买了之后，兜里就剩二十块了，想了想，还是买了。

我开始长在笔记本电脑上。笔记本比姑娘好，多数姑娘，需要你帮她承担各种心理杂碎，笔记本帮你承担你的各种心理杂碎。笔记本也变老，在我手上，"N"键和"I"键很快磨成白板，但是笔记本不抱怨。笔记本也帮你解决生理问题，调节激素水平，但是基本不逼你自责自省、脑袋撞墙或者思考人生。笔记本也改朝换代，比女友规律，基本上三年一款，那个黑白屏东芝之后，用过如下机型：同方，Sony PCG505，Compaq Armada M300，Compaq Evo N600C，IBM Thinkpad T41，Hp Compaq Nc4010。花在笔记本上的时间，比花在女友和父母身上的时间长很多，电脑打开，WORD启动，不朽比窗前的月光更实在，心里无名肿胀，手指微微颤抖，以为能用文字打败时间，以为键盘就是琴键，仿佛夏商周时代的巫师，身体在瞬间被一种更强大的力量占据，手指便像流水般起伏，文字就如小鱼小虾一样在荧幕上跳动。忘记了屋外，蓝田日暖，良玉生烟，陌上杂花盛开，姑娘的手比文字更软嫩幼滑，姑娘的眼睛比文字更明亮光鲜。过几天，点一根烟，重新检点那些文字，基本一无是处，了无生意，比不了事后的姑娘，手还光滑眼还明亮，那些月亮一样的东西，都是幻象，都是少年人进了老天挖的陷阱。痔疮还在，有从内痔发展到外痔的倾向，肩背基本完蛋了，医生说，颈椎危险，需要半年照次片子，观察进展，这些，都不是幻象。

最近买了多普达900，PDA手机，女生常用的铝皮饭盒大小，勉强能塞进裤兜。德州仪器五百兆主频，一百二十八兆内存，3.6寸TFT屏幕，全尺寸QWERTY键盘，Wi-Fi，蓝牙，红外，GSM，W-CDMA什么都有。听姑娘说，小鸡鸡的男人才用巨大的手机，开悍马吉普车。我说，个子几年前就不长了，鸡鸡本来就不大，过一阵，文章也写不出了，脑子也会逐渐萎缩的。这款像笔记本电脑的手机，用1G的SD存储卡，我想，一辈子的文字也占不了它千分之一的空间，比骨灰盒能盛多了。骨灰多了，就撒进龙潭湖里，过去叫龙须沟，靠近天坛，小时候我钓过鱼。文字就散进那些笔记本电脑里，再过几百年，能不能比那时候姑娘的手还光滑眼还明亮，能不能摄人魂魄，就看它们自己的造化了。

人活不过手上那块玉

对于肉体凡心的俗人，最大最狂妄的理想，是对抗时间，是不朽。

千百年后，肉体腐烂，凡心消亡，而某些俗人的事功文学，仍然在后代俗人的凡心里流转，让这些凡心痛如刀绞，影响他们的肉体，让这些肉体激素澎湃。在这样的理想面前，现世的名利变得虚妄：挣一亿美金？千年后，谁会记得股神巴菲特？干到正部级？现在，有几个人记得御准柳永浅吟低唱杨柳岸晓风残月的是宋朝哪位皇上？

对抗空间没有那么困难，赶巧了，在白宫里抱住克林顿的腰，在雅典抱住马拉松高手的腰，一夜间能名满天下。对抗时间，实现不朽，不能靠养育后代。生个儿子，仿佛撒一把盐到大海，你知道哪一瓢咸味儿是你的基因？

中国古人总结的对抗时间的路数是：立德立功立言。

其实，立德和立功立言不是一个层面的问题。往严肃了说，立德是后两者的前提，德不立，事功文学都无以立。往实际了说，立德是扯淡，横看成岭侧成峰，什么是德？往开了说，都不容易。立功难啊，天下太平了，像样一点的理工科大学都能捅咕出原子弹，如果生在今天，成吉思汗最多替蒙古国从高丽人手上抢得一块射箭金牌和一块摔跤金牌，曾国藩没了拜上帝教闹太平天国，最多做一两届国务委员。立言难啊，几千年文字史，多少人精疯子偏执狂自大狂写了多少文字，要写出新的意思或是新的角度而不是直接或是间接抄袭，基本上是妄想。立德尽管虚，长期坐怀不乱，慎独，四下没人，拉了窗帘也不自摸，基本上是不可能。上中学的时候，看到史书上说，董仲舒牛，安心读书，三年不窥园。心想，这有什么难啊，街上除了北冰洋汽水和双色冰激凌之外，没有其他吸引力了。等到上班挣钱，俗心开窍，如果两个星期没有饭局，心里就会打鼓，是不是已经失去了和社会以及人类的亲密联系。

不朽有诱惑，立德立功立言有难度，所以，潜意识驱动人们热爱收藏。

老的东西，流到今天，相对于时间，相对于向不朽的卑微的努力，才是对的东西。

一块商晚期的鸟型珮在我的肉手上，青黄玉，灰白沁，满工双阴线刻殷人祖先神玄鸟，鸟头上站立一小龙，龙爪子抓住鸟头，鸟和龙都是象征太阳的"臣"字眼。我想，当时的人，怎么想到，这个神玄鸟要这样雕刻，鸟喙要这样扭，屁股要这样挺立，如果这位大师雕刻文字，会如何安排？我想，多少双肉手摸过它啊，这些肉手都已经成了灰烬，即使我现在摸着它的肉手有一天也成了灰烬，是多么地正常啊。我想，一亿美金和正部级有什么啊？这只神玄鸟睬都不睬。人斗不过物，有机物斗不过无机物，从某种意义上讲，基督耶稣斗不过十字架，佛祖斗不过北魏造像，毛泽东斗不过毛主席像章，凡人要靠物品来理解和实现永垂不朽，万寿无疆。

只要能辅助人们认识时间，消除恐惧，隐隐地通向不朽，什么都可以收藏，从书画青铜，玉器杂项，到桌椅板凳。

过分的是我一个同学，迷恋头发，说女人如植物，头发就是植物的花。像《金鸡2》里那个疯子，收集过去情人的头发，藏进信封里，舌头沾了胶水封上。我说，你是学医的，应该知道，这是胡闹，头发离开姑娘，没了滋润，即使原来再漂亮，三天后也就同切下来三周的玫瑰一样枯萎。

正确的收藏方法是，用尽全身力气，狠狠看一眼，轻轻摸一下，眼耳鼻口身意，脑子永远记住所有细节：黑亮，簌簌作响，香淡，酸甜，滑涩，邪念盘旋升起。我同学说，我不是流氓，我不变态，我记性不好，再说，咱们学植物的时候，不是也采集植物，制成干标本吗？我说，把老师的教导全忘光了，植物六大组成部分，根茎叶花果实种子，一个好标本最好能六个部分都有，至少有三个组成部分，否则就是菜市场里的菜或是花卉市场里的切花，没有学术价值。姑娘除了头发，至少有其他组成部分，眼睛鼻子脸颊口唇肩膀乳房腰胯大腿双手，你能切下来收集几部分？纯属胡闹。

还是玉好，不朽不烂，不言不语，摸上去永远是光滑如十八岁姑娘的头发和皮肤，陪完你一生，才想起去陪别人。

挣多少算够

　　开始挣钱之后，不能再把父母家当食堂，不能睡到"自然醒"。于是常想，挣多少就算够了，可以把楼口的川菜馆子当一辈子的食堂，天天睡到大天亮。

　　先不考虑能挣多少。领导说，人有多大胆，田有多大产。村民说，要想富挖古墓，要想富扒铁路。然后村干部在村民的院墙上写标语：私造枪支是违法的。武装抗税可耻。坚决打击刑事犯罪。字色惨白，斗大。

　　"挣多少就算够了"可以分解成两个问题：挣钱的目的是什么？目的明确之后，量出为入，应该挣多少？

　　挣钱的目的可以简单概括成三种：一、为了近期衣食无忧，二、为了有生之年衣食无忧，三、为了金钱带来的成就感和权力感。

　　如果目的是前两种，需要进一步问的是：你要的是什么样的衣食无忧？穿老头衫、懒汉鞋，喝普通燕京啤酒，住大杂院，蹬自行车，想念胡同口四十出头的李寡妇，是一种衣食无忧。飞到意大利量身订制穿绣了自己名字缩写的衬衫，喝上好年份的波尔多红酒，住假前卫艺术家设计的水景豪宅，开兰博基尼的跑车，想念穿红裙子的金喜善，是另一种衣食无忧。

即使现在选定了生活方式，还要能保证将来的想法和现在基本一致，才能保证计算基本准确。"由俭入奢易，由奢入俭难"，现在习惯鲍鱼，退休后不一定能习惯鲫鱼。还要考虑意外，天有不测风云，比如婚外恋、宫外孕等，所以计算要用风险系数调整。

如果是第三种目的，你希望呼风唤雨，管辖无数的人，每次上厕所用无数个马桶。你没救了，只有一条路走到黑，成社会精英，上富豪榜或是进班房。

生活方式确定，衣食住行，吃喝嫖赌，每年的花销基本可以算出，就算你活到七十五吧，然后用现金流折算法(DCF, Discounted Cash Flow)算到今天，算出该挣到的数。挣到这个数，你就该够了。挣到这个数后，按你预定的生活方式花，到七十五岁生日的时候，你不剩啥钱，也不欠啥钱，死神不找你，你就放煤气割手腕，确保预测准确，功德圆满。

在一个夏天的下午，我想起年轻时造的阴孽和未来医学可能的进展，我估计我应该比常遇春长寿，比如活到六十。进而我又大概算了一下自己该挣多少。

生活上，太俭，我受不了。大昭寺的导游说，那个面目古怪的佛像生前是个苦行僧，十三年在一个山洞里修佛，喝水，不动，皮肤上长出绿毛来。颜回说，一箪食，一瓢饮，人不堪其忧，回不改其乐。我不想当绿毛圣人，也不想太早死。太奢，我不敢，畏天怒。吃龙肝凤髓，可能得非典。请西施陪唱卡拉OK，我听不懂杭州土话。

我喜欢质量好的棉布和皮革。好棉布吸汗，好皮革摸上去舒服。自己一天比一天皮糙肉厚，十四五的小姑娘又不让随便乱摸，所以好皮衣很重要。我喜欢吃肉吃辣，哪种都不贵。住的地方小点儿无所谓，过去上学时我们六个人睡了八年十平方米的宿舍。但是一定要靠近城市中心，挑起窗帘，就能感到物欲横流。对车不感兴趣，但是对通过开好车泡好看姑娘这件事并不反感，想过的最贵的车是BMW X5。我不需要金喜善，看金喜善觉得漂亮不是本事。我想象力丰富，金百万洗洗脸，我也能把她想象成金喜善。我喜欢各种奇巧电子物件，手机要能偷拍，PDA要能放电影带Wi-Fi，数码相机要一千一百万像素，用通用的光学镜头，隔一百五十米，能照出北海对岸练太极的老头的鼻毛。如此如此，再用现金流折算法算一下，大概需要一千来万。

我自己的下一个问题是：是撅着屁股使劲儿挣呢，还是调低对生活的预期？

"薄酒可以忘忧，丑妻可以白头，徐行不必驷马，称身不必狐裘"，说这话的不知道是先贤还是阿Q。

在三十岁遥想四十岁退休

有了电子邮件没几年，几乎就开始收不到正经纸信了。九十年代初大学时代，和相好分布在两个不同的城市，鞭长莫及，周一三五，千字长信，二四六，百字短札，周日休息，晚饭饺子就蒜之后医院澡堂子洗澡之后，重读这一周的柏拉图交流，一笔挨着一划地想象，相好这周里在什么时候用什么姿势以什么心情写下这四千来个钢笔字，感觉心田满溢。现在，这些纸信都装在一个长得像大号骨灰盒的小箱子里了，作为三十好几肚腩满溢的我也曾经是情圣的铁证。现在，信箱里塞的都是垃圾纸信，推荐家政的，超市降价促销的，安装非法卫星电视的，问我的房子什么时候要卖的。

在信箱里看到我最新的国航里程报告，瞥见消费总里程，七十六万公里，吓了我一跳。八年前加入这个常旅客计划，之前没坐过飞机，当时看到手册里提及，累积一百万公里就是终身白金卡，想，要什么样的衰人才能飞这么多啊，女的飞到了，一定绝经，男的飞到了，一定阳痿。八年过去，三十多岁，我看着印刷着的"七十六万"，开始畅想四十岁退休。

退休之后，五六身西装都送小区保安，二十来条领带和黑袜子捆个墩布，几个PDA手机和黑莓跟我外甥换他的PSP和NDS，固定电话也不装，只保留一个小区宽带，MSN每次都隐身登录。谁要找我，来门口敲门。

退休之后，第一，睡觉。睡到阳光掀眼皮，枕头埋头，再睡半天儿。第二，写书。过去码字和大小便一样，都要抓空当儿，不顾礼法，不理章法，脱了裤子，劈头就说。反复被别人提意见，节奏感太差，文字太挤，大小不分，一样浓稠。现在，有了便意就去蹲着，一边蹲着一边看王安石和古龙，等待，起性，感觉来了，只管自己，不管别人，只管肥沃大地，不管救赎灵魂。第三，念书。高中的相好，女儿都那么大了，手是不能再摸了，高中念的《史记》和《西京杂记》，还可以再看吧？然后还用白白的纸，还用细细的水，还洗手，还拿吹风机把手吹得干燥而温暖。第四，修门冷僻的学问。比如甲骨文，比如商周玉，比如禅师的性生活史。第五，开个旧书店。刘白羽《红玛瑙集》的第一版和克罗亚克《在路上》的第一版一起卖，叶医生的明式家具图谱和Jessica Rawson的玉书一起卖。夏天要凉快，冬天要暖和。最好生个蜂窝煤炉子，炉子里烤红薯，上面烤包子，吃不了的，也卖。第六，和老流氓们泡在一起。从下午三点到早上三点，从二〇一二到二〇二二，从九〇后到〇〇后，姑娘们像超市里的瓜果梨桃，每天都是新的，老流氓们慈祥地笑笑，皱纹泛起涟漪，连上洗手间的想法都没有。第七，陪父母。老爸老妈忽然就七十多了，尽管我闭上眼睛，想起来的还是他们四五十岁时候的样子。我去买个录音笔，能录八小时的那种，放在我老妈面前，和老妈白嘴儿分喝两瓶红酒（心脏病青光眼之后，白酒就不劝她喝了），问她，什么是幸福啊？你相信来生吗？这辈子活着是为了什么啊？怂恿她，我姐又换相好了是不是脑子短路了？我哥每天都睡到中午一天一顿饭是不是都是你从小培养的啊？我爸最近常去街道组织的"棋牌乐"，总说赢钱，总说马上就被誉为垂杨柳西区赌神了，你信吗？我老妈眼睛会放出淡红色的光芒，嘴角泛起细碎的泡沫，一定能骂满一支录音笔，骂满两个红酒橡木桶，原文照发就是纳巴科夫的《说吧，记忆》。文字上曾经崇拜过的王朔王小波周树人周作人，或者已经不是高山，或者很快不是高山，但是司马迁还是高山，我老妈还是高山，两个浑圆而巨大的睾丸，高山仰止。老爸如果没去"棋牌乐"，这时候饭菜该做好了，干炸带鱼的味道闪过厨房门缝，暖暖地弥漫整个屋子。

白日飞升.

　　没做过调查，但是我想，在大陆，按摩这个伟大的人类独有的活动，是个相对新生的事物。应该是在上世纪八十年代末九十年代初，从资本主义制度的香港传到改革开放的深圳，再由深圳在上世纪九十年代末到二十一世纪初传到沿海，直到现在全国皆摸。

　　至少我小时候没有按摩，那时候基本没有这个必要。个人认为，正规按摩的兴旺有两个前提：第一，作为人类社会最大怪物的个人电脑的产生和普及；第二，城市化、市场化之后急剧增加的个人压力。整个动物界和植物界，只有人类在有了电脑之后，才长时间地端着肩膀、拱着腰、扭着脖子坐在一个平板前，两个前爪狂敲。人的心理压力通常也会通过自己肌肉和自己肌肉较劲儿的形式，在暗中慢慢对筋肉造成伤害。按摩历史相对较短的一个佐证就是，出版家张立宪非常真诚地认为，异性按摩就是你交完钱之后去摸异性。这一方面说明他心里饮食男女，从另一方面讲，他非阳具的肉身那时候没有被拿捏的饥渴。另一个佐证是我老爸。他不会电脑，操作了一辈子数控机床。我死活拉他去按摩，按摩师手重的时候，我老爸就问，"你干吗打我啊"，手法放缓和，我老爸就喊，"你不要挠我痒痒肉"。电脑普及之前，城市化、市场化之前，唯一有按摩需要的古人估计是禅师。他们长期在一面墙之前打坐，筋肉钙化严重，所以死后火化，好多舍利子。

我第一次按摩比初夜晚十年。高中三年，十点熄灯之后点蜡烛看英文小说，毁掉了我祖传的好眼睛。咨询一周八十个小时的工作，毁了我祖传的一整条好脊椎，颈椎痛、胸椎痛、腰椎痛、骶椎痛、尾椎痛，脊椎两边全是疙疙瘩瘩的肌肉劳损和肌肉钙化，像是两串铁蚕豆。干了两年之后，任何时候按上去，都是硬痛酸胀。我和不太熟悉的人吃饭，都要提前声明，我肩背不好，吃饭的时候，间或自己摸自己的上述部位，不是有精神疾患的表现，别怕。终于有人忍不住，带我去按摩。那是个美好的夜晚，比初夜美好多了。初夜的时候，仿佛一个人拎着一根打狗棒子，站在一个陌生的花园里，也不知道有没有狗，也不知道狗什么时候来，也不知道狗来了之后要不要打，左右上下前后看看，想想天上的星星、街上的居委会大妈、为中华之崛起而读书，很快人就糊涂了。第一次给我按摩的那个按摩师是个美丽的小伙子，有气力，认穴准，一双大肉手，一个大拇指就比我一个屁股大。我一米八的个头，在他巨大的肉手下，飞快融化，像胶泥，像水晶软糖，像钢水一样流淌，迅速退回一点八厘米长短的胚胎状态，蜷缩着，安静着，耳朵一样娇小玲珑。我出门的时候，每个关节囊都被拉长，脚底下多了一片莲花状五色云彩，身子轻了二十斤。我拽着绿化带的杂树，生怕自己白日飞升。

但是从那以后，按摩效果越来越差，身体需要按摩的力度和频率越来越大，不知道是我的肩背越来越差还是人对美好事物的适应能力和对苦难的忍受能力一样巨大。我现在在想，是买个按摩椅还是整个小孩子出来，胖乎乎的，七个月能坐，八个月能爬，几十斤的嫩肉在我背上动来动去。

红酒招魂

　　学医的时候，教授一边讲人体构造和机理，我一边琢磨这种构造和机理可以衍生出来的观点，比如，性交得当其实也能治疗诸如阴道炎、慢性盆腔炎之类的妇科疾病，比如人类原来的设计寿命或许只有四十年，比如出生决定论和童年决定论。

　　出生决定论是个基因问题，也就是说，和兽性相关的，百分之九十，一个人出生时就已经决定了，比如说乳房大小、阴茎短长、脑子反应速度、是情圣还是清华男生、能记住"短歌行"还是"长恨歌"。天生是刘翔的，什么不练都比你我跑得快。至于刘翔能不能成世界冠军，由出生后那百分之十的因素决定。

　　童年决定论是个定型问题，也就是说，和人性相关的，百分之九十，一个人五岁之前就定型了，比如说人生观、世界观、价值观。我五岁之前只喝茉莉花茶，到现在也分不出龙井和毛尖的好坏，分不出明前茶、谷前茶，总觉着都缺茉莉花的香味。我五岁之前陪我姥姥和我老妈喝散装二锅头，一两一毛六，到现在也分不清白酒的好坏。对于我来说，白酒只有三种：二锅头、像二锅头的、不像二锅头的。只要是五十度以上的白酒，半斤下去，地板都开始柔软，星星都开始闪烁，姑娘都开始好看。

唯一例外是红酒。

第一次喝红酒是掺着海南咖啡喝的。我老姐和我老哥当时也不大，他们坐在马扎上，拉起窗帘，一起偷听邓丽君的靡靡之音。邓丽君的歌儿在当时还属于资产阶级腐朽没落的东西。我也坐在马扎上，拿床铺当书桌，做作业，背唐诗"美人天上落，龙塞始应春"。我偷听着邓丽君，想象她应该是个肉肉的好姑娘。我偷看着我老姐和我老哥，这两个没出息的，他们表情古怪，偶尔互相看一眼，仿佛对方有可能听着听着邓丽君忽然变成男女流氓，仿佛喝了雄黄酒的青蛇白蛇。邓丽君有一句歌很淫荡："美酒加咖啡，我只要喝一杯，想起了过去，又喝了第二杯，明知道爱情像流水，管他去爱谁。"我老姐和我老哥听了心痒，找来半瓶烟台产的味美思葡萄酒（之所以能剩下半瓶，是因为我姥姥和我老妈喝了半瓶之后，一致认为，这种酒一定是散装二锅头兑葡萄香精汽水做的），再倒进半杯我老爸剩下的海南咖啡，逼我先喝。这两个缺心眼的，我之后就再也没喝过比那杯美酒加咖啡更难喝更难看的东西了。

我对于红酒的恶劣印象是我最早的书商帮我扭转过来的。这个书商热爱红酒、拉丁舞、妇女。跳拉丁舞，他吃亏在个头儿。有次他喝多了，随便抓了一个腰身妖娆的妇女跳探戈，他的腿甩出去，本来应该悠长绵延地一甩然后在瞬间收回，但是我只看到了瞬间收回，仿佛林忆莲的眼睛在瞬间闭上。那天，一群人喝光了酒馆以及附近小铺的二锅头，书商跳完舞，脑门上渗出细碎的汗珠儿，从书包里拿出一瓶外国红酒，说，你们这群人渣，这红酒是好酒，太早拿出来，一定被你们浪费了，现在拿出来，慢慢喝。

这红酒真是好东西。如果和二锅头比，二锅头是抽你一巴掌，这红酒是足底按摩。二锅头是北京姑娘，脾气比你大，脱裤子比你快，这红酒是江南女子，一句话不说，注意到你每一个表情，理解你心里每个皱褶。

我老姐在美国湾区的家里，有一只我们共同的狗，德国牧羊犬，它叫Zha Zha（喳喳、扎扎、插插）。它五岁，比一般五岁小孩聪明，会用抽水马桶，做家务，每天负责打开信箱取报纸。Zha Zha喜欢跑步，我偶尔去美国，把老姐家当寺庙，码字，躲清静。每次我写累了从电脑前站起来，Zha Zha就叼着狗链子凑过来，脑袋顶着我出门。他想我带它去几百米之外的大湖去跑步。

我老妈心脏查出毛病之后，戒了二锅头。她开始唠叨，红酒好啊，血脂高的人，最好喝红酒，一瓶红酒下肚，红酒进了血管，拉着血脂的手走进膀胱，然后尿出来，尿里都带着油星儿。我说，您说的，好像和我医学院里病理生理教授说的不一样啊。我妈问，你教授怎么说的？我说，从前有个叫赵之谦的文人，一个月内妻女双亡，刻了一个闲章"如今是云散雪消花残月阙"。我身体里有个半兽半仙，只要云散雪消花残月阙的时候，它就醒过来，脑袋从身体里面顶我，让我打开一瓶红酒。一瓶红酒下肚，小兽小仙渐渐柔软，沿着红酒的溪水，漂流出来。

我老妈问，你们医学院里病理生理教授真是这么教你的？

香港饭没有局

为稻粱谋，做俗事，时间过得快。在香港三年了，仔细想来，香港有饭无局。

作为一个高度发达的城市，香港五胡杂居，有饭吃。

时间当横轴，金钱当纵轴，香港的饭可以被这两个轴分成四类：没钱没时间的饭，没钱有时间的饭，有钱没时间的饭，有钱有时间的饭。

没钱没时间，去香港的特色，茶餐厅。茶餐厅三五步一个，比公共汽车站还密集。进门，一盘一筷一餐巾纸，给你倒一塑料杯深褐色的免费热茶。套餐，一个大盘子，几片肉几根菜一坨米饭，配例汤或奶茶，二十文，冻饮加两文，穿学生装的小童减两文。十分钟吃完，免费茶漱漱口，门口交钱走人。一中午，十一点到一点，位置好的茶餐厅，一张台面翻七八次。

没钱有时间，去街边排档。要找老区，排档越破越便宜东西越新鲜。在香港，整个文官体系城市秩序日臻完善，脏的地方不好找了，南越王两千年，殖民地百年，回归十年，和美国比，香港有些历史了，老破的地方还有。屋内三四张台子，屋外两三张台子，小海船今天打来什么海货，厨房里就进什么海货，桌子上就拿什么海货伴酒下饭。还有烧烤摊子，整只走地鸡翅、鸡腿菇、豆腐干、鸭肾、海螺、凤尾蚌，泰国酸辣汁、马来香辣汁，店主说，配方保密。周围是香港难得一见的闲人，听时蔬海鲜在烧烤架子上在白灼锅里嗞吱作响，看啤酒泡沫在玻璃杯子里腾起湮灭，街左边水果摊子的老婆婆在分哪些是该卖十文三个的橙子哪些是该卖十文四个的橙子，街右边果汁摊子的小女孩帮着爸爸问客人雪梨汁是加猕猴桃还是加西柚，抬头，拐棍一样瘦高的楼宇之间，月亮还是明亮的，觉得生活浓得仿佛糨糊，把人牢牢地粘在酒桌边的凳子上，两大樽青岛，六七十文港纸，一粘就是一个晚上。

有钱没时间，去好酒店，吃午餐定食。世界各地五星酒店里的吃食有共同的特点：贵，难吃，摆脱不掉的装逼气质。香港除外。五星酒店里的餐馆，基本都是外人经营，顶尖的地段，午餐定食的价格也不吓死人，做得卫生精致没太多可挑剔。还有，叫外卖，叫很贵的外卖，燕鲍翅，鱼子酱黑菌面，陈年普洱茶。送外卖的在办公室的用餐区铺开台布，好吃的就在嘴边。下午还有二十几个电子邮件要回，三个电话会要开。香港岛上面积勉勉强转得开屁股的海景房要卖上千万港币，太郎们，阿信们，加油。

有钱有时间，香港有很多地方和很多吃食，号称方圆几千里之内，最好的中餐，最好的西餐，最好的混合餐（Fusion），拿钱不当钱。中国会，香港俱乐部，吃的地方可以草木繁盛，墙上挂北京上世纪八九十年代混出名堂的流氓艺术家的后现代绘画，落地窗里有无敌的维港烟花，窗帘的花边是苏格兰大妈手工缝制，和英国女皇陛下睡觉的地方一模一样，原木多宝格里放二十厘米直径的青玉谷纹璧，玉种沁色都不错，放在南越王墓里也属于中等品相。同样的明前茶虎跑泉水，用顾景舟上世纪八十年代做的提梁壶沏，价钱如何标？

作为一个高度发达的城市，香港白居易，没有饭局。

饭局的三种基本要素：赋闲男人、时鲜美女、便宜啤酒，香港什么都没有。香港少闲人，香港大学毕业，进五大会计师事务所，每周牲口似的工作八十小时，工资还不够付房租，不找男女朋友同居，就得吃父母。平时能聚在一起吃饭的，不是做金融的就是做咨询的，不是滴酒不沾就是只喝一杯啤酒，不是普通话中夹带英文就是台湾风味国语，不是迟到的就是还有工作要做必须早走的，都带着两个手机一个大陆号码一个香港号码一个讲电话一个发短信，都带着Blackberry随时收发电子邮件，都带着iPOD随时听音乐听PODCASTING，都带着PSP随时打游戏看照片看小电影。香港多职业女性，穿着基本是日本时装杂志模式，两腮涂红，身材瘦小，脚大，头尖，在人车充分分离的中环人行道上暴走，每小时十五公里，和北京骑自行车的速度差不多。娱乐公司力捧的几个香港女明星，仔细看八卦杂志生活照片上的眉眼，朴实如傻强，实在家常，在北京，基本不要想上北影中戏或是北广了。

那种老流氓露着胸毛就着啤酒和一群小流氓回忆年轻时代，身上被砍多少刀，还跑出去多少个街口，跳上小船逃掉，那种一个相公带着几个姑娘一边吃公仔面一边等生意，估计都只是在香港电影里还存在的香港饭局了。

风雨一炉，满地江湖

我偶尔想："如果没有我老爸，我一定变成一个坏人。"后脖子凉风吹起，额头渗出细细的薄薄的一层冷汗。

老爸和老妈是阴阳的两极，没他，我有可能看不见月亮，领会不到简单的美好。印尼排华的时候，老爸就带着七个兄妹回国。老爸从小没见过雪，他就去了长春。老爸差点没被冻死，又从小没见过天安门，他就来到北京，娶了我妈。在北京，"文革"的时候，差点没被饿死，他就卖了整套的Leica器材和凤头自行车，换了五斤猪肉，香飘十里。改革开放后，老妈开始躁动，像一辆装了四百马力引擎的三轮车，一个充了百分之百氢气的热气球，在北京、在广州、在大洋那边，上下求索，实干兴邦，寻找通向牛逼和富裕的机会，制造鸡飞狗跳、阴风怒号、兵荒马乱、社会繁荣的气氛。我问老爸，老妈怎么了？"更年期吧。"老爸说。从那时候起，老爸开始热爱京华牌茉莉花茶。老妈漫天飞舞的时候，老爸一椅、一灯、一茶杯、一烟缸，在一个角落里大口喝茶，一页页看非金庸非梁羽生的情色武侠小说，侧脸像老了之后的川端康成。

老爸喝茉莉花茶使用各种杯子，他对杯子最大的要求就是拧紧盖子之后，不漏。"你喝茶的尿罐儿比家里的碗都多。"老妈有时候说。有老爸的地方就有茉莉花茶喝，我渐渐形成生理反射，想起老爸，嘴里就汩汩地涌出津液来。老爸对茶的要求，简单概括两个字：浓，香。再差的茶放多了，也可以浓。通常是一杯茶水，半杯茶叶，茶汤发黑，表面起白沫和茶梗子。再浓的茶，老爸喝了都不会睡不着，老爸说，心里没鬼。我问，我为什么喝浓茶也不会睡不着啊，老爸说，你没心没肺。因为浓不是问题，所以老爸买茶叶，就是越便宜越香，越好。老爸在家里的花盆里也种上茉莉花，花还是骨朵儿的时候，摘了放进茶叶，他说，这样就更香了。小时候的熏陶跟人很久，我至今认为，茉莉是天下奇香。

我对我初恋的第一印象，觉得她像茉莉花。小小的、紧紧的、香香的、白白的，很少笑，一点都不闹腾。后来，接触多了，发现她的香气不全是植物成分，有肉在，和茉莉花不完全一样。后来，她去了上海，嫁了别人。后来，她回了北京，进出口茶叶。我说，送我些茶吧。她说，没有茉莉花茶，出口没人要，送你铁观音吧，里面不放茉莉花，上好的也香。

十几年来，我初恋一直买卖茶叶，每年寄给我一小箱新茶，六小罐，每罐六小包。"好茶，四泡以上。"她说。箱子上的地址是她手写的，除此之外，没有一个闲字，就像她曾经在某一年，每天一封信，信里没有一句"想念"。

我偶尔问她，什么是好茶？她说，新，新茶就是好茶。我接着问，还有呢？她说，让我同事和你说吧。电话那头，一个浑厚的中年男声开始背诵："四个要素，水，火，茶，具。水要活，火要猛，茶要新，具要美。古时候，每值清明，快马送新茶到皇宫，大家还穿皮大衣呢，喝一口，说，江南春色至矣。"我把电话挂了。

香港摆花街的一个旧书铺关张了，处理旧货。挑了一大堆民国脏兮兮的闲书，老板问，有个茶壶要不要，有些老，多老不知道，不便宜，三百文，我二十年前买的时候，也要二百文。壶大，粗，泥色干涩。我付了钱，老板怕摔坏，用软马粪纸层层包了。

我把茶放进壶里，冲进滚开的水。第一泡，浅淡，不香，仿佛我最初遇见她，我的眼神滚烫，她含着胸，低着头，我闻不见她的味道，我看见她刚刚到肩膀的直发左右分开，露出白白的头皮。第二泡，我的目光如水，我的心兵稍定，她慢慢开始舒展，笑起来，我看到她脸上的颜色，我闻见比花更好闻的香气。第三泡，风吹起来，她的衣服和头发飘浮，她的眼皮时而是单时而是双，我闭上眼，想得出她每一个细节，想不清她的面容，我开始发呆。第四泡，我拉起她的手，她手上的掌纹清晰，她问，"我的感情线乱得一塌糊涂吧，你什么星座的？"我说，"世界上有十二分之一的人是我这个星座的啊。"香气渐渐飘散了，闻见的基本属于想象了。

我喜欢这壶身上的八个字："风雨一炉，满地江湖"，像花茶里的干枯的茉莉花一样，像她某个时刻的眼神一样，像乳头一样，像咒语一样。

三里屯前史

—

一九八四到一九九〇年，我在白家庄中纺街上的北京市八十中学度过了人生观、世界观形成的六年。中纺街西北不到三里，就是后来著名的三里屯。

那时候，三里屯还只是一堆没脸没屁股的六层红砖楼，除了离住着各种外国人的使馆很近之外，和北京其他地方，和中国其他城市新中国成立后建设的街区一样，有个花坛，有个意气风发的雕塑，有几棵杨树或者柳树或者槐树，没有其他任何突出的地方了。

那时候，我那个中学是朝阳区唯一一个市重点中学，号称朝阳区的北京四中。从生物学的角度，那是个伟大的中学，物种多样化，出各种不靠谱的人才，羽毛球冠军、清纯知性女星、不嗑迷幻药也对汉语有突出贡献的足球解说员、央视五台著名中层干部等等。我上中学的时候，他们年纪也都不大，分别是体育优待生、大字比赛学区获奖者、学校业余广播员、校团委副书记。后来，这个中学朝另一个方向多样化，连续出了几届北京市高考状元，那时候，我已经毕业很多年，那个著名的央视五台中层干部也快因为他的家事国事而更加著名了。

二

一九八四年到一九九〇年，在北京市，中纺街和三里屯在第一和第二使馆区之间，尽管没有任何酒吧，但是已经是个挺洋气的地方了。我曾经想，三里屯和三元里什么关系啊。一个自己给自己的答案就是这两个地方都和洋人有关，我们过去在三元里抗击过英军，我们将来或许在三里屯抗击美军。将来学生学历史的时候，这两个地名类似，好记。

我的同学，三分之一来自外交部，三分之一来自纺织部。这些同学都散住在中纺街和三里屯一带。

外交部的子弟经常带来我在中国从来没有见过的东西，比如能擦掉墨水痕迹的橡皮，大小介于二八和二六之间的可变速自行车，可以画出液晶图形的卡西欧计算器。我问他们，他们爹妈在国外通常都做什么，典型答案是："我爸是北欧一个国家的武官，基本工作是滑雪和看当地报纸。"这些子弟，常年一个人住在三里屯一个巨大的房子里，最多有个又瞎又聋的爷爷奶奶看管着，仿佛被外星人遗留在地球的后代。纺织部当时还没被撤销，纺织是中国当时最大的出口创汇行业。纺织部的子弟从穿着就可以看出来，脚上的耐克鞋、彪马鞋都是原装进口，款式都是王府井力生体育用品商店里没有的。当时一双正牌耐克鞋最少一百多块，当时我中午饭在学校食堂吃，八块五包一个月，有荤有素，有米粥或菜汤。他们还有防雨的夹克衫，轻薄保暖的羊绒衣，大本大本肉香浓郁的国外内衣目录。现在回想，他们出入学校，雨天不像落汤鸡，冬天不像狗熊，心中明白人事，他们仿佛锦衣日行的仙人。

我属于那剩下的非外交部非纺织部的三分之一。我那时候懵懵懂懂，还不知道录音机有贵贱之分，能出声儿就好，能听新概念英语录音就好，就像不知道人有贵贱之分，长腿、长奶、带毛就好。幼时的影响根深蒂固，我现在还是分不清B&W和漫步者音箱的区别，还是不知道人有贵贱之分。

我们这一代人，有一个其他人没有的巨大精神财富。我们少年时，没有现在意义的三里屯，我们饱受贫穷但是没有感受贫穷，长大之后心中没有对社会的仇恨，有对简单生活甚至简陋生活的担当。"我们穷过，我们不怕。"

三

那时候，没有游戏厅，没有棋牌乐，没有进口大片，除了念书，我常常一个人溜达。

出校门左拐，沿中纺街向西，最先遇见的是饴糖厂，臭味浓重。那是一种难以言传、难以忍受的甜臭。刚开始闻的时候，还感觉是甜的，很快就是令人想吐的腻臭，仿佛乾隆到处御题的字。与之相比，我更喜欢管理不善的厕所的味道，慓悍凌厉，真实厚道，仿佛万物生长着的田野。我从小喜欢各种半透明的东西：藕粉，糨糊，冰棍，果冻，文字，皮肤白的姑娘的手和脸蛋，还有高粱饴。但是自从知道饴糖厂能冒出这种臭味之后，我再也不吃高粱饴了。

饴糖厂北行五十米，是北京联合大学机电学院。我们简称为机院，当时我们的中学校长常常恶毒地诅咒，如果不好好学习，我们的下场就是对门的机院。

饴糖厂旁边是中国杂技团，不起眼的一栋楼，从来没有看见有演员在楼外的操场上排练，可能演员们也怕饴糖厂的臭味吧。总觉得杂技排练应该是充满风险的事情，时不常就该有一两个演员从杂技团的楼里摔出来，打破窗户，一声惨叫，一摊鲜血，一片哭声，然后我们就能跑下教学楼去凑热闹，然后救护车呼啸而至。但是，中学六年，这种事情一次都没发生。

杂技团北边是假肢厂，做胳膊、腿之类的，塑料的、硅胶的都有。我曾经晚上翻墙进入假肢厂的仓库，偷过三条胳膊和两条大腿，留到现在，还没派上用场。

杂技团北边是三里屯汽车配件一条街，听说当时北京街上被偷的车都在这里变成零件，然后一件一件卖掉。后来，在三里屯北街火了之后，这里去了汽配商店，添了粉酷、法雨之类东西，就成了三里屯南街。

四

汽配街往北，就是三里屯北街，也就是严格意义上的三里屯。

我们的中学体育老师，军事迷，精研中日战争史，总说"二十一世纪，中日必有一战"，他觉得他有责任为中华民族准备好这场战争，总说"人种的强壮与否是关键"。一年十二个月里，除了六、七、八、九月四个月，他都逼我们长跑。

我们跑出校门，跑到朝阳医院，跑到城市宾馆，跑到三里屯南街和三里屯北街的交汇处，跑到兆龙饭店，跑回校门。

跑到三里屯南街和三里屯北街的交汇处，每次都接近体育老师所谓的"极点"，一使劲儿，肺叶就被吐出来。每次坚持着，耷拉着舌头东张西望，看着三里屯长起来。先有交汇处东南角的小卖铺，然后有三里屯北街的临建房，然后临建房开始卖酒，然后小卖铺砌成啤酒杯的形状。

野蛮体育老师后来得了痔疮，痔疮后来厉害了，对我们的管束越来越松。上课就把我们撒出去跑步，回来就自己踢球，下课前不再集合。体育老师自己坐在一个破硬质游泳圈上，晒太阳，痔疮在游泳圈中间悬空，不负重不受压，他的表情愉悦幸福。

我们不着急回学校踢球的时候，在极点到来之前，不跑了，到三里屯街角的小卖铺一人买一瓶北京白牌啤酒，牙齿开瓶儿，躲进三里屯北街的花坛，蛋逼蛋扯，就啤酒。

有人说，他在这附近常常见到黑人，伸出手来，手掌赤红，仿佛猩猩。

有人说，他家的北窗正对着某使馆，阳光好的时候，里面的人出来晒太阳，只包裹乳房和下体，裸露其余，从窗子里看过去，皮肤比鱼肚还白皙，汗毛是金色的。他说这段话的时候，眼睛突出，瞳孔扩张，鼻孔一张一合。武官的儿子说，他有他爸带回来的望远镜，下午别上课了，一起去北窗瞭望。我们说："同去啊，同去。"

有人说，看多没劲啊，最好能摸，最好能抱。"初冬天，刚来暖气，抱个人在被窝儿里，美啊。"

估计在简陋的环境里，理解力发育也晚，我当时实在无法理解在被窝儿里放另外一个人的好处，就像我当时无法理解体育老师痔疮的痛苦一样。我只是在旁边安静听着，喝着啤酒，觉得岁月美好，时间停滞。

饭局及酒及色及一万里路
山河及二十年来文章

　　我和艾丹老哥哥混上是通过我的书商石涛。我的第一本小说出得很艰难，历时十一个月，辗转二十家出版社。结果仿佛是难产兼产后并发症的妇人，孩子没生几个，医生、护士，其他像生孩子一样艰难创作的作家倒是认识了一大堆。

　　那天是在平安大街上一个叫黄果树的贵州馆子，有二锅头，有狗肉，有我，有艾老哥哥，有石涛，有孔易，有两个女性文学爱好者，有刚刚做完肛肠手术的平面设计大师陈丹。最惨的就是陈丹，不能大碗喝酒，大块吃肉，双手还要像体操运动员一样把屁股撑离椅面，免得手术伤口受压肿痛。艾老哥哥说："叫两个小菜吃吃。"于是就定下了之后所有见面的基调：有饭局有酒有色。

　　饭局。地点遍布京城，去的最多的是"孔乙己"。江南菜养才子，孔乙己生活在低处、从不忘记臭牛逼，鲁迅思想端正、道德品质没有受过文革污染，所以我们常去。饭局中，最牛逼的就是我艾老哥哥，据《北京青年报》报道，艾老哥哥是三里屯十八条好汉之首。他在饭局和酒局里散的金银，足够收购十八家"孔乙己"和十八家芥末坊。这辈子到现在，我见过三个最牛逼的人。第一个是我大学的看门大爷，他一年四季穿懒汉鞋，一天三顿吃大蒜。第二个是我实习时管过的一个病人。当时同一个病房还住了一个贪官，天天有手下来看他，带来各种鲜花和水果，还住了一个有黑道背景的大款，天天有马仔来看他，带来各种烈酒。我管的那个病人是个精瘦小老头，十几天一个人也没来看过他，一个人蜷缩在角落里。忽然一天，来了十几个美女，各个长发水滑，腰身妖娆，带来了各种哭声和眼泪。我的精瘦病人是舞蹈学院的教授，和李渔一个职业，指导一帮戏子，我觉得他非常牛逼。第三个就是艾老哥哥，听人说，如果万一有一天，老哥哥万一落魄，他吃遍京城，没有一家会让他买单。

酒。十回饭局，九回要喝大酒。男人长大了就变成了有壳类，喝了二锅头才敢从壳里钻出来。艾老哥哥，一个"小二"（二锅头的昵称）不出头，两个"小二"眨眼睛，三个"小二"哼小曲，四个"小二"开始摸旁边坐着的姑娘的手，五个"小二"开始摸旁边坐着的某个北京病人的手。艾老哥哥酒量深不见底，他喝"小二"纯粹是为了真魂出壳，为了趁机摸姑娘。更多的人喝了五个"小二"之后就掏出老二当街方便，酒高了，比如孔易。

色。十回饭局，十回有色。文学女青年，文学女学生，文学女编辑，文学女记者，文学女作家，文学女混混，文学女流氓，文学女花痴。不过，有时是春色，有时是菜色，有时是妖精，有时是妖怪。艾老哥哥伟大，他的眼里全是春色，全是妖精，尤其是十道小菜之后，五个"小二"之后。艾老哥哥眼里一点桃花，脸上一团淳厚，让我想起四十几岁写热烈情诗《邮吻》的刘大白。

如果艾丹是棵植物，饭局是土，酒是水，色是肥料，艾丹的文章就好像是长出来的花花草草。从新疆到旧金山，到纽约，一万里地山河。从小混混到愤青，到中年理想主义者，二十年来家国。都落到一本叫《艾丹作文》的文集里。厚积薄发，不鲜艳，但是茁壮。唯一的遗憾是，花草太疏朗。尤其是当我想到，那么多养花的土，那么多浇花的水，那么多催花的肥料。

文字说到底，是阴性的。我是写文字的，不是做文学批评的。从直觉上讲，艾丹文字最打动我的地方是软弱和无助。那是一种男人发自内心的软弱，那是一种不渴求外力帮助的无助。世界太强大了，女人太嚣张了，其他男人太出色了，艾哥哥独守他的软弱和无助。男人不是一种动物，男人是很多种动物。艾哥哥是个善良而无助的小动物，尽管这个小动物也吃肥肉也喝烈酒。月圆的时候，这个小动物会伸出触角，四处张望，摸摸旁边姑娘的手。

做设计的孔易提议，艾丹、石涛、我和他一起开家公司，替富人做全面设计（包括家徽族谱），提高这些土流氓的档次，把他们在有生之年提升为贵族。公司名字都起好了，叫"石孔艾张"（张是我的本姓），合伙人制，仿佛一个律师行，又有东洋韵味，好像睾丸太郎。和艾丹合计了一下，决定还是算了。原因有二，第一是"石孔艾张"这个名字听上去比较下流，第二是怕我和艾丹在三个月内就把这家公司办成文学社，种出很多花花草草。

像狗子一样活去

我今年三十，从小到大，总共有过三个梦想。

我的第一个梦想是当一阵小流氓。那时候，可崇拜的太少。三环路还没模样，四大天王还没名头，开国将帅多已过世。那时候，街面上最富裕的是劳教出来没工作两把菜刀练瓜摊儿的，最漂亮的是剃了个刘胡兰头一脸正气的刘晓庆，最滋润的是小流氓。当小流氓，不用念书，时常逃课，趿拉着塑料底布鞋，叼着"大前门"。小流氓们时常聚在一起，好像除了少先队，他们自己还单有个组织，除了读《少年先锋报》论述"社会主义好"，他们还集体观看警匪片三级片批判"资本主义糟"。当流氓自然要打架，练习临危不乱、挺身而出、舍生取义等等将来当爷们儿的基本素质。小流氓们没架打的时候，也难免忧郁，于是抱起吉他学邓丽君唱"美酒加咖啡"，或者抱起女流氓说瞧你丫那操行一点儿不像刘胡兰。

第一个梦想最终没有实现。小流氓们说我不合格，没有潜质。第一，学习成绩太好，没有不及格的。第二，为人不忍，不愿无缘无故抽隔壁大院的三儿。第三，心智尚浅，被女流氓小翠摸了一下手，脸竟然红了起来。

我的第二个梦想是吃一段软饭。原因之一是希望能一劳永逸。我从小热爱妇女，看到姑娘们的裙裾飞扬和看到街上的榆叶梅花开一样欢喜。我从小喜欢瑞士军刀，带一把出去，替姑娘开汽水瓶的起子、记姑娘电话的圆珠笔、帮姑娘震慑色狼的小刀就都有了。所以男大当婚的时候，希望找到一个像瑞士军刀一样的姑娘：旗下三五家上市公司，还会做现代诗，还谙熟《素女经》。这样一个姑娘就能满足你心理、生理以及经济上的全部需要。原因之二是渴求男女平等。男色也是色，也是五颜六色的一种，也应该和女色有同等的地位。一些男人有一颗好色的心，并不排除另一些男人有一张好颜色的脸。

第二个梦想最终没有实现。最接近的一次，姑娘上妆之后，容貌整丽，好像榆叶梅花开，一点瞧不出实际年龄。手下三五百号人，写的现代诗也旷然淡远，其中一句我现在还记得："我念了一句瞧你丫那操行，天就黑了下来。"读《素女经》也挑得出错儿，说"不就是老汉推车吗？还拽什么文言，弄些鸟呀兽的好听名字"。 我的瑞士军刀有一天丢了，我替姑娘开汽水瓶的起子、记姑娘电话的圆珠笔、帮姑娘震慑色狼的小刀一下子都没了。我想，风险太大了，软饭吃习惯了，以后别的都吃不了。可能忽然有一天，心理、生理、饭票都没了，还是算了吧。至于男女平等，还是让那些长得像F4那样有男色的去争取吧。我自己照了照镜子，如果这也叫颜色，那鸡屎黄鸟屎绿也叫颜色了。

我的第三个梦想是像狗子一样活去。我第一次见狗子，感觉他像一小盘胡同口小饭馆免费送的那种煮花生米，他脑袋的形状和颜色跟煮花生米像极了。狗子的活法被他自己记录在一本叫《活去吧》的随笔集里："我全知全能却百无一用"；"名利让我犯晕……至于名利双收，当然好了，但我一般想都不敢想"；"我们整天什么都不干，却可以整天吃香的喝辣的，这就是五十年代我国人民向往的共产主义吧"；"你们丫就折腾我吧"；"自古英雄皆寂寞，唯有饮者留其名"。就像《钢铁是怎样炼成的》一样，当我三十年后回首往事的时候，我怕我因没像狗子一样活过而悔恨。

一本描述一种生活方式的书，文笔不应该在被评论的范围，但是比起以前出的《一个啤酒主义者的独白》，狗子的文笔的确有长进，其中《活去吧》一篇绝对是当代名篇，百年后会被印成口袋书，被那时候的小姑娘随身携带。可能酒喝出来了，文笔自然就跟着长出来了。现代社会和古代相比，太便宜了当姑娘的。当姑娘的，会唱个卡拉OK，连《唐诗三百首》都没读过就冒充当代李师师了。过去"李白斗酒诗百篇"，拿到现在，一篇七绝二十八个字，百篇也就是一篇随笔的量，有什么好牛逼的。狗子喝百扎啤酒，回家炸着脑袋还要想十万字的小说如何布局谋篇，所以狗子和啤酒奋斗的精神与日月同辉。

我不知道我第三个梦想最终能不能实现，我现在的生活充实而空洞。我不敢重读《月亮和六便士》，我不看高更的画。我翻陆游的《放翁词自序》："少时汩于世俗，颇有所为，晚而悔之。然渔歌菱唱，犹不能止"，当下如五雷轰顶。

蚊子文字

没见到张弛之前，就反反复复听别人提起他。别人没下什么结论，可我感觉中好像总有这样一号人物，铺天盖地的，流窜在饭局间，打印在报纸上，弥漫在广告里。如果你在北京写文章的圈子里行走，很难不撞上这个有着西瓜肚和冬瓜脑袋的驰老前辈。就好像在很久很久以前的魏晋南北朝，如果你参禅悟道唱《广陵散》喝大酒摸酒馆老板娘屁股做名士，很难不碰上嵇康和阮籍之类的流氓混混。驰老前辈为了强化影响力，还创作并出版了一本叫《北京病人》的书，拉帮结伙，摆出打群架的姿态，追思千年前那个号称BAMBOO SEVEN的流氓团伙。现在，如果你在北京写文章的圈子里行走，想要不撞上这些病人，简直是件不可能的事情。就好像在很久很久以前的南北朝，如果你想摸一个还没有被BAMBOO SEVEN摸过的老板娘的屁股，简直是件不可能的事情。

每月一两次，我厌倦了所做本行里的"市场份额"、"税前利润"、"上市融资"等等俗物，我小衣襟短打扮，到北京写文章的圈子里行走，找小饭馆喝大酒。第一次见驰老，好像是在长城饭店旁边的"小长城"，同席的还有好些当红写手，好像是"博库"请客，说是光景不如网络潮起时，去不了长城饭店"天上人间"，就将就着"小长城"酒家"酱香肘子"吧。我仗着小学参加过作文比赛、初中写过检讨、高中写过情书、大学写过入党申请书，脸皮厚起来感觉自己也是个作家，坐在当红写手之间，酒来酒去，毫不脸红。驰老这个白胖子就坐在我对面，他旁边是个叫艾丹的黑胖子，一白一黑两个胖子喝起酒来深不见底，配合起来进退有致，振振有词。两瓶"二锅头"下肚，我很快发现，自己的酒量比脸皮差多了。再醒来，人已经吐在桌子上了，再醒来，听见我老妈在叫喊，再醒来，我已经在协和医院的抢救室了。我医学院的十几个同学都来了，团聚在我的床旁，掩饰不住的兴高采烈，有人开医嘱，有人叫护士，热火朝天地准备给我静脉点滴速尿和葡萄糖并进行洗胃活动，仿佛我是一只躺在解剖台上的兔子。我隐约听见一个同学说："冯唐还是有才气，醉成这样还在念唐诗：'鸿雁几时到，江湖秋水多'。""鸿雁"是我同学里正经功课念得最好的，如果一定要洗胃，我一定要等"鸿雁"到。至于"江湖秋水多"，我一定是想起张弛和艾丹这两个胖子酒缸，感觉江湖险恶。

以后的酒局里，常常见到驰老，驰老总是主持工作，结账的时候用身体堵住门口，维持秩序，强迫在场男士出份儿钱。这时候，我总在想，北京长期列进世界生活指数最高的五大城市，长居不易，这些长得不好的男性艺术家都靠什么养活自己呢？驰老在其中最为殷实稳定，我很少看电视，但是还是常常看见驰老出演的广告。驰老演的广告有一个特点，看过之后，对他的印象非常深刻，但是从来记不住广告试图推销的是什么。其中有一个广告，驰老演一个老爸，表情极其庄重，好像急于证明没有和演妈妈或是演女儿的演员有过任何不正当关系似的。另一个广告，驰老好像跑到一个巨大无比的胃里去折腾，他穿一身紧身衣，饱满而灵动，特别是一脸坏笑，怎么看怎么像一个精虫。

驰老的文字大器晚成，几臻化境。打磨得不带一丝火气，但是力道不减分毫。七岁的小学生读上去基本不会遇上生字，七十的老学究读上去也需要仔细辨别，驰老是不是骂的是他。读驰老的文字，感觉像是蚊子。感觉对了，心神一交，一个词，一个句子，一个意象，在你不留神的时候打动你一下，好像蚊子叮你一口。当时没有太多感觉，但是之后想一想，挠几下，感觉不对，越挠越痒，肿起一个大红包。

驰老的大器晚成听说是自然形成的，按驰老自己的话就是："至于说出名须尽早，我不太苟同。因为不管什么人，要想成就一番事业，都有一个瓜熟蒂落、水到渠成的过程。就拿我来说，别看前一段时间一下子出了三本书，可我已经写了二十多年了。所以我跟采访我的记者形容，这就好比堵了很长时间的茅坑，突然一下通了。"听说王朔看过驰老的文字，奇怪写这样文字的人怎么能不蹿红。驰老听说了这种说法激动不已，更认定自己是大器晚成。我同意王朔的说法。但是我昨天逛国贸商城，看见十好几个长得比舒淇还舒淇的长腿美人，但是只有舒淇一个人上了《花花公子》的封面。所以还是希望，驰老这本《另类令我累》让更多的人见识他蚊子一样的文字。

领取而今现在

　　学生物的时候，教授讲，每个存在都是一个奇迹，所以我们要捍卫物种多样性。翻闲书，哲学家讲，幸福的严格定义是多态，所以隔壁班上女生的豆腐再好，我还是偶尔想起陈麻婆的豆腐，所以花瓶里的玫瑰花再好，我还是间或想起蒜蓉的西兰花。

　　于是我们期望改变，期望不一样。

　　摘下眼镜，戴上墨镜，眼里的姑娘漂亮了，整个世界变蓝了。塞上耳机，推土机、压路机的声音不见了，陈升在号叫："One night in Beijing，我留下许多情。"推开门，雪还没停，唯长安街一痕，景山一点，所有由现代城领导的"红配绿，赛狗屁"建筑，都被白色镇住。一觉儿醒来，窗户阴仄，雨疏风紧，想起年轻时候好多个不明白，其中包括一张脸能够长多少个包、一双脚能够走多远、一个姑娘能够想多久。还有，我们换电脑墙纸、屏幕保护。我们换手机图标、来电铃声。我们学英文、加入WTO。我们办奥运、修通了五环六环路。

　　但是，"不一样"再走一步是"太不一样"，是翻天覆地。

　　"911"的那天，北京时间的晚上，我在深州。从客户那边回到酒店，打开啤酒，打开电视，纽约世贸大楼在里面冒烟。第一反应是美国大片，《真实的谎言》续集，喝了一口啤酒，等着施瓦辛格撅着一身腱子肉出现。第二反应是邪教闹事，拦截了通信卫星，播放假想的世界末日。第三个反应是打我同事的手机，看我自己是不是工作过度，开始幻视幻听。

二〇〇三年的春天，北京没来沙尘暴，北京来了非典。

山非山，水非水，生活改变。二十几年来，第一次感觉北京金刀大马，马路老宽，小孩子可以像我小时候一样，在街头踢足球，在便道打羽毛球。十几年来，第一次重游北海，丁香还盛、杨柳还青，"仿膳"还是国营的、还号称慈禧爱吃、红烧驼掌还是一股脚丫子味儿。几年来，第一次接到婚前某女友的电话，问还好吗，问邮寄地址，说刚买到城里最后一箱N-95口罩，说放下电话就会用特快寄出。一年多来，老婆第一次主动下厨房，麻婆豆腐、蒜蓉西兰花，我问她会不会做香辣蟹、福寿螺。

山非山，水非水，工作改变。第一次从周一到周五不用穿西装。老板的目的不是放松下属，而是希望同志们一天一洗衣服，远离非典。第一次七点之前回家不感觉负疚。反正客户已经在家办公了，隔壁写字楼也被封了，我一个人急有什么用呢？七点回家，春夜方长，看老婆和玫瑰花，嗑瓜子和新闻联播，读《霍乱时期的爱情》和《临床医学的诞生》。第一次，所有人都成了医学爱好者，讨论冠状病毒长得什么样，为什么激素有效，什么时候出现疫苗。第一次想，为什么要求经济每一年每个月都要增长呢？为什么要求自己每一周每一天都要向上呢？

山非山，水非水，观念改变。第一次，大家了解，自然要敬畏，个人卫生要注意，当众打喷嚏、随地吐痰、滥杀邪吃是罪大恶极的。第一次，大家知道，除了道琼斯、恒生指数、GDP，还有非典指数：多少新增，多少疑似，多少死亡，多少出院。还有一群穿白大衣的同志，踏着生死，每天干着十几个小时，领着很少的工资。第一次，大家明白，无论庶民公侯，说话做事都是要负责任的，没有报纸电视还有互联网，没有互联网还有短信息，没有短信息还有人心。

二〇〇三年的五月底，坐在出租车上，三环东路又开始塞车了，街边的火锅馆子又基本上满了人。车上的收音机里，一个经济学家在发言："非典的影响是短暂的、局部的、可逆转的。"手机上老总留言：明天穿西装，见客户，新项目启动。写信谢我的前女友，告诉她我没得非典，但人却被N-95糊得缺氧。问她为什么好久没有音信，她回了一句恶俗的台湾爱情诗：有时关切是问，有时关切是不问。这样水波不兴，你好我也好。山还是山，水还是水，生活和工作终会照旧。希望观念的改变能留得长久些：敬天悯人、相信人心。

学医的时候，老师讲，人是要生老病死的，致病微生物是到处存在的。回家刻了颗阴文印，截朱敦儒的《西江月》：不需计较与安排，领取而今现在。

食 色

两千五百年前，孔丘讲：食，色，性也。中国人伦理观念的基调就定了。

第一，作为探讨人和人之间以及天和人之间关系的伦理学，主要两个内容：食和色。食，讲工作，如何看待揾食，如何协调同事以及上下级的关系。色，讲生活，如何看待上床，如何保证生殖成功，子嗣繁衍。

第二，伦理学的基调是，食色性也。不肮脏，不可耻，饮食男女，人之大欲存焉。老百姓需要的，皇上不禁。两千五百年前孔丘的理论和今天的生物学理论一致。对于生物体，生存是最大道理，吃饭，是为了个体生存，上床，是为了种群的基因生存。百年后，老张的血肉筋骨归于尘土，基因还在市面上流转，基因编码蛋白，蛋白聚合成眼珠子，小张眼珠子里的瞳孔看到大奶和大钞而放大，和上辈子老流氓的瞳孔并无不同，这就是常人实现不朽的形式和佛经说的转世。老天爷编写人性操作系统的时候，认定人性的最终驱动力是让个体基因存在下去的概率最大化。为了生存，可以六亲不认，无法无天，有奶就是娘，大奶是大娘。

中国人的工作观，比较简单。君君，臣臣，父父，子子，也就是说，做事要讲规矩，年轻人要学会等待。但是对于到底规矩是什么，二千五百年来，中国人从来就没有直接总结过一二三四。只是明确了做事的态度：敬，出门如见大宾，使民如承大祭。只是明确了做事需要达到的效果：和，在邦无怨，在家无怨。只是明确了做事过程中要把握的两个原则：恕，己所不欲，勿施于人。仁，己欲立而立人，己欲达而达人。两千五百年了，中国人一直在用这一套工作伦理，不清晰，但是实用。理论太清楚了，流氓的种类太多，混账事情的种类太多，不能套用，不实用。两千五百年过去，即使现在中组部选拔特大型国有企业一把手，把上千亿的国有资产交给某个五十来岁一百多斤的胖子，仿佛两千年前，秦王把全国一半的精壮男子交给王翦去灭楚国，用的不是平衡计分表（Balanced Score Card）或者关键业绩指标（KPI），用的还是大拇指原则：这个人可不可以托三尺之孤，寄千里之命。

中国人的性爱观，比较矛盾。宋明以前，乐生，人活天地间，顺应自然，尊重人欲。没有电视，没有互联网，没有影院，天黑了，农民们喝几杯自酿的米酒，院子里和自己身体里的虫子都在鸣叫，于是彼此娱乐各自的身体，缓解一天的疲劳，制造新的劳动力量。城市里的文人和官员到青楼和寺院，做诗饮酒，商议国家治理边防漕运。歌妓和女道士比花还香艳，穿戴着当时最先进生产力制造的绫罗绸缎和金银珠钻，吟唱着"浮沉千古事，谁与问东流"，代表着当时最先进的文化水平。在自然规律面前，孔丘自己也无可奈何，说，吾未见好德如好色者也。即使孔丘本身也是这种性爱伦理的产物，《史记》中一针见血地指出，孔丘野合而生。到了宋明，国力狭促，理学盛行，讲究灭人欲、存天理。不是你老婆，看一眼都是不道德的，想一下都是罪过。有个笑话讲，一个理学信徒一辈子不上街，因为人上街则淫具上街，带着淫具在街上溜达，天理何在？"文革"时候，情况类似，衣服只有绿色和蓝色两种，偶像只有毛主席一个，男女手拉手，就是耍流氓。改革开放之后的性爱观，介于宋明之前和宋明之后的中间。白天在街上手拉手的还是很少，CEO们也基本都有老婆，但是中国二线城市以上，汇总起来，有世界上规模最大的色情业，这些服务产值由于没有包含在官方统计数字中，中国的GDP被严重低估。一天中最有效率的时间是在这些地方度过的，最重要的业务是在这些地方谈成，一个CEO教导我："在中国做生意也复杂也简单，复杂到拜佛不知道庙门，简单到ABC，烈酒（Alcohol）、美女（Beauty）和回扣（Commission）。"

CEO们最近的潮流是每年去寺庙里上上香，吃几顿斋饭，住几天斋房，忘掉ABC，养肝固肾，想想公司未来三五年的战略和组织结构。有个老总上完香之后，问过我一个哲学问题："一个人应该用一生去明白欲望就是虚幻呢，还是用一生来追求一个又一个欲望的满足？"

果　珍

　　十五年前，我兼职当导游的时候，发现对于外国青少年来说，北京是一个非常无聊的城市：肮脏、零乱、风沙，姑娘素面朝天、脾气暴烈，白天看庙，晚上睡觉。好在这些青少年并不重要。他们爸妈决定购买各种假冒伪劣工艺品，我和司机分享百分之三十至百分之六十的返点。一个不会说汉语的华裔少年长了厚实的胸肌和满脸蛋子的雀斑，仿佛一边脸贴了一个东来顺的芝麻烧饼，用英文问我，你知道酒店附近哪里有游戏机吗？我说，不知道，应该没有。他又问，你们有这么多庙，你信神吗？我说，不知道，应该不信。

　　我们在一个无宗教的环境中长大，从来不知道害怕。

　　我们有理想，这个理想是个简单的美景，将来，物质极大丰富，水龙头里流出来的是牛奶和啤酒，我的飞船就是你的飞船，你的宫殿就是我的宫殿，我的老婆就是你的老婆，你的老婆就是我的老婆。为了这个理想，一切都是可以牺牲的，一切个人都是远远小于集体的。

　　我问授课老师："如果到了那个时候，紫禁城还是只有一个，我们都想住，怎么办啊？"

"到了那个时候，物质极大丰富，紫禁城到处都是，你随时申请，随时发一座给你住。"

"如果到了那个时候，校花还是只有一个，我们都想和她好，而且不想别人和她好，怎么办啊？"

"到了那个时候，小伙子的思想觉悟都高了，高得你现在无法想象，你特别希望和你好的校花也和别人好。你随时申请，随时发校花的一个时间段给你。"

于是在我的心目中，那个简单美景的细节进一步丰富。那个美景里，每人一座紫禁城，每个校花每天都拖着沉重的双腿，非常疲惫。

我老妈说，除了这个遥远的全人类的理想，我还需要一个能在今生今世实现的个人理想。

我从来不看电视，我老妈反复逼我看一个关于"果珍"牌橘子香精糖精颗粒的广告。广告里一个寒冷的冬天，一个装修时髦的房子里，有车库，有客厅，有洗手间，家电齐全，温暖如春，一男孩儿，寸头、硕壮、傻笑，一男子，西裤、衬衫、开心，一女子，盘头、长裙、练达，端来三杯热气腾腾的"果珍"，男子和孩子都欢欣鼓舞。广告的最后指出，这种"果珍"是美国航天局指定饮料。我老妈说，生在社会主义初级阶段，这个广告描述的一切就应该是你现世的一切理想。

这个"果珍"实际上成了我们一代人的理想。诚心正意修齐治平，我们只有一条正路，上最好的中学，上最好的大学，不要选文科，不要搞摇滚、体育、美术，不要嫖赌抽，毕业之后进外企或者出国，积攒几年工资之后贷款买房娶妻生子，冬天的时候，一家人一起喝一杯热气腾腾的"果珍"。

中学毕业十五年之后，有好事者组饭局。赴局的男子，头都开始秃了、肚子都开始大了、说话都开始慢下来像个领导了。赴局的女子，面皮都开始锈了、屁股都开始塌了、脾气都开始好起来像个当妈的了。我们都基本实现了"果珍"理想，我们纳闷这都是怎么一回事儿。一个从小说怪话、经常被语文老师呵斥罚站的男生幽幽地说，"你们还记得《孔雀东南飞》里小官吏焦仲卿是怎么死的吗？"我们几乎同时想起当时的暗号，齐声回答，"都是他妈逼的。"

男女

谈谈恋爱，得感冒

我自从在协和医大念完八年之后弃医从商，每次见生人，都免不了被盘问，"你为什么不做医生了？多可惜啊"，就像我一个以色列同事在北京坐出租，每次都免不了被盘问，"你们和巴勒斯坦为什么老掐啊"。我的以色列同事有她的标准答案，二百字左右，一分钟背完。我也有我的，经过多次练习已经非常熟练：我的专业是妇科卵巢癌，由于卵巢深埋于妇女盆腔，卵巢癌发现时，多数已经是三期以上，五年存活率不到百分之五十。我觉得我很没用，无论我做什么，几十个病人还是缓慢而痛苦地死去。我决定弃医从商，如果一个公司业绩总是无法改善，我至少可以建议老板关门另开一个，如果我面对一个卵巢癌病人，我不能建议她这次先死，下辈子重新来过。多数人欷歔一番，对这个答案表示满意，迷信科学的少数人较真儿，接着问，你难道对科学的进步这么没有信心，这么虚无？我的标准答案是：现代医学科学这么多年了，还没治愈感冒。

感冒仿佛爱情，如果上帝是个程序员，感冒和爱情应该被编在一个子程序里。感冒简单些，编程用了一百行，爱情复杂些，用了一万行。

感冒病毒到处存在，就像好姑娘满大街都是。人得感冒，不能怨社会，只能怨自己身体太弱，抵抗力低。人感到爱情，不能恨命薄，只能恨爹妈甩给你的基因太容易傻逼。

得了感冒，没有任何办法。所有感冒药只能缓解症状和骗你钱财，和对症治疗一点关系也没有。最好的治疗是卧床休息，让你的身体和病毒泡在一起，多喝白开水或者橙汁，七天之后，你如果不死，感冒自己就跑了。感到爱情，没有任何办法。血管里的激素嗷嗷作响，作用的受体又不在小鸡鸡，跑三千米、洗凉水澡也没用，蹭大树、喝大酒也没用，背《金刚经》、《矛盾论》也没用。最好的治疗是和让你感到爱情的姑娘上床，让你的身体和她泡在一起，多谈人生或者理想，七年之后，你如果不傻掉，爱情自己就跑了。曾经让你成为非人类的姑娘，长发剪短，仙气消散，凤凰变回母鸡，玫瑰变回菜花。

数年之前，我做完一台卵巢子宫全切除手术，回复呼机上的一部手机。是我一个上清华计算机系的高中同学，他在电话里说，他昨晚外边乱走，着凉了，要感冒。他现在正坐在他家门口的马路牙子上，看，让他感到爱情的姑娘派她的哥哥搬走她的衣物和两个人巨大的婚纱照片，在搬家公司的卡车上，在照片里，他和她笑着，摇晃着。这个姑娘和他订婚七天之后反悔了，给他一封信，说她三天三夜无眠，还是决定舍去今生的安稳去追求虚无的爱情。

到底爱不爱我

　　早在和小翠见面之前，就听过她的种种传奇：说是典型北京姑娘，性格豪爽、蔑俗、自在、粗糙。说是祖籍南方，长相娟秀、高挑、内敛、桃花。说是十四岁出道，敢喝能喝、敢睡善睡、艳名飘扬。总而言之，近几年北京街面上的各路男女名人、老少另类如果只有两个共同特点，第一就是都喝不过小翠，第二就是都睡过小翠（或是被小翠睡过）。

　　如今小翠坐在我面前，传奇缭绕不散，我开始怀疑这些传奇的真实程度。小翠一身职业装，长发，黑袜子，配件搭配精练老到，话不多不少，饭桌上的气氛不浓不淡。如果她不是谈笑间喝了三瓶啤酒，我会怀疑她到底是不是那个传奇中的小翠。

　　小翠一笑，告诉我不要奇怪。太妹不能当一辈子，她金盆洗手，当白领了。当白领对胃很好，定时上班，定点吃饭，业余还上西班牙语课程，感觉天天向上。

　　小翠二笑，告诉我不要奇怪。桃花落尽，她找了一个固定的男友。清华电机毕业，读了MBA，改行干了会计，浓眉大眼，三围比例合适。

"但是我不知道他到底爱不爱我。"

"你灌醉了他之后，问他。"我出主意。

"试过了。我问他，你爱不爱我？他说，爱。我再问，你有多爱我？他说，要多爱就有多爱。我再问，你怎么证明呢？他说，这是公理，不能证明，只能相信。"

小翠决定证伪。小翠睡过哲学新锐，知道公理如果永远不能被证伪，也就成立了。

卖盗版光碟的每周四到小翠的公司上门服务。小翠挑了一张半黄不黄的DVD，周五的晚上播放，要清华男友和她一起看。清华男友说，小翠你自己先看着，屋里太乱，我要做卫生。于是跳将起来，用吸尘器打扫地板，满头大汗。

小翠隔三差五，经意不经意之间暗示清华男友，她从前啸傲街头的时候，认识一个叫小红的女子，姿态妙曼，媚于语言，不知道男友有没有兴趣三人同床。小翠仔细描述小红的好处，直到自己都不禁心旌摇曳，身边传来清华男友轻柔而稳定的鼾声。逼到最后，男友义正词严，如果一定要三人同床，小翠再找个男的凑数好了。

每次男友出差，小翠都调查得一清二楚。小翠送他上出租车，算准四十分钟他到机场，电话过去："你到底爱不爱我？"飞机到目的地，男友的手机刚开，小翠的电话过去："你到底爱不爱我？"男友酒店登记完，刚进房间，房间里的电话响起，是小翠："你到底爱不爱我？"给男友一个小时出去吃饭，然后电话过去："你到底爱不爱我？"清华男友总算能睡了，电话响起，床头闹钟显示早上三点。"先生，要不要小姐按摩？"清华男友急了："小翠，你不要闹了！我爱你。"电话那边的按摩小姐莫名其妙，"先生别急，先醒醒觉儿，我一会儿就过去。"

我终于明白，英雄末路、美人迟暮是一件多么痛苦的事情，但是更痛苦的是和末路英雄和迟暮美人最亲近的人。

叫我如何不想她？

孔丘说："食，色，性也。"吃了两根油条，喝了一碗豆浆，春花开了，秋月落了，血管里的激素水平上升，"叫我如何不想她"？如果多问一个问题，"是什么叫我如何不想她"？到底什么是国色，什么是天香？

纯从男性角度，非礼勿怪。从大处看来，女人的魅力武库里有三把婉转温柔的刀。

第一把刀是形容，"形容妙曼"的"形容"。比如眉眼，眉是青山聚，眼是绿水横，眉眼荡动时，青山绿水长。比如腰身，玉环胸、小蛮腰，胸涌腰摇处，奶光闪闪、回头无岸。比如肌肤，蓝田日暖、软玉生烟，抚摸过去，细腻而光滑、毫不滞手。

第二把刀是权势。新中国了，二十一世纪了，妇女解放了，天下二分而有一。如果姑娘说，我是东城老大，今天的麻烦事儿，我明天替你平了。如果姑娘说，我老爸是王部长，合同不用改了，就这么签了吧。如果姑娘说，我先走了，你再睡会儿，信封里有三倍的钱和我的手机号码，常给我打打电话，喜欢听你的声音。姑娘在你心目中的形象，会不会渐渐高大？

第三把刀是态度，"媚态入骨"的"态"，"气度销魂"的"度"。态度是性灵。我的师姐对我说，"怎么办呀，总是想你？洗了凉水澡也没用。"我们去街边的小馆喝大酒，七八瓶普通燕京啤酒之后，师姐摘下眼镜，说摘下眼镜后，看我很好看，说如果把我灌醉以后，是不是可以先奸后杀，再奸再杀。态度是才情，记得我初中的同桌，在语文课上背诵《长恨歌》（背什么自己选，轮到我的时候，我背的是"床前明月光"），字正腔圆，流风回雪。她的脸很白，静脉青蓝，在皮肤下半隐半显，背到"芙蓉如面柳如眉，对此如何不泪垂"，眼泪顺着半隐半显的静脉流下来，落在教室的水泥地面上。多少年之后，她回来，一起喝茶，说这些年，念了牛津，信了教，如今在一个福利机构管理一个基金会。她的脸还是很白，静脉依旧青蓝，她说："要不要再下一盘棋，中学时我跟你打过赌，无论过了多久，多少年之后，你多少个女朋友之后，我和你下棋，还是能让你两子，还是能赢你。"

既然是刀，就都能手起刀落，让你心旌动摇，梦牵魂绕，直至以身相许。但是，形容不如权势，权势不如态度。

形容不足持。花无千日红，时间是个不懂营私舞弊的机器，不管张三李四。眼见着，眉眼成了龙须沟，腰身成了邮政信筒。就像"以利合以利散"，看上你好颜色的，年长色衰后，又会看上其他更新鲜的颜色。形容不可信。如今这个世道，外科极度发达，没鼻子我给你雕个鼻子，没胸我给你吹个胸脯。如果你肯撒钱、肯不要脸，就算你长得像金百万，也能让你变成金喜善。

权势不足持。江湖风雨多，老大做不了一辈子，急流勇退不容易，全身而退更难。那个姑娘的老爸官再大，也有纪检的管他，也有退的时候。软饭吃多了，小心牙口退化，面目再也狰狞不起来。

落到最后，还是态度。"只缘感君一回顾，至今思君朝与暮"。老人说"尤物足以移人"，国色天香们用来移人的，不是Lancome粉底，不是CD香水，是"临去时秋波那一转"。多少年过去了，在小馆喝酒，还是想起那个扬言要把我先奸后杀的师姐。见到街头花开，还是记起"芙蓉如面柳如眉，对此如何不泪垂"。

朋 友

　　过了三十五岁之后，一年里会有一两天，再累也睡不着觉，还有好些事儿没做却什么都不想做，胡乱想起星空、道德律、过去的时光和将来的无意义等等不靠谱的事情。

　　心想，没有比人类更变态的物种了。夜晚应该黑暗，眼睛发出绿光仰望天空，人发明了电灯。双腿应该行走，周围有花和树木，人发明了汽车。山应该是最高的，爬上去低下头看到海洋，人发明了高楼。

　　心想，我被变态的人类生出来，从小周围基本上都是些变态的人类，阴茎细小，阴户常闭，心脏多孔，脑袋大而无当。

　　粗分两类：和我有关的人与和我没关系的人。和我没关系的，落花尘土，随见随忘，不知道从哪里来到我眼里的，也不知道又消失在哪里了，像是我每天喝下去变成了尿的水。坐在出租车里，有时候也好奇，那个一手公文包一手啃烧饼的胖子，啃完烧饼之后去了哪里，发生了什么，像是喝着瓶装水望着护城河。

　　和我有关的，再分两类，和阴户有关系的，以及和阴户没有关系的。涉及阴户的，情况往往凶险复杂，变态的人类给进出阴户这件事儿赋予了太多心理性的、社会性的、哲学性的内涵，使之彻底脱离了吃饭拉屎等等简单生理活动，比进出天堂或者地狱显得还要诡秘。

　　不涉及阴户进出的，一拨是亲戚。小时候跟着父母，过节拎着别人送的水果烟酒去拜访，印象最深的是个舅舅。舅舅一辈子所有重大选择都错了，他先上日本人的军校，后来日本投降了，还上过黄埔军校，后来跟了国民党，新中国成立前在青城山投诚当了俘虏，但是起义证书丢了。在"文革"期间，舅舅被打死好几回，每次都被舅妈用板车驮回来。"文革"后，每三五天都要梦见找他的起义证书，每次都在找不到的状态下醒来。舅舅书房有个巨大的合影照片，没有八米也有七米宽，刚粉碎"四人帮"那年，还活着的黄埔同学都出席了，没有一万个老头也有一千个老头。我舅舅每次都哆哆嗦嗦给我指，哪个老头是他，每次都能指对了。我还有个大表哥，比我大二十四岁，他婚礼那天，他老婆死拉着我和他俩一床睡，说，这样吉利，这样他们也能生一个像我一样眼神忧郁眼睫毛老长的男孩儿。那天晚上，他俩都喝了好些酒，我出了好些汗，第二天早上醒来，床上还是只有我们三个人，没见到长相和我类似的其他小孩儿。后来，他们生了个女儿，长相以及世界观、人生观和我没有任何相似。

　　不涉及阴户进出的，另一拨是朋友。我老妈大我三十一岁，我哥大我九岁。我老妈比较能喝酒，我哥比较能打架，他们俩都好人多热闹。我中学下学回家，家里十几平方米的房子里总摆着两桌发面饼之类便宜的吃食和糖醋白菜心之类便宜的下酒菜，酒是拿着玻璃瓶子一块三一斤零打的白酒，桌子一张是方桌，一张是圆桌，围坐十几个人，有的坐凳子，没凳子坐的坐床，陆续有人吃饱了走人，陆续有人推门进来。我眼睛环视一圈，叫一声，哥，姐，算是都打了招呼，然后撑个马扎，就着床头当桌子，一边听这些哥哥姐姐们讲零卖一车庞各庄西瓜能挣多少钱、到哪里去弄十个火车车皮、谁要苏联产的钢材和飞机，一边手算四位数加减乘除，写《我最敬爱的一个人》，看司马迁写的《刺客列传》、《吕不韦列传》。

所以，三十五岁之前，我习惯性认识的朋友基本大我十几岁，我不叫哥哥就叫姐姐，其中也包括这个非官方纯扯淡的《手稿》所涉及的一些人。和这些大我十几岁的人喝酒蛋逼，我常常有错觉，他们的脑袋不是脑袋，而是一个个的水晶球和手电筒，告诉我未来的星空、道德律和时光，指明前面的方向，与此同时，极大地降低了我对未来的期望值和兴奋感。这些哥哥和姐姐们对我的教导，让我在见到女性乳房实体的十一年前，就知道，其实那不是两只和平的白鸽，不会一脱光了上身就展翅飞走，乳头也没有樱桃一样鲜红和酸甜，那些都是哈萨克人的说法。在我每月吃八十块人民币伙食的时候，我就知道，钱和幸福感绝对不是正比关系，一间有窗户的小房子、一张干净而硬的床、一本有脑子的书、一支可以自由表达的笔，永远和我个人的深层幸福相关。

后来，学了八年医，进一步降低了我对未来的期望值和兴奋感。在协和医院那组八十多年历史的建筑里，看见很多小孩子被动地出生，被用来解决他们父母的婚姻问题和人生问题，他们长得一样丑陋，只知道哭，不知道等待他们的是什么。看见很多癌症病人缓慢地死去，不管他们善恶美丑，不管他们钱财多少和才情丰贫。医院的好几个天台原来都可以自由出入，上接天空，东望国贸，西望紫禁城，但是有太多的绝症病人到了上面不东张西望，不缓步于庭，而是想起星空、道德律、过去的时光和将来的无意义等等不靠谱的事情，一头朝下跳将下去。

再后来，医院的天台就被铁栅栏封上了。

黄老邪收集伟大的语词

收藏是动物和人共有的天性。

看过一个纪录片，勤劳的公鸟在树杈上造巢，然后收集各种五颜六色、不同质地的东西点缀，从玻璃珠子到塑料纸，什么都有。然后请母鸟来看，母鸟左看右看，前后踱步，仿佛县级城市梦娇娇发廊五颜六色的霓虹灯门口，踟蹰徘徊的一个中年出差男子。如果母鸟觉得公鸟的收藏还不错，就进巢搞公鸟一下，否则就飞走了之。纪录片最后出现了一只懒惰的公鸟，它不事收藏，它看着母鸟钻进有收藏的鸟巢，它生气，它趁着有收藏的公鸟离开，它舞动双翅和双脚，它把人家的鸟巢都搅和了。

人对收藏，也一样。小时候是合成磁片、烟盒、火柴皮。一吕二赵三典韦，这三个人力气大，能打，他们的火柴皮级别最高，最难找到，偶尔要动用暴力，大嘴巴抽低年级小屁男生的嘴巴才能得到。大了，饱暖食色之后，还剩两三个钱，青花瓷、红山玉、明清家具。一黄二黑三红四白，黄花梨和紫檀在旧家具里级别最高，品相好的，要拎着AK-47从四大银行提取成麻袋的钞票才能凑够钱。

黄老邪集伟不去古玩城和潘家园，黄老邪集伟收藏品相怪力乱神的语词。从一九九九年起，每年将他的语词收藏，配上插图和文字，到二〇〇二年已经有四本语词笔记问世（书的出版一般都要滞后一年到一年半）：《请读我唇》、《媚俗通行证》、《非常猎艳》和《冒犯之美》。

没听说黄老邪集伟有过其他不良的败家爱好，包括狭义的腐败收藏。所以，他一定是个悟性极高的人。黄老邪集伟对收藏的主要窍门一清二楚。

比如窍门之一，剑走偏锋，人走偏门，从垃圾中捡到珍宝，从北京街头找到一箩筐章子怡。古玩城的坏蛋仗义行侠玉商小崔，谈起古玉收藏如同巴菲特谈起买卖股票：不要跟风，现在清中期玉牌子贵得离谱，这时候还往上冲，有病。要挑价值被低估的东西。现在，我告诉你，收三种货：第一，种好沁好的剑饰；第二，高古文化期的素器；第三，十厘米以下的玉环。

就我所知，收藏语词，黄老邪集伟是古往今来第一人。冯梦龙在明末收集过民间黄色情色歌曲，比如《五更转》、《十八摸》之类，最后结集为《挂枝儿》。周作人在民国期间收集过市民的黄色笑话，立志比过《笑林广记》，但是沉吟良久，最终没敢结集出版，私印册数不详。但是，这些都不是严格意义上的语词收集，格调还普遍低下，黄老邪集伟不只盯着黄色，甚至不主要盯着黄色。

比如窍门之二，坚持就是胜利，坚持体现力量。黄老邪集伟已经写了六年，出了四本。厄普代克写一本《兔子快跑》，就是一本《兔子快跑》。但是等到他再写出《兔子归来》和《兔子富了》，厄普代克就是人物了。等之后再出七本关于兔子的书：

《兔子嫁人》、《兔子伤心》、《兔子老了》……是垃圾还是珠玉不论，厄普代克就逼近不朽了，百年后，别人一提起兔子，就会想起厄普代克。产量高，藏品丰富还有其他好处，按坏蛋仗义行侠玉商小崔说，剑饰当中，剑首、剑格、剑璏、剑珌四个一套，如果你有四五十块剑饰，你很容易配成套，配成套就能卖得很贵，这是常识，比如那个叫十二乐坊的十二个女的，拆开了就成洗头妹了。而且，如果别人四个一套缺一个，你能给他配上，你也能卖出大价钱。我先在黄老邪集伟那里体验了一下配套。我买了《非常猎艳》，黄老邪集伟送了我《冒犯之美》，在东四的中国书店，看到《请读我唇》和《媚俗通行证》，旧书比原来定价高一倍，还是买了，四本一套啊，而且全是初版，到时候我再都弄上黄老邪集伟的亲笔签名，有收藏价值。

比如窍门之三，确定一个简单而实用的收藏标准。黄老邪集伟收藏语词的标准只有三个字：好玩儿。生命太短了，还是找些自己喜欢吃的，多吃一些，找些好玩儿的，多玩儿一些。不好玩儿的东西，再有用，不可能不朽，不值得收藏。只要好玩儿有趣，黄老邪集伟没有忌讳，照单全收：大街标牌、小报标题、电视解说员的口误、二逼歌手的歌词、互联网上丝毫不讲章法的文章和灵光闪烁的签名档、手机上的黄色笑话和恶作剧短信，就像孙中山还没有名满天下，到处拉赞助、拜码头的时候，他的态度是：读万卷书，行万里路的书生，眼里没有高低贵贱，不肯接见不给赞助不把家里藏着的黄花闺女嫁给我，是王侯商贾们没长眼睛。黄老邪集伟的好玩儿是个广义的好玩儿，能挑战你的头脑，冲击你的情感，就是好玩儿，就像艾未未说的，人有七情六欲，欢乐舒服只是一种情绪，人不应该永远追求和体会欢乐舒服。

黄老邪集伟有个极其普通的小相机（数码还是光学的，不详），他晃荡在北京的街道，看到诸如"文革制品经销部"和瘦金体黑地白字的"禅酷"之类，就停下来照一张，留着将来配插图。现在东三环的"禅酷"已经被拆了，黄老邪集伟的照片已经有了史料价值。我问过黄老邪集伟为什么不买个好点的相机，他的回答近似于布勒松。布勒松一辈子只用50mm定焦标准镜头，"重要的不是机器，重要的是我的视角牛逼。"

黄老邪集伟有支很专业的笔。北师大汉语科班出身，主持专栏多年，笔力韧利如刀，明月流水，俯仰皆是。黄老邪集伟的解说，为他收集来的语词，配些框架，交代背景，点拨妙处，让满街晃悠的不带着相机、眼睛和脑袋的人，也能马马虎虎悠悠心会。讲文字本身妙处的文字极其难写，如果不是完全不可能。文字不像数字。数字是婊子，是叛徒，花花钱，上上大刑，数字能做你想让它做的任何事，能给你想要的任何证据。文字本身就是最大的幻象，修禅宗的历代高人早就定论，得意妄言，得言忘意，直接描写是死路一条。黄老邪集伟是骨灰级的人物，他常用的办法是不夸姑娘漂亮，而说迎面走过来的老头偷看姑娘一眼，舌头尖尖禁不住舔了舔上嘴唇。

除了在街上、网上、手机上、报纸上、人心上收集好玩儿的语词，黄老邪集伟还在自己的院子里种玫瑰送给他媳妇，最新的想法是不用蓝墨水也能整出蓝色的花朵，黄老邪集伟还教育他分别叫黄佐思和黄佑想的一对活宝儿子："我们夫妇让佐思大声朗诵下面这条'手机短信'：岸是绿，岸是茂绿，岸是依透茂绿……佑想，你来，你念下面这条……"黄老邪集伟还出版《小猪麦兜》和《鸡皮疙瘩》之类好玩儿好卖的书籍。

看着黄老邪集伟以自己的方式，心怀不朽，亵玩文字，在通往牛逼的小道上徐徐行走，我艳羡不已，就像读《论语》的时候，艳羡在陋巷里那个态度积极、饮食健康的颜回。我说我要写一篇叫做《唐宋八大家和黄老邪》的随笔，他说我骂人不带脏字，不兴这样玩儿，我说恨古人不见你我。

现在的人，事儿多。除了衣食住行，还有好些别的所谓必需。初到香港，像初到其他城市一样，我问土生土长的香港烂好朋友：手机、上网如何办理，长途哪家最便宜，银行哪家最方便，哪些报纸、杂志、网站最反映香港文化。烂好朋友说：手机用Sunday或者是Orange，长途打大陆也就二三毛一分钟，银行当然是HSBC。文化？我们没有文化，我们有八卦。要知道什么流行，看《壹周刊》就好了，每周四出版，二十块两本。

二月十二日，买了到香港后的第一本《壹周刊》，封面大字标题："黄任中散清二十五亿，彭丹郑艳丽无钱分"，两张照片：一张是黄任中右手挎南国佳丽彭丹，彭丹白衣如雪，低开隐乳，低眉颔首，微笑着，黄任中黑色小褂，短头，半脸褶子，头右倾，凝目于彭丹，眼底一抹忧郁，也微笑着。另一张是黄任中死前两个月，一个小老头躺在病榻上，细碎青格病号服，头发花白，胡子拉碴，右手扶头，一脸褶子，面色黑黄，眼底依旧一抹忧郁，皱眉向天。报道说："台湾一代富豪黄任中，于二月十日在台北荣总医院因糖尿病并发症病逝，终年六十四岁。"二月十日，元宵节刚过五天，情人节还差四天。

黄任中的一生，是吃喝嫖赌抽坑蒙拐骗偷的一生。黄任中的一生，是热爱妇女的一生。

　　黄任中祖籍湖南，国民党元老黄少谷的儿子，蒋孝武的发小儿。少年时就开始滋事："曾犯偷窃、持械伤人、嫖妓和抽大麻。"人不笨，美国军事大学数学系本科毕业，又拿了纽约大学数学研究所硕士，给NASA写过电脑程序。九十年代中，炒股成为台湾十大富豪之一。有了钱，黄任中终日COHIBA雪茄不离口，姑娘不离手。每年喝六百瓶葡萄酒，流连苏富比拍卖会，热情讴歌辉瑞制药的伟哥，经常在家聚赌，出门不系一条领带但是带十几个美女。

　　在芸芸富豪中，黄任中靠热爱妇女出名，尤其是热爱作为妇女杰出代表的各路港台红星和艳星。粗粗分类，包括女老婆、女小老婆、女护士、女徒弟、女知己、干女儿、女朋友，摸过的总数以三位数计，长得多像他妈妈，团面豪胸，36-24-36。黄任中仿佛现代现实版段正淳，不仅年老多金，而且温柔缠绵，他老实交代："女人是我生命原动力，没有女人我就吃不下饭。"比段正淳好的地方是，黄任中更发乎情而止乎礼，有的姑娘只是执手相看，有的姑娘只是上床聊天，有的是老汉推车。不像段正淳，和每个姑娘都有后代，在阴错阳差中几乎断绝了儿子所有的择偶可能。黄任中更物化妇女，仿佛对待每天的红酒、雪茄烟和靓汤，仿佛面对四季的花开花落。比段正淳惨的地方是，黄任中死时凄凉，不仅没有美人愿意为他死，在他死前，除了一个干女儿小潘潘，甚至没有一个姑娘愿意再多看他一眼。银子不在，仿佛红酒、雪茹烟和靓汤一样的姑娘也就不在了。

　　黄任中在《壹周刊》上的照片，有个共同的特点：在酥胸大腿和罗裙鬓影之间，他一直忧郁着，看姑娘的眼神仿佛是看一个无限美好但是终究无法守住必然从指尖滑落的自然现象，仿佛流水。唯一笑得开心的一张照片，是在黄任中着了官司，家财已空，生活还得继续，他和唯一还厮守他的小潘潘去超市买生活用品：购物车里是纸巾和可乐，购物车边是一身紧身休闲装青春无边的小潘潘，黄任中穿着黑色圆领衫，谢着顶，笑着。

　　人生在世，左右上下前后都是一辈子。这些过法中，另一个极端是曾国藩。诚心正意修身齐家治国平天下，一条路走到黑。那是个压抑自己一辈子的狠毒家伙，腰间和脑海中时刻都悬一把小忾刀，无论身体上或是意识上邪念一起，都手起刀落，剁掉自己的小鸡鸡。一辈子早就算计好，穷则独善其身，回家耕地读书；达则兼济天下，让大清朝多活好几十年。《曾国藩全集》几百万字，唯一和淫荡沾边的，就是写给那个叫"大姑"的风尘女子的对联：大抵浮生若梦，姑且此处销魂。

　　曾国藩好像只有一张标准照存世，那张照片里，他也是眼神忧郁。和黄任中比，两个人谁更快活？参照两位先人，男人的一生应该如何度过？也许更快活的是我这样，活在这两个极端之间的俗人们：只有老婆可摸，自己的鸡鸡绝不自己剁。

　　曾国藩忽然热起来，和他有关的书在大陆的机场到处可见，鞭策鼓舞匆匆忙忙的各路企业家们以及他们的幕僚。我问我香港的烂好朋友，为什么香港机场没有曾国藩，只有当前政要、黄色期刊和美女作家？他说，这就对了，香港追求摸得着的眼前的风光和满足。不要指望他们做研发，不要指望他们读曾国藩。一辈子修身养性，宠辱不惊，有冇搞错？

一万年来谁著史

　　小时候，老师最爱问的一个问题是，你长大了做什么？不努力学习，什么都做不成。

　　我的答案经常变化，曾经有一阵，我说，我想当个科学家。后来学了医，先在北大学生物，再到东单三条五号的医科院基础所学基础医学，见了太多白痴科学家、文盲科学家、政工科学家、骗子科学家、民工科学家。唯一一个有大师潜质的，是个教我做实验的重庆汉子，他像实验动物一样生长在实验室里。他耍起96孔板和eppendorf管，他从小老鼠的大脑里分出各种小叶，我想起庖丁解牛。他一边跑DNA电泳，一边看只有两个频道的黑白电视，电视上接了一根三米长的铁丝当天线，图像还是不清楚，换频道要用电工钳子拧，我想起颜回的"一箪食，一瓢饮，在陋巷"。他一边用一千毫升的烧杯煮方便面，一边小声唠叨："对门模拟高血压的狗也快被处理了，又要有肉吃了。"他抱着烧杯吃方便面，笑着对我说："暖和得像我老婆的手。"

这样的人让我气短，科学上我从来没有这样的才气，回想起来，没有比小时候想当科学家更荒谬的了，我妈也是个每临大事有静气的人，当时为什么没大嘴巴抽醒我？

我从小喜欢各种半透明的东西：藕粉、糨糊、冰棍、果冻、玉石、文字、历史、皮肤白的姑娘的手和脸蛋，还有高粱饴。一本文字，我一掂就知道是不是垃圾。好的文字迅速让我体会到背后的功夫和辛苦，鼻子马上发酸。一本好历史，我一闭眼就知道没有好人和坏人，有的只是成事的人和不成事的人，有的只是出发点的不同和利益的平衡。说到底，历练和机遇决定成就，屁股指挥大脑。

打个比喻，如果时间或是人类经验集中到一起是一根蒜泥肠，文学研究的是各个横断面：好的文学青年，在试图还原某个时代和某个状态的艰苦努力中，创造了一种比现实更加真实的真实。史学研究的是纵切面：到底间隔多长时间，泥肠里就又出现一块大蒜。至于哲学，从来没有读过，估计就是研究时间或是人类经验为什么是香肠而不是香蕉的学问吧。

中国的史学和西方的史学基本没有相同点。西方的史学更像自然科学，研究的是时间流逝中的普遍规律，而不在乎细节的变化。它要讲明白的是，为什么无论埃及艳后克丽奥佩特拉（Cleopatra）奶大奶小，都不能阻止历史的车轮；为什么由于各种政治、经济、宗教原因，法国不出现拿破仑，也会出现仑破拿，带领法国人，展示他们少有的军功。

中国史学研究的是微观实用的人学。如果班固执笔写托勒密王朝的《汉书》，可能会有这样的文字：赞曰："国运已尽，人力故难挽回。然女主形容妙曼，果勇沉毅，以一人之力，几全帝祚。若乳更丰二寸，或卡尼迪斯及奥古斯都二贼酋均不忍施辣手。呜呼，惜哉！" 出现拿破仑还是仑破拿，从法国或是欧洲的百年视角看，毫无区别，但是对于拿破仑或是仑破拿的二舅四婶却有很大的不同。

中国史学好像从来就存在少林拳和葵花宝典两大路数。以《二十四史》为代表的少林拳们，内功精湛，史料翔实，史识和文笔都好。讨厌的是，修成大师还好，才情欠些，就是个无趣的大和尚。以各路野史笔记为代表的葵花宝典们，多是性情中人，但是常常满嘴跑火车，酒大了风起了月冷了写爽了，妈的成了科幻小说了。所以说，至今为止，最牛逼的是那个先练少林拳，后来机缘巧合，练了葵花宝典的司马迁。

最近拿到谭伯牛的《战天京》，讲曾左胡李这些中国历史上最后一批修齐治平的大人物，厕上床上，两天竟然读完了。很长时间里，我基本不读现代汉语的长篇，《战天京》是个少有的例外，它最大的价值在于详略有当而生动有力地讲解了那些人和人之间的事。

这些事儿，写正史的人，练了一辈子少林拳，心里明镜似的，但是由于传统观念和中央文件规范，就是不说。从某个角度看，《二十四史》就是一套三千卷的巨大习题集，还没有教参，没有正确答案。曾国藩读史长见识，仿佛商学院用案例教学培养小经理："读史之法，莫妙于设身处地，每看一处，如我便与当时之人酬酢笑语于其间。"看他写道"《二十三史》每日读十页，虽有事不间断"，我常想起一边看英文案例，一边泡网聊天的日子。而这些人和人之间的事儿，写野史的人不一定明白，明白的也不一定不掺一点私念，毕竟是没了下体的人，思路和言语难免偏激。

谭伯牛的可贵是秉承司马迁的衣钵，站在了少林拳和葵花宝典之间，有才情又不失史识和史直地展现人和人之间，种种出发点的不同和利益的平衡。按古代小资的话说，应该焚香一炷，煎茶半盏，于窗下听秋雨读之，不知天之将白。第二天上班，把学会的东西分批分拨儿活学活用给自己的顶头上司。

就因为这一点，如果《史记》是一百分，《战天京》可以得七十分。

在追赶司马迁的路上，如果想继续走，约略有三种做法。第一种是最取巧的，但是最容易坠入魔道：提炼出一两个核心词汇，反复炒卖。得手的例子有吴思的"潜规则"和"血酬定律"。第二种是积累数量，司马迁用含蓄的正史写法，用精炼的古汉语写了十本，谭伯牛至少要写二百万字才能都说清楚吧？如果不想写得吐血，只有引刀自宫了。第三种是借鉴西方史学，充分总结归纳，拎出自己的中国人学体系。这点，司马迁都没做到，如果成功，可以加分，总分超过一百。高阳和唐浩明的方式不是路数，老牛拉个破俩仨车，得些浮名而已。

大片王朔

　　拉着箱子走过机场书报亭，瞥到二〇〇七年第四期的《三联生活周刊》，王朔好大一张脸，侧仰望虚空，占了封面的四分之三，视线躲都躲不过。《三联生活周刊》是本鸡贼杂志，从五块一本到八块，从半月刊到周刊，脚步扎实地圈眼球圈钱。但是，它和《财经》是国内少有的精耕细作的两本北京杂志，"炮制虽烦必不敢省人工，品位虽贵必不敢减物力"，勉强在同仁堂的祖训面前脸不红。《三联生活周刊》的封面故事尤其不取巧，听常主刀的人说，写起来残人，和写长篇小说一样，治疗精神病，导致阳痿。王朔同样也是著名品牌，比《三联生活周刊》的品牌创建得还早。一九四九年之后，"文革"之后，王朔和王小波两个人平衡南方余华、苏童、格非的阴湿文字，和美女下半身写作、韩寒郭敬明大卖构成过去二十年来三大社会文化现象，和赵本山、郭德纲构成过去二十年来三大民间艺术大师。就个人而言，我认为王朔有气质，华文出版社出的四本《王朔文集》，我读完了前两本，第三本读不下去，第四本是垃圾。人民文学出版社出的《红楼梦》，我读完了上中两册，下册读不下去，说不好是不是垃圾。三十岁之后，陌生人最常问我的三个问题，第一个，为什么念到博士之后不做妇科了？第二个，你的工作单位麦肯锡和麦当劳什么关系？第三个，你写的东西和王朔和王小波有什么关系？我的标准答案是，第一，我不再热爱妇女了。第二，麦肯锡和麦当劳都是源于美国的公司。第三，我和王朔和王小波都在北京长大，都用北方汉语码字。

理由足够了，掏钱买杂志，花时间，看。

连图带文字，二十二页，飞机上一小时看完，脑子里浮现出关于王朔的三个关键词：名利、转身、精明。

名利乱神。有气质的人，点正，一脚踩上块西瓜皮，很快辉煌。长坂坡的赵云，挑滑车的高宠，青年王朔一年写了上百万字之后，发现一个字可以挣十块钱了，一个剧本可以卖一百万了，在整个文学界、影视界，乃至文化界可以入朝不趋、奏事不名、穿片儿鞋带菜刀上殿了，不知道个人能力的上限在哪儿了，于是说不留神写个《红楼梦》，于是除了垃圾影视剧本之外，好久看不到他写的东西了。还好没说不留神写个《史记》，否则《三联生活周刊》封面上的特写就更没胡子了。

转身困难。写小说是个"喷"的脑力和体力劳动。写小说的人，如果为了自己的精神健康，百分之一百该写，如果为了记录不能被其他方式记录的人类经验，百分之九十九的人不该写。这百分之一该写的人当中，百分之九十左右的人，就三到五毫升的刻骨铭心、三到五毫升的销魂断肠、三到五毫升的脑浆童尿，喷一二本书、三五十万字，刚好。曹禺、钱锺书、沈从文、克鲁亚克、芥川龙之介都是例子。之后，转身，可以像曹禺那样守节缄口，可以像钱锺书那样做《管锥编》之类琐细缜密的学问，可以像沈从文那样把对妇女的热爱喷到对古代服饰的研究上，可以像克鲁亚克那样饮酒嗑药，可以像芥川龙之介那样了断。另外中气足的百分之十，要充分了解自己，要顺应自己的气质，这和立功立德读书游走嗑药打架喝酒泡女明星去云南西藏听古典音乐练瑜伽背《金刚经》信邪教都没关系。气质偏阳的，比如亨利·米勒、菲利浦罗斯、海明威、王小波，就应该举杯邀明月，死守烂打一个"我"。气质偏阴的，比如劳伦斯、纳巴科夫、库尔特冯尼格，就该用小人之心小人之眼，臆想意淫一下"非我"。内心里，我一直期望看到好的汉语的有禅味的小说，本来寄希望于阿城，但是原计划写八王的阿城写了三王之后，或许是名利害人，也去写剧本了，或许是"言语里断"，决定杀死文字，反正不写小说了。到现在，还是《边城》最靠谱，还是日本作家川端康成的《千纸鹤》、《名人》更接近。王朔是个气质偏阳的人，这次转身，听吆喝，仿佛是要探讨时间，涉及生物碱，把自己和众生往高层次带。我觉着，难。

精明满溢。青年王朔到了中年王朔，没变的是他气质里的精明。那是一种北京街面上的精明，属于天资加幼功，过了十来岁，基本学不来，相比刘邦和朱元璋的那种精明，小些，温柔些，局限些，和韦小宝的类似。相比江浙沪一带的精明，大些，隐蔽些，明快决断些，所以估计新书出来，王朔不会像余华宣传《兄弟》一样，是媒体就见，是书城就支张桌子去签售。中年王朔上了《三联生活周刊》，洋洋洒洒二十多页，读上去像听道行高的国企领导讲话，螳螂行意八卦太极，三四个小时，表面看毫无结构章法，其实该点到的都点到了，该埋的伏笔都埋了，表面看锋利狂狷，其实不该得罪的都没得罪，不该说的一句都没说。中年王朔骂的不是半截入土的就是正在发育的。被骂的半截入土的，念过大学本科都能看出是垃圾，被骂的正在发育的，仔细挑选，想扒拉出来半个二十六岁写出《妻妾成群》的苏童，都不可能。

拿着这期没开包的《三联生活周刊》上飞机，我心理阴暗地期望，又有裸奔的可看了，街上围了这么多人，应该好看。挤进人堆一看，有负责灯光的，有负责录音的，还有维持秩序的，裸奔的穿着金裤头，戴着金面罩，原来又是个拍大片的。

活着活着就老了

　　日子一天天一年年过，生日蛋糕上已经不知道该如何插蜡烛了，可总感觉自己还年轻。

　　还没老。

　　我老妈老爸还健在，一顿还能吃两个馒头喝一碗粥，还能在北海五龙亭腰里系个电喇叭高声唱"我是女生"，还能磨菜刀杀活鸡宰草鱼。我头发一点还没白，大腿上还没有赘肉，翻十页《明史》和《汉书》，还能突然听到心跳，妄想：达则孔明，穷则渊明，林彪二十八岁当了军长，杨振宁三十五岁得了诺贝尔奖，或许明年天下大乱，努努力，狗屎运，我还赶得上直达凌霄阁的电梯。老相好坐在金黄的炸乳鸽对面，穿了一件印了飞鸟羽毛的小褂子，用吸管嘬着喝二两装的小二锅头，低头，头发在灯光下黑黑地慢慢地一丝丝从两边垂下来。她吸干净第二瓶小二锅头的时候，我还是忘记了她眼角的皱纹以及她那在马耳他卖双星胶鞋的老公，觉得她国色天香、风华绝代。

　　但是在网上看了某小丫的文字，《都给我滚》、

《发克生活》，第一次，感觉到代沟，自己老了。

那些文字，野草野花野猪野鸡一样疯跑着，风刮了雨落了太阳太热了那么多人刚上班早上八九点钟就裸奔了。我知道，这些文字已经脱离了我这一代的审美，但是同时感到它们不容否认的力量。我知道，人一旦有了这种感觉，就是老了，仿佛老拳师看到一个新拳手，毫无章法、毫无美感，但是就是能挨打，不累，仿佛韦春花看到苏小小，没学过针灸按摩劈叉卷舌，没学过川菜粤菜鲁菜淮阳，但是就是每个毛孔里都是无敌青春。

码字，其实真没什么了不起，本能之一。有拳头就能打人，有大腿就能站街，把要说的话随便放到纸面上，谁说不是文字？小孩能码字，其实也真没什么了不起，再小，拳头和大腿都已经具备了。《唐书》说白居易九岁通音律，冯唐十七岁写出了《欢喜》，曹禺十九岁写出了《雷雨》，张爱玲二十二岁写出了《倾城之恋》，即使看那些大器晚成作家的少年作品，基本的素质气质也都已经在了，只不过当时没人注意到，以为老流氓是到了四五十岁才成了流氓。所以不想因为某小丫的年龄，简单粗暴地将她归类到八〇后。贴一个标签，拉十几号人马，最容易在文学史上占据蹲位：近代在国外，有迷惘一代、垮掉一代、魔幻现实。"四人帮"之后在中国，有伤痕派、先锋派、痞子派。深入改革开放之后，有下半身、七零后、美女作家、液体写作、八零后，一路下来，标签设计得越来越娱乐，越来越下作，越来越没想象力。

文学，其实很了不起，和码字没有关系，和年龄没有关系。一千零五十年前，李煜说："林花谢了春红"。一千零五十年间，多少帝王将相生了死多少大贾CEO富了穷多少宝塔倒了多少物种没了。一千零五十年之后，在北京一家叫"福庐"的小川菜馆子里，靠窗的座位，我听见一对小男女，眼圈泛红，说："林花谢了春红，太匆匆，自是无奈朝来寒雨晚来风。"
在新泽西APM码头旁边的一个小比萨饼店，冬天，
我和老鲍勃一起喝大杯的热咖啡。合同谈判，我们到
早了，需要消磨掉一个小时的时间。老鲍勃说，他小
时候也是个烂仔，还写诗，然后拿起笔，在合同草稿
的背面，默写他的第一次创作："如果你是花朵，我
就是蝴蝶，整天在你身边腻和。当朝露来临，将你零
落，我希望我是朝露，不是蝴蝶。"我说，是给你初
恋写的吧，鲍勃点了点头，那张五十五岁的老脸，竟
然泛红。

其实，老拳师怕新拳手的，不是他有力气，能挨
打，而是新拳手不知死活的杀气。韦春花怕苏小小
的，也不是她的无敌青春，而是苏小小自己都不知道
的缠绵妖娆。某小丫的文字挥舞着拳头，叉着大腿胡
乱站在街上，透过娱乐的浮尘和下作的阴霾，我隐约
嗅到让我一夜白头的文学的味道。

违反人性

"冯唐，你觉得，一夫一妻制的婚姻，从生物学和医学的角度看，是不是违反人性？"

我做任何其他事情，都是自修的野路数，除了医学和生物。连带在北大生物系的三年预科，一共老老实实地修了八年临床医学，而且还是妇科，再狡辩，也算是科班了。所以，不管我原来学得如何稀松，不管我已经离开原来营生多少年了，早就记不清颅底那十几个大孔分别进进出出着哪些神经血管了，不管我对战略管理素养实战俱佳，对公司治理高管薪酬了然于胸，熟悉或不熟悉的人和我聊天，基本没人问我，联想应该采取什么样的国际化战略，如何加强审计监察才能避免中银香港刘金宝和朱赤违规贷款私分小金库的问题再次出现。由于我又是个妇科大夫，问我的问题大多怪力乱神、海淫海盗，比如四十二岁怀孕生孩子生成傻子或是怪物的几率有多大，比如一夫一妻制的婚姻是不是违反人性。

简单地说，从古至今有三类男人不被女人当成男人：太监、乳腺外科大夫、妇产科大夫。改了行的也不行。

问我这个问题的是小马姑娘。小马姑娘出身名门，清华国际金融系毕业，哈佛商学院MBA，前知名管理咨询公司金牌分析员，现知名投资银行实习。小马姑娘腰身妩媚，皮肤很白，头发很黑，屋子里稍热一些或是一点酒精，不用腮红，腮自然红，不用唇彩，唇自然光彩。小马姑娘态度谦和，微微笑着，话不多，声音婉转，总是低八度，戴黑边眼镜，黑边宽厚，掩盖眉头一弯秋月眼角一朵春花。小马姑娘说出话来，用字平和，但是观点一刀见血，逻辑水泼不进。有道菜叫拔丝鲜奶，做得好的，鲜奶如皮肤嫩白态度谦和，拔丝如腰身妩媚声音婉转。小马姑娘是拔丝鲜奶，但是每块鲜奶里都有一颗或是半颗铁钉。古龙说，迷死人不偿命的，就是这种人吧。

"冯唐，从生物学和医学的角度看，老天爷设计人性的时候，最终的效果是不是让个体基因存在下去的概率最大化？"小马姑娘接着问。

我们坐在交易广场三期旁边的一个叫"MIX（我倾向于翻译成杂交）"的快餐厅，地板是水泥细抹，墙上全是绿色。"杂交"号称健康食品，以各种混合鲜榨果汁和健康三明治和分量很少为特色。从生物学和医学的角度看，让你吃成半饱，吃什么都是健康。我嘬了一口蓝莓和猕猴桃的杂交汁液，味道近乎猫尿。

"冯唐，人性逼着我们，跳来跳去，逛来逛去，睡来睡去，生命不息，恋爱不止。所以，是人性，不是我。树欲静而风不止，即使理智告诉我，我妈告诉我，身份证告诉我，我他妈的一把年纪了，该嫁人了。你不是也告诉我，先嫁人再离都比耗着好。我还是不能不恋爱，一旦心有它动，很难对一个人承诺，我会恪守妇道。"小马姑娘也嘬了口她面前的杂交汁液，血红色的，不是西瓜，不是木瓜，不知道是什么瓜。可以不穿职业套装的时候，小马姑娘最爱小女孩装扮，浅粉浅蓝，条条点点，小护士，小保姆的样子，浑然不管身份证说什么。

"我想，从设计上讲，人有适应能力，人体各种感官受体都是这样设计的。比如你一把抱住郑伊健，他刚做完俊士香水广告，你一鼻子的美好的郑伊健俊士香水味道，各种生物化学信号从鼻子直奔大脑中的海马体，进而引发你各种下流想法。但是不出十分钟，你的鼻子基本停止了传递。如果你觉得这个场景恶心，你可以想象，你上一个没人打理的乡村厕所，你踹门进去，苍蝇推了你一把，你一鼻子的屎尿的胺类味道，各种生物化学信号从鼻子直奔大脑中的海马体，进而引发你各种厌恶想法。但是不出十分钟，你的鼻子也基本停止了传递。苍蝇乱飞和群莺乱飞没有本质区别，乡村厕所和郑伊健没有本质区别。"

"一样恶心。你接着说。"小马姑娘又嚓了口她面前的杂交汁液，毫无芥蒂。

"进一步讲，人适应之后的需求是变化，喜新厌旧。好吃莫过饺子，你连吃十顿试试？好受莫过躺着，你连躺十天试试？"列侬和大野洋子在床上躺着反战几个星期。如果列侬那个时候真情告白，问他看到大野洋子和床想到什么，他会说，想吐。

"这么说你是同意我的说法了？一夫一妻制的婚姻就是违反人性。"

"感觉没有就算了，心不止就让它先燃烧着，顺其自然吧。"我和了和稀泥，没有继续谈人性。人性太复杂了，懒，也是人性，怕孤单，也是人性，顺应规则维护社会，也是人性，这些人性创造银婚金婚钻石婚。在人体神经体液内分泌等等构成的庞杂信息系统里，相互矛盾的人性如何相互作用，如何分出雌雄，我这个医学叛徒，如何知道？

我吐尽一口气，深嚓吸管，吸干了面前那杯杂交汁液。

麻 将

一、公元二〇〇九

　　商淑下定决心，要尽快把自己嫁出去，坚决不做剩女。

　　"就算伏低做小，我也要嫁入豪门。"我带的咨询项目小组一起吃晚饭，商淑恶狠狠地咬了一筷子肥瘦均停的顺德叉烧，毅然决然地说道。

　　"豪门如何定义啊？"刚加入公司的布有德认真地问。布有德刚刚被我教育过，做管理咨询这一行，对于任何数据，先要搞清定义，否则毫无意义。比如港口吞吐量下降，要搞清是同比还是环比，含不含集装箱；再比如才女，会吹口琴、下个跳棋、写庞中华体的毛笔字、泡个不会背唐诗的作家，不能算。

　　"富到想吃一个冰激凌就吃一个冰激凌，想买三斤上好的荔枝就买三斤上好的荔枝，看上一条裙子，三种颜色，每样买一条，钱包不觉得疼。"商淑又恶狠狠地嚼了一勺叉烧底下垫着的水煮花生，"叉烧的味道都渗进花生里了，好好吃哦。"

商淑其实年纪不大，中期八零后，大家都说不用着急，可以先要几年。轻狂趁少年，泡各类帅哥，负担轻，身上痒痒的地方，都趁早蹭了，心里的各种皱褶，都趁早熨平了。"裸奔、野合、3P、江户四十八手。"项目经理董无双喝了口雪花啤酒，遥望远方的海，海风吹，海浪涌，想起自己少小时代看到的日本AV，想起北条香理、工藤静香美、苍井空、川滨奈美、堤莎也加、町田梨乃、二阶堂仁美、饭岛爱、饭田夏帆、饭冢友子、芳本叶月、冈崎结由、冈田丽奈、高木萌美、高田礼子、高原流美、宫本真美、宫岛司古都光、光月夜也、宫泽理会、河村亚季子、河井梨绪、黑崎扇菜、红月流奈、华歌恋、吉川萌、及川奈央、吉川真奈美、吉崎纱南、吉野莎莉、今井明日香、今木翔子、金泽篮子、进藤玲菜、井上可奈、久保美希、酒井未希、臼井利奈、菊池丽香、菊池英里、菊池智子、橘真央、具志坚阳子、可爱亚织沙、葵小夏、蓝山南、兰望美、里见奈奈子、里美奈奈子、里美由梨香、立花丽华、立木爱、凉白舞、铃川玲理、铃江纹奈、铃木麻奈美、芦屋瞳、麻川美绪、麻生叶子、美里霞、美崎凉香、美雪沙织、美月莲、明日香、木谷麻耶、奈奈见沙织、内藤花苗、内田理沙、鲇川亚美、片濑亚纪、平山朝香、前原优树、前原佑子、浅见伽椰、浅井理、青木琳、青木玲、青野诗织、青羽未来、青沼知朝、秋本玲子、秋菜里子、秋元优奈、如月可怜、若林树里，想到自己没有实现的理想或许可以由后辈的实践间接实现，董无双提示商淑说。

"我着急。"商淑说，"我的理想不是做麦当娜，不是做希拉里，不是做龚如心，不是做林巧稚，我的理想是相夫教子，无疾而死，找个我喜欢的男生，我玩他的手指，他玩我的手指，天天腻在一起。在当今中国的残酷世界里，A男娶B女，B男娶C

女，C男娶D女，A女一不留神就成了剩女，只能做A男的情人，或者B男的红颜知己，或者C男的人生导师，或者D男的女神，我不要。我认可这个魔咒，我们的专业是帮客户制订战略的，战略最重要的是时机，时机之窗对于我并不大。去美国念个书，然后事业心按捺不住，手痒痒，埋头仔细做几个项目，稍微一晃，就过三十，就是剩女了。"

商淑基本可以定义为A女。

先是小镇传奇，在异族繁盛的西南边陲，汉语优秀，算数精准，未成年考入清华。再是清华系花，虽然三选一，但是萝卜也是菜，毕竟是拔得头牌。没上研究生，本科刚毕业，直接进入最好的咨询公司，做分析员，三年下来，参与制订的大集团战略，比清华经管学院的白胡子导师一辈子真正参与的都多。用EXCEL，和过去的账房先生用算盘一样灵巧，做PPT，比上世纪六七十年代的大字报更精准贴切。三年之中，还去了欧洲一年做项目，在西班牙写过日记，在希腊摘过迎春花。再向未来张望，商淑做完手上这个北方港口的战略规划项目，就要辞别边陲的父母，去哈佛商学院念书了。

虽然是清华女生，但是商淑也写博客，也背唐诗，也拍照片，也见花望月。虽然个子不算高挑，但是面容姣好，比例合适，凹凸有致，在绝经之前，不施粉黛，穿童装，永远能激发萝莉控，如果在欧美，即使再老，去酒吧，都会被要求出示身份证明，证明已经成年。

更难得的是商淑性格好，乐观积极。上清华的时候，送友谊宿舍的男生每人一个抱枕。项目开始之后，每天早上给大家熬泰国香米粥。战略规划阶段成果汇报的时候，项目小组上午讲解演示，下午，客户请来的十来个外部专家点评。也不知道客户从哪里淘来这么多不靠谱的老头老太太，除了常识没有，脑子里什么干的、湿的、圆的、方的破烂都有，从妈祖到李嘉诚，从解放台湾到金融风暴，从自给自足丰衣足食到跨国并购，最烂的一个老烂仔竟然把自己的论文当众念了三十分钟。服务员一直在给我的茶杯补水，我一直带着微笑听着，五个小时之后，我的脸部肌肉定型，笑容可以直接从我脸上扒下来挂在墙上。全部专家发言之后，我被邀请做出回应："听了各位专家的点评，我们觉得非常有深度，非常有广度，非常有激情，对我们之后的工作非常有指导作用。" 其实，我心里默默引用的是我老妈被我老爸气疯了之后常说的一句话："我怎么想也想不明白，为什么过了一辈子，你还是个老傻逼？"在那个漫长的下午，商淑一直自然地微笑，我发短信给她，夸她性格好，她回了个短信："改革开放三十年，这些老头老太太一直战斗在领导岗位上，我们伟大的祖国还能如此高速发展。之后，这些老头老太太都死了，我们伟大的祖国该多么美好啊。这么想着，我就由衷地微笑了。"

在清华，雌银杏树和电脑母板都有人怜爱，作为系花的商淑当然长满恋情，其中多数的枝干是和一个青梅竹马的高中同学，一起金童玉女地坐火车来到清华，一起金童玉女地在清华园溜达，一起金童玉女地毕业。男友去了美国，一分三年。

商淑说："我今天和他分手了。"

布有德问："为什么啊？"

商淑说："长距离恋爱没有结果，不能总是执手相看，一定有问题，爱情就在朝朝暮暮。"

布有德问："你不是马上就去美国了吗？不就团聚了吗？"

商淑说："但是没有结果的这种结论已经形成了。"

布有德问："为什么呢？这种结果的成因已经要不存在了啊。"

商淑说："好吧，好吧，我看上别人了，我觉得我的青梅竹马太小了，心理年龄太小了，不成熟。"

布有德说："早说嘛，现在，这个故事就有逻辑了。"

"独立思考，布有德有成为一个好分析员的潜质。"董无双说。

项目上另外一个资深分析员冯牡丹替布有德总结："做访谈的时候，需要动动脑子，多问几个为什么，不要怕出丑。出丑总比回去之后写不出文件来要好。"

我问商淑："你容易看上别人吗？"

商淑说："可容易了。"

我接着问："那怎么办呢？如何表白呢？"

商淑说："不表白。多数野花，开了，自己就慢慢败了。"

冯牡丹接着问："不败的呢？也不表白？"

商淑说："打死也不说，我死等。再说，其实我现在看上的这个也不在身边。我们这样干管理咨询的，除了电脑和内裤在身边，什么都不在身边。其实，通过我新欢，我只是发现，我不能和我前男友再糊弄下去。"

之后，商淑的前男友就开始越洋快递给商淑鲜花，最多隔三天就有新的，每次都变些品种或者造型。"我小时候生病之后，我爸妈就给我买好吃的零食吃。"商淑说。冯牡丹买了花瓶，项目小组办公室就天天有鲜花看了。取决于当天客户对小组的态度，小组有时候劝商淑和前男友复合，有时候劝和现在的暗恋对象表白，基本上是毫无原则，唯恐不乱。过了大概七八周，连续四天，没有花了，董无双说，作为金融危机的真正第二波，估计美国信用卡危机爆发了。商淑说："我昨天和我新欢表白了，人家没理我，好失败啊。"

我们一起问："怎么表白的啊？"

商淑说："我发了一个邮件。"

我们一起接着问："写了什么？"

商淑说："我说昨天很忙，挺累，但是PS（注，problem solving，问题解决/头脑风暴）会之后，关键问题想通了，有些爽。人家一直没回信，我每十分钟查一次我邮箱，查了一天，好失败啊。"

我们一致认定：1. 商淑的新心头所好很可能是我们咨询公司内部人员，因为她在电邮里使用了PS等等我们咨询公司的内部黑话。2. 商淑有严重的情爱表达障碍。3. 鉴于商淑的疾患程度，小组决定牺牲已经很少的睡眠时间，帮助商淑制订制胜战略，在美国两年，打破魔咒，嫁给A男。否则，去哈佛念两年书，一定是一无所获。

布有德又一次表现出优秀新人的学习能力："战略使命已经明确了，在哈佛两年，嫁给A男。之后，第一步是界定潜在目标市场，哪些A男是有希望嫁的，并进行市场细分，这些A男，可以再细分为哪几个品种。第二步是优选目标市场，哪些A男的细分品种是首要目标。可以根据两个维度判定，一个维度是A男细分品种的吸引力，咱们可以借助我国古典智慧，明朝的王婆总结，极品男人的标准五个字：潘、驴、邓、小、闲，貌如潘安，屌壮如驴，富比邓通，伏低做小，有闲陪你。另一个维度是商淑针对这些A男细分品种的竞争力，我们一起议议，商淑对于这些不同细分的A男，杀伤力有什么差异。第三步是对于第二步优选出来的A男，制订详尽的战略举措和实施步骤。第四步是估算财务投入和财务回报并评估可能的主要风险。"

董无双说："咱们还是把正经工作和公益事业分开吧，不要这么严谨，直接进入第三步，头脑风暴，为商淑想一些差异性的战略举措。"

冯牡丹开始头脑风暴："商淑可以装清纯，装可爱，装到被A男认定为B女为止，可以借鉴日本的ＫＡＷＡＩＩ。一定要装得像，一定要露出惊讶和崇敬的表情和音调。'真的啊，你会用鼠标耶！超赞！''真的啊，你的脑子好清晰啊！我为什么想了这么久都没有找到思路呢？''真的啊，你的好大啊！你一定引发过很多敬畏的尖叫吧？'等等。"

董无双说："必须要跳出俗套，扩大可得A男的范围，比如把已婚但是婚姻不幸福的加进来，你说，婚姻哪有幸福的，是吧？又比如，打破年龄限制，思想解放些，男的比商淑小五岁，不算小，小十岁，刚刚好。或者大十五岁，也刚刚好。再比如，打破种族界限。黑人都当总统了，我们商淑怎么就不能找个穆斯林兄弟呢？"

一个小时之后，商淑在绝望中，看着小组达成了共识，杀手级战略举措是商淑去哈佛商学院之后，租个大些的公寓，开个麻将馆。学习本来就无聊，何况是商学院，在美国本来就寂寞，何况是波士顿。具体实施是，商淑上学之后，先观察一个月，在无聊寂宽的男生中，找出四五个让她心里怦怦动或者至少让她看着顺眼的，发出邀约，周末去她那里打思乡和谐爱国麻将。

商淑说："我不会打麻将啊？"

冯牡丹说："战略举措的关键不是让你自己打，关键是你要在周围观察，你要对他们做出优异表现。打麻将的时候，最容易看出男生人品，比如对于得失的把握，对于命运的态度，脑子好不好使，有没有幽默感和气度，有没有体力，到后半夜是否还能挺住，总之，仁、义、智、勇、洁，都能看出来。你呢，要适当做出表现，比如打了三四圈麻将，你切盘水果啊，端四五小碗冰激凌啊，快到吃饭的时候，你让他们不要停，你去做饭，让他们闻到饭菜香味儿，等他们自己决定要吃的时候，千万不要催，再开饭，快到后半夜的时候，再补一顿夜宵，小虾米皮紫菜馄饨啊，黑芝麻汤圆什么的。"

董无双说："但是你得会打麻将，虽然，坚决不打。这样，你夸那些男生就能夸到点儿上，他们闪都没处闪。我们给你电脑上装个脱衣麻将程序，你抓紧练习并且感受气氛。还有，你可以进一步发挥你女性感性的一面，去买一副麻将，先苦练摸牌识牌的本事。你想想，一个Ａ男要和一把大牌，很紧张，摸了三圈，都没摸到，说要借你手气，你伸手一摸，看都不看，说，七条，和了，清一色，双杠开花，牛逼大了。那个Ａ男，当时心里没有野猪乱撞才怪。"

布有德说："再最后总结一下，你要调整一下你的课程。少修一些金融啊、会计啊、商法啊什么的，强攻厨艺，最好主攻中餐，兼修西餐。还可以学学外围相关的学科，比如插画，比如中医针灸。在异乡生病的时候，想来心灵最柔软。"

"如果连续十周，没有一个男生爱上你，我负责帮你解决一个好工作，保证你富到想吃一个冰激凌就吃一个冰激凌，想买三斤上好的荔枝就买三斤上好的荔枝。"我许诺说。

二、公元二零一二

商淑毕业的时候，也没嫁给Ａ男，也没找我解决工作。听说常去圣女麻将馆的四个男生都有了名头，赵东风、钱青龙、孙小对、李不靠。

商淑和这四个人的各种故事有各种版本，人生、凶杀、色情都有。我问商淑，真实的版本是什么啊？商淑说，打死也不说。

大家都知道的事实是，商淑毕业之后，和赵东风和李不靠一起创办了东南西北棋牌乐，先从北京和上海开始，和街道居委会组成战略联盟，很快构建了中国最大的棋牌乐连锁店。不到半年，经营现金流开始为正，不到一年，息税摊销前利润开始为正，第一笔融资，一个叫也士的私募股权公司出了五千万美金，买了百分之二十的股权。

三、公元二零三零

夏天，哈佛校园里来了一个长得小巧的中国女生，虽然个子不算高挑，但是面容姣好，比例合适，凹凸有致，激发萝莉控。看上去像来夏令营参观的中国中学生，但是她也不照相，也不摸哈佛校园里那个著名铜像的脚，她到处打听："您知道圣女麻将馆是这栋公寓楼的哪间房子吗？您记得那张麻将桌去哪里了吗？"

关于商小双的身世有各种版本，人生、凶杀、色情都有。商小双问商淑，真实的版本是什么啊？商淑说，打死也不说。大家都知道的事实是，商小双的血亲父亲在怀商小双的那个夜晚和了一把豪华七小对，但是那个秋天至少和了五十次七小对和十次豪华七小对，并且赵东风、钱青龙、孙小对、李不靠四个人都和过。

二十年过去了，那张麻将桌竟然还在公寓楼的储藏室里，商小双掸了掸灰，看到了桌边缘上刻着一只浅浅的幺鸡。一个大家都不知道的事实是，商小双的血亲父亲在和牌的狂喜之后，在怀商小双之前，用指甲在桌面上刻画出来一只昂首挺立的幺鸡。

商小双从双肩背包里拿出一张白纸，对照了一下。白纸上面潦草地画了四只幺鸡，每个幺鸡下面分别标注着：赵东风笔迹、钱青龙笔迹、孙小对笔迹、李不靠笔迹。

山寨精神的群众基础

　　山寨这个词刚出来的时候，我不能确定山寨精神的群众基础有多大。

　　想到的第一类人是贪图名牌带来的牛逼但是不愿为之多付钱的人。在改革开放初期，我就是。我高中，就拿青田石刻过阿迪达斯、耐克和彪马的标志，印在单色圆领衫上冒充名牌队服。当时北京市踢中学生百队杯足球赛，我们出场总是一水儿的名牌，阿迪达斯、耐克和彪马三个标志一齐印在左胸口，比起对手的铜牛、三枪、铁梅，牛逼大了。但是这类人的规模不该太大。改革开放初期，买一双耐克大白袜子的钱足够一个中学生一个月的伙食，几乎是明抢明夺。现在，我们富了，我国可以说不了，买一打耐克袜子也不用皱眉头了。至于那些顶尖奢侈品的仿造品，还是挺容易看出差别的。朋友送了一个Motorola的Aurora，号称正品卖上万，他在深圳只用一千买了俩，几乎没有区别。盒子还没开，我就看出糙来，太糙了，Motorola全部拼写成Notorola。Motorola

的Aurora号称是用瑞士做高档钟表的工艺打造，这个山寨版，装上电池，拉上窗帘都看不到屏幕上的显示。从小就被科班训练，分开香椿和臭椿、良性肿瘤和癌症、熟坑古玉和老玉新工、鲍鱼和女阴。逼着我承认两者没有区别，先得废掉我二十多年的理科教育和十多年的世事历练。

想到的第二类人是贪图名牌带来的功能但是不愿为之多付钱的人。在改革开放三十年之后，我还是这样的人。在深圳华强北，买山寨版iPhone充电器，二十块钱，正版要两百。正版手机大厂一直说，用非原厂手机配件会炸烂裤裆，我用了二十年，至今没被被炸成司马迁。我老爸有一天说，我要告世界卫生组织，总说抽烟得癌，我抽了六十年烟，到现在也没得肺癌，你奶奶十年前戒了烟，去年得肺癌死了。华强北两千块能买到解码的原厂黑莓，干吗花五千块去买带着两年合约的正版？生产工具在屋子里，市场在门口，法治在大洋彼岸，如果原厂不主动山寨，反对暴利也是民主的一种形式，人民就主动山寨。

我没想到的第三类人是我老爸。和他真正住了一阵，我发现，我老爸什么都不贪图，他只贪图便宜。山寨产品和牌子之间，只要山寨便宜一半，我老爸就动心，只要山寨便宜百分之八十，我老爸不管有没有用就买回来。比如山寨版鹿牌暖壶。十五块，暖壶上的鹿看上去像踩了高跷的猪。更烦的是，基本不保温，是壶，但是不是暖壶。最怕的是，我老爸倒水的时候，爆炸。比如山寨版鲍鱼罐头，二十九块一大桶。我老爸说，罐头都是鲍鱼新鲜时灌装的，比发了之后的干鲍鱼好吃。可是，无论怎么吃，我还是觉得味道介于放多了味精的豆腐和年糕之间。比如山寨版空运新鲜热带榴莲，价钱比从郊区骡子运来的西瓜还便宜。我老爸说，这个品种叫黄金枕头，如果新鲜，好吃极了。他杀了这个黄金枕头，气味四溢，十分钟之后，邻居敲门说，再不封好，就报警了。黄澄澄的，我老爸吃了满满的一碗，剩下所有的果肉封进冰箱，黄澄澄的。冰箱在之后的两周，一直有胡同口公共厕所的气息。

我老妈气急了时候，常说，有时候真的想杀了这个老东西。我总是不理解。现在，在被我老爸多次山寨之后，我渐渐开始体会我老妈的心情了。

愉快的事儿

　　让人觉得愉快的事儿是公历四月的第一个周末，一晚上的工夫，院子里的西府海棠忽然开了。只用了一天的阳光，深红的花骨朵就全部撑开成浅粉的花。只在上午六点到八点之间，深红的花骨朵和浅粉的花夹杂在树上。看到这个景象，是让人很愉快的。一周干了八十小时有益于国家和民族的正经事儿，脑浆子像是被轮奸过一样疲惫，忽然在浦东机场的安检口看到四个姑娘，皮肤真白，头发真黑，腿真漫长，戴个墨镜。看到这个景象，是让人很愉快的。

　　让人觉得愉快的事儿是听见早上五六点钟的鸟叫，胡同里的抽水马桶声音，深夜里，郁闷的人借着酒劲儿向湖心喊平常说不出来的话。听见电话里，我老妈唠叨，法国总统的新老婆是个时装模特，韩国前总统是个北国汉子，美国邻居里这两个中年男人是同性恋，她都知道。我听得出，她元气还在，还能再活很多年。早就认识一个男歌手，气质实在太好了，声音实在太一般了。买来一对很适合听人声的喇叭，接上胆机，塞他的CD进去，听到他的声音不是那么一般了，气质竟然更好了。我像牛一样听古琴，我喜欢听那个姑娘的手指尖端摩擦琴弦的涩涩的响动，姑娘弹完说，她也最喜欢听那个响动，然后即兴又弹了一段，里面更多那个响动，这是让人愉快的。

让人觉得愉快的是闻见槐树花和香椿花，慢慢烧了很久的墨鱼烧肉，初夏夜雨之后的土腥味儿。和一个老朋友坐着，没想起说什么的时候，喝茶，再喝茶，三泡之后的铁观音泛出兰花香。旁边有人抽当年的雪茄，雪茄的干湿合适，附近有人不太吵闹地哼歌儿，雪茄的味道慢慢飘过来。有人带来一瓶很贵的红酒，他喝之前，伸进鼻子，鼻翼翕动，说有花香，水果香，坚果香，巧克力，树木，我闻了闻，又闻了闻，只闻见了葡萄，这是让人愉快的。一个姑娘在旁边，新洗的头发，发出动物和植物混合的香味儿，她告诫我说，你新写的关于唐朝的书里，别说檀香，说沉香更好，这是让人愉快的事儿。

让人觉得愉快的是喝了六道的茶，舌头凑过去，竟然还有美人迟暮的味道，枯涩里面，竟然还有香甜。我吃了头台，吃了主菜，吃了甜点，喝了饭后茶，抹抹嘴，说，七分饱，下半身的牛仔裤，还是二十年前的，还没感觉腰间肉紧，还能系得上最紧的一格腰带，这是让人愉快的事儿。晚上六点，众神归位，点几个凉菜，开始喝酒。午夜十二点，找个地方吃碗面，再喝三瓶啤酒解酒。风起，如头发贴面而过，我忽然想起你，你在嘴里的味道和最后这瓶啤酒类似，苦苦的，爽爽的，这是让人愉快的事儿。

让人觉得愉快的是摸五个月小孩的屁股，元朝的真品青花瓷，明朝末年柏木的画案。在车里，在飞机上，累极的时候，左手放在公文包上，电脑不能丢，右手放在腰间的西汉玉上，温润不留手，仿佛千年前摸这块玉的姑娘的手，慢慢睡熟了。我说上次忘了抱你，你说这次补上，你的腰间有你不知道的温暖，然而我知道，这是让人愉快的事儿。

让人觉得愉快的是诸多杂事捏着鼻子全部清掉，全部账单已付，全部稿债已交，全部人情都是别人欠我的。买一个1TB的硬盘，把所有要听，要看，要想的都存进去，系统地放在不同的文件夹里，还可以远程登陆，随时听、看、想。五个月的小孩儿长得像包子，双手牵着床，勉强坐着，我扒开他的双手，一捅他，他就倒了，还笑，这是让人愉快的事儿。以前的姑娘说，有人开车法拉利新款跑车在美国1号高速公路上带着她跑，想泡她，她说怕风大，你丫赶快靠边吧。我说去看旧金山东亚博物馆吧，她遮盖住所有说明，我告诉她所有玉器的年代和真伪，全对了，她说，这比法拉利款跑车管用，这是让人愉快的事儿。

生命中，眼、耳、鼻、舌、身、意，都有让人愉快的事儿。

大　欲

我唯一的外甥：

　　你妈是我唯一的姊妹，你是你妈唯一的儿子，所以你是我唯一的外甥。

　　上次和你妈通电话，她说你改变巨大。尽管你还是长时间一个人关起门待在你的房间，但是天理已经开始起作用，你现在不只是打网络游戏了，你开始给你认识的小姑娘打电话了。

　　我记得你打网络游戏的狂热。从六岁起，平常上学的时候，你妈不叫你三次，不拎着菜刀进你房间，你不会起床。但是周六和周日，五点多钟，鸡还没叫，你就起床了。你用被子遮住门，这样灯光就漏不出来，你妈就不会发现你在打网络游戏。但是我知道。我去美国看你妈，通常都睡你旁边的房间。你打游戏的时候喝水，实在憋不住了，你就跑步上厕所。你跑去，你跑回，可真快啊，你撒尿，可真生猛啊，三年之内，马桶被你尿坏了两个。你打游戏的时候吃饭，最喜欢的是比萨饼，你跑来，你跑回，嘴里叼一块，手里抓一块。你和我很少说话，上次你和你妈一起去机场接我，你见面竟然连续和我说了三句中文："小舅你好。""明天我生日。""你给我买一个Wii吧。"

你妈说你或许是尚被埋没的电子游戏天才，我说或许只是痴迷。你妈问我，你将来靠电子游戏能养活自己吗？我说，难。做游戏运营商，太损阴德。做游戏开发，需要数学天才。我认识的三个数学天才，一个在高盛做衍生产品风险模型，两个去开发魔兽争霸。你20道算术题错8道，你妈说你不上进，你告诫你妈，做人不能太贪婪。做职业游戏运动员，需要生理畸形。如果想靠比赛挣钱过上体面的生活，打键盘的左手和右手都得是六指儿。

我有一个拍纪录片的朋友，比我黑，比我帅，他叫陈晓卿。他有个儿子，年纪和你一样大，比他白，比他帅，他看他儿子的眼神常常充满谄媚。他儿子最近和他爸一起到我家，他对我们谈的天下、入世、出塞、艺术、民众等等没有兴趣，喝了一小杯黑方，两眼放光，还要。他爸坚持不再给，我拿出iPhone，找了个游戏给他打发无聊。那个游戏叫"Shake Me（晃我）"，非常简单，使劲儿摇晃，上面姑娘的衣服就一件件减少。他借着黑方的劲儿，两眼放光，晃了半个晚上，回家的时候，晃手机的右胳膊比左胳膊粗。后来陈晓卿说，孩儿他妈把我列入了不可来往的黑名单，她发现，从我那里回去之后，孩儿的百度搜索纪录，最多的就是：美女，裸体。

这次你妈说你开始放下游戏，开始给姑娘打电话，证明了你不是游戏天才，天才不会放下，也证明了天理在你身上起了作用，就像它让小陈搜索美女的裸体一样。

我知道，这时候，围绕着小姑娘，你有十万个为什么。姑娘为什么笑起来比阳光还灿烂？头发洗顺了为什么比兰花还好看？你不爱吃肥肉但是为什么老想着女生衬衫包裹下的胸部？有些姑娘在千百人里为什么你一眼就看到？为什么看到之后想再看一眼？为什么看不到的时候会时时想起？为什么她出现的时候你会提高说话的声音？为什么你从来不打篮球，她去了你就跟着去了？等等，等等。

我只帮你解说（不是解答）一个问题：姑娘是用来做什么的？

简单地说，姑娘是个入口。世界是一棵倒长的树，下面是多个分叉的入口，上面是同一的根。姑娘和溪水声、月光、毒品、厕所气味等等一样，都是一个入口。进去，都有走到根部的可能。

复杂些说，姑娘可以大致有五种用途。

姑娘可以做朋友。你或许慢慢会发现，有的姑娘比男孩儿更会倾听，更会扯脱你脑子里拧巴的东西。姑娘的生理构造和我俩不一样，我俩说，"我来想想"，姑娘说，"我想不清楚，我就是知道"。在上古时期（夏商之前），没台历，没时钟，没计算机，没战略管理，部族里就找一个十三不靠眼神忧郁的文艺女青年，不种玉米了，不缝兽皮了，专门待着，饮酒、自残、抽大麻，她的月经周期就被定义为一个月，她说，打，部族的男人就冲出去厮杀。

姑娘可以做老师。你或许慢慢会发现，年纪和你相仿的女生比你懂得多，特别是和世俗相关的，年纪比你大的女生就更是如此。找个姑娘当老师，你学习得很自然。年少时被逼学习，往往效果很差。我爸，也就是你姥爷，逼我跟着一个叫Follow Me的英文教程学英语，在之后的两年里，我听见英文，心里就骂，Follow你妈，F你妈。但是这种自然的学习有一个潜在的坏处，你这样学习惯了，有可能失去泡姑娘的能力，基本不知道如何搭讪其他女生。你的姑娘教会你很多人生道理，但是不会教你如何解开其他姑娘的胸衣。

姑娘可以做情人。这个方面，她们往往和我们想的不一样。每个姑娘都渴望爱情，尽管每个姑娘都不知道爱情是什么。每个姑娘都觉得自己独一无二，尽管每个姑娘的DNA图谱基本相同。更可怕的是，每个姑娘都希望爱情能永恒，像草席和被面一样大面积降临，星星变成银河，银河走到眼前，变得阳光一样普照。姑娘们以爱情的名义残害的生灵，包括她们自己，比她们以爱情的名义拯救的生灵多得太多。下次陈晓卿再把小陈带来玩要，我还给他喝黑方玩黄色游戏，但是我告诉他，回去要记得百度"爱情，忠贞"，他妈发现之后，就会把我从黑名单上拿下来了。

姑娘可以做性伴。性交和吃饭和睡觉一样，是人类正常需要，和吃饭和睡觉一样，可以给你很多快乐。十五岁的时候，班上一个坏孩子和我诉说，人生至乐有两个，一个是夏天在树下喝一大杯凉啤酒，另一个是秋天开始冷的时候在被窝里抱一个姑娘，大面积地皮肤接触，长时间地摩擦。我当时只能理解其中一个，啤酒那个。过了很久我才理解，姑娘通常比左手和右手都好。多年以来，人类赋予性交太多的内涵、外延和禁忌。所以你如果想把姑娘这样用，你的小宇宙必须非常强大，姑娘的小宇宙也必须非常强大。通常这两件事儿很少一起发生。

姑娘可以做家人。通常情况下，你妈和你爸会死在你前面，你姥姥和你姥爷会死在你妈和你爸前面。如果你找个比你小些的姑娘，和她一起衰老，她有可能死在你后面。你不要以为这个容易。一男一女，两个正常人，能心平气和地长久相守，是人世间最大的奇迹。有时候你奇怪，为什么因为一件屁大的事儿，你姥姥想剁死你姥爷，那是因为那件小事儿激发了你姥姥在和你姥爷长久相守中积累的千年仇怨。

　　至于十万个为什么中其他的问题，你自己看书找解说吧。推荐《十日谈》、《再见，哥伦布》和《十八岁给我一个姑娘》。别看《金瓶梅》，太多世情。别看《肉蒲团》，姑娘的胴体没那么多药用也没那么多毒害。别看《查泰莱夫人的情人》，世界观和妇女观都太病态。

　　记得多练习中文。中文是世界上最美的语言，是人类创造的最美丽的事物之一，这些，以后我慢慢告诉你。上次电话，你妈说你把外甥写成了处甥，你说你是我唯一的处甥，所以你妈很不高兴。

　　别的不说了。

　　冯唐

春宫遥遥

脑神经里，嗅神经排第一，最古老，在上帝玩弄生物的进化史上，很早就被他整出来了。嗅神经直通大脑负责性欲的区域，包含众多无法理喻的信息处理模式。两个人，如果人生观和世界观不同，还可以商量，求同存异，一起重读初中物理和《金刚经》，但是如果彼此忍受不了对方的味道，今生就注定没有缘分。

人类发明的事物中，语言最诡异，比火、车轮、指南针都重要。两三个字的组合，在特定时间特定地点，轻易地让你上天入地，比如胴体，比如春宫。

春宫总给我无限想象。春，惊蛰，初雨，榆叶梅开放，杨花柳絮满天，棉袄穿不住了，心里的小虫子在任督二脉蠕走。宫，飞檐，隐情，仙人骑鸡，紫禁城角楼，天上白玉京，五楼十二城，一千零一夜，司马迁胯下没有了。

但是我的想象构不成图画，我成长在一个没有图画的年代。

初中之前，不是市场经济的社会主义，我唯一和情色有关的图像记忆来自厕所。我们小学有个手脚笨拙的精瘦女生掉进了厕所，连惊带臭，发高烧，转肺炎，差点死掉。厕所改建，有了马桶，双手获得了更大的自由，每个马桶有了隔断视线的门，创作有了更多的私密。我在马桶门背后，看到过至少三种版本的我男根的未来和至少五种版本的剽悍女校长的胯下仰视图。我曾经坚信，每个成年男子胯下都骑着一只中型恐龙，每个剽悍女性胯下都藏着一个国民党的渣滓洞。

上了初中，开始有可口可乐喝，古籍出版社开始影印封建社会的坏书，比如冯梦龙的《三言》，凌蒙初的《二拍》，包括《挂枝儿》在内的明清黄色打油诗总汇《明清民歌时调集》。影印的全本三言二拍很贵，一套《警世通言》二十多块。那时候，我在食堂一个月中饭任食，八块，我老妈涨了工资之后，一个月八十多块。而且，书被新华书店的店员看管得很严，放在他们扎堆儿聊天的书架最上层，塑料纸包裹着，不买不让打开翻看。我和我老妈说，鲁迅在日本的时候，就是因为读了全本的《三言》，才有了冲动，编辑了《古小说钩沉》，走出了他成为文豪的坚实的第一步，毛主席都佩服他的成就，我也想走出我坚实的第一步。我老妈说，不吃肉是提升道德的第一步。我们吃了三个月白菜馅的素饺子，我老妈分三个月，帮我买齐了《三言》。我每看一套，都觉得上了当，不如吃肉。每套书中，几十回的插图都集中在书的最开始，黑白两色，人画得很小，体位、表情和器官完全看不到，房屋、院落和摆设反倒画得很大，是研究明代家具和建筑的好材料。

改革开放之后，宽带入户之后，毛片仰俯皆是。但是，完全不符合春宫两个字给我的那种种想象：白玉一样的美人下颌微微仰起，双目紧闭成两条弯弯的曲线，漆黑的长长的鬓角渗出细小的汗珠，些许散乱的发丝被汗珠粘在潮红的两腮。

我不得不认命。如同我十五岁前没听见过钢琴声，我一辈子不能为古典音乐狂热，我二十岁前考试没得过不及格，我一辈子不能创立自己的Google，我的幼功不够，我的春宫遥遥，不可及。

大　雄

梁思成兄：

　　见信如面。

　　我最近常住香港。从你活着的时候到七十年代末，大陆和外界的联系只能通过这个小岛。钱把小岛挤得全是房子和人，也挤出来中国其他地方没有的单位城市面积上的丰富。

　　从香港荷李活道往北边的山下走，有个年轻人开的小店，不到十平方米，卖上世纪二三十年代到七八十年代的日用旧货，一二〇相机、拨盘电话、唱片机、收音机，从欧美的二线城市淘换来，集中在香港卖。因为不是荷李活道常卖的那些艺术品古董，所以也没有荷李活道那些成堆的和艺术无关的假货，开店的几个年轻人长得又鲜活生动，小伙子长得像有梦想的真的小伙子，小姑娘长得像有生命的真的小姑娘，所以不管有用没用，我常常买些零碎回去。

　　前两周买了一个上世纪七十年代通用电气出的调频调幅收音机带回北京，两块砖头大小，附带的电子表不准了,一天慢一个小时,而且电压需要转化到美国标准的一百一十伏才能用,但是喇叭好,一个碗大的喇叭,FM调准了,满屋子的声音,听得人心里碗大的疤。二〇〇九年北京很热,夏老虎,秋母老虎,立秋之后,日头还是击毙很多比你还年轻很多的老头儿和老太太。开空调也难受。空调房间睡一晚上,醒来,全身的毛孔紧缩,受了腐刑似的。唯一舒服一点是在傍晚,在院子里,日头下了,月亮上了,热气有些退了,蚊子还没完全兴奋,周身一围凉风,插上那个通用电气的老收音机,喇叭里传出老歌:"霹雳一声震哪乾坤哪(女生背景跟唱:震哪乾坤哪)!打倒土豪和劣绅哪!"

你们那拨儿人在北京出没的时候,很多历史久远的东西就这样被打倒了,包括绅士。

这三十年来,有些被打倒的很快恢复了,比你那时候还繁茂,比如暗娼、赌场、帮会、二百五十块一平方米买地卖两万一平米商品房的土豪。一九九〇年以后,商业理念强调协同效应和资本运作,为了创造规模效应,这一类被打倒的,再次翻身的时候,都是扯地连天的,暗娼比理发馆都多,赌场比旅店都多,帮会比学校都多,土豪比街道都多。

还有些被打倒的慢慢恢复了,但是基本被炒得只剩钱味儿了。有些猪开始重新在山里放养了,但是它们长大之后,眼神稍稍有点像野猪的,二百克猪肉就敢卖五百块钱。有些茶开始走俏了,你那时候生产的普洱茶七子饼随便能卖到好几万了,顾景舟一把泥壶,如果传承清楚,也随便卖到二三十万了。有些人开始收集古董,八国联军抢走的东西慢慢坐飞机回来了,再抢一次中国人的钱,一把唐朝古琴的价格,在唐朝的时候,够买一个县城了。

还有些被打倒的,脚筋断绝,基本就再也没苏醒过来。比如你当时想留下来的北京城墙和牌楼。现在的北京是个伟大的混搭，东城像民国、西城像苏联、宣武像朝鲜、崇文像香港新界、朝阳像火星暗面。比如中文。现在的中文作家大多擅长美容、驾车、唱歌、表演、公众演说、纵横辩论，和娱乐的暧昧关系远远大于和文字的亲密关系。十年一代人。懂得《史记》、《世说新语》、唐诗、《五灯会元》妙处的，一代人里面不会超过十个人，有能力创造出类似文字的，十代人里不会超过两三个。比如大师。余秋雨、张艺谋、季羡林都被官府和群众认可，是大师了。比如名士。花上千万买辆意大利的跑车在北京开开，花几千万买张中国当代艺术家的杀猪画摆摆，就被媒体和群众认可，是名士了。比如才女。如果现在街面上这些才女叫才女，那么李清照、张爱玲，或者你老婆转世，你我需要为她们再造一个汉语名词。

同样的道理也适用于绅士。

首先，没有"士"。近二十年出现一个互联网，天下所有的事情它都知道。互联网有搜索引擎，键入一个词，当今人们与之最熟悉的条目就最先蹦出来。键入"士"，最先蹦出来的是迪士尼乐园、摩根士丹利、多乐士油漆。"士不可以不弘毅，任重而道远"这样的话，在三千条、两万里之外。大器，不争近期名利；坚毅，不怕一时得失，有使命、堪远任，用这样的标准衡量，一个千万人口的大城，有几个"士"呢？你那时候，你愿意拿一条腿换一座北京城门的保存。现在，地产大鳄愿意为了亮丽的年度财务报表，把前门改造成斯坦福购物街。

其次，缺少"绅"。绅士需要有一定经济基础，但是"绅"和钱不完全相关。"绅"包含柔软、退让、谦和、担当。明朝是个对于才情品质缺少足够敬畏的朝代，特别是在后期。明朝后期的王婆总结极品男人的标准，五个字：潘、驴、邓、小、闲。貌如潘安，屌壮如驴，富比邓通，伏低做小，有闲陪你。其中的"小"，从某种意义上，接近绅士的"绅"。合在一起，绅士就是一个强大的精神的小宇宙，外面罩着一个人事练达、淡定通透的世俗的外壳。

这是一个我公安干警按财富榜抓坏人的时代，这是一个我国有企业建厂三十年就敢出六十年陈酿二锅头的时代，让我从明城墙遗址公园畅想你那时北京城墙的美好，让我从刘德华和曾梵志畅想中国新绅士的滥觞吧。

我们有的是希望。遥祝老兄秋安。

冯唐

大 偶

晚生牛马走，冯唐再拜言，司马迁足下：

偶像，你好。

我今年年中换了一个工作，发现换工作和搬家和离婚一样麻烦。因为麻烦，所以常常在动手之前思考各种为什么，权衡值不值得蹚这滩麻烦。今年年中这次思考的主要副产品之一就是再一次确定，你是我偶像。因为年近不惑，在阳痿之前、在绝经之前、在见棺材之前，再换工作再搬家再折腾世俗婚姻的机会都不大，所以你很可能会是我一生的偶像。

找个偶像的意义重大，比找个初恋和找个墓地都更重要。

我妈说我的出生是家庭的意外、是国家的计划生育之外，所以基本属于野合、疯长，从小没人指点。在长大过程中，我慢慢发现，对于个人的成长和欢喜，找个合适的偶像是一条被历史反复证明了的捷径。或许另一条更快更稳妥的捷径是找个适合的宗教，但是我们这代人从小就被挑断了宗教的脚筋，长大之后再也不能充分体会这种崇高。整个星空不可得，路上有偶像，仿佛一颗星星似的，也好。

我们小时候也被反复教育要有理想，但是对于小孩儿，往往太虚，很难理解。比如，五讲四美三热爱（即讲文明、讲道德、讲礼貌、讲卫生、讲秩序，心灵美、语言美、行为美、环境美，热爱祖国、热爱社会主义、热爱中国共产党），比如，为中华之崛起而读书。听的时候往往热血沸腾，头皮上下飞舞，当场就想把一辈子交给这些理想，献了青春献终身，献了终身献儿孙。但是往往听完，再细细想，实在不知道逻辑和道理在哪里、当时自己的头皮瞎逼飞舞什么。后来总结，让没逻辑的事儿听上去有逻辑，让没道理的事儿听上去有道理，一个非常好的办法是编上号（适用于五讲四美三热爱），另一个非常好的办法是大声喊、集体喊很多遍（适用于为中华之崛起而读书）。

我们小时候也被反复教育要追随榜样，但是对于小孩儿，这些榜样往往太久远、太具体，适用性不强。比如黄继光和邱少云。他们都是战争年代的英雄，我们都很敬仰，但是我们的生活里，周围方圆二十里，过去二十年，半个反革命都没抓到过了。为了说明黄继光和董存瑞的精神为什么还适用，当时的班主任把嘴唇都说成兔唇了，我们还是将信将疑。进一步细细想想，学黄继光还容易些，不就是堵枪眼吗？一咬牙一跺脚，上！但是学邱少云难了，活人文火炭烧，想都不敢细想。后来学医，手术台上，皮肤切开之后，血从切面的各个血管破损处流出来，主刀医生一边用电钳止血，一边讲昨天吃的韩国烧烤，我当时就吐了。

我也尝试过在现实生活中寻找偶像。邻居的一个姐姐，眼睛挺大，头发很滑，曾经语文和数学考了两个满分，我妈说，你瞧瞧人家，好好学学。我当时觉得，我仿佛一条狼狗，我妈说，去，学学谁，我就扑上去。后来，这个姐姐很快得了厌食症和失眠症，每天想着再考双百，却再也没考到过。我哥比我大九岁，当时一个日本电影《追捕》非常流行，我哥有像极了高仓健的忧郁眼神儿和黑风衣，他们学校长得有点像日本人的女生都利用课间操、运动会、春游等等机会扑他，我曾经和我妈讨论，把他当偶像，我妈说，你想当流氓啊？我爸一直是我艳羡的对象，他从来都活在当下，从来都不想明天的事儿，炖肉的时候炖肉，喝茶的时候喝茶，看毛片的时候看毛片，睡觉的时候睡觉。但是，我很快发现，我爸是天生的奇葩，禀赋差的很难在后天模仿。而且，因为他没有被困扰过，没有经历艰苦的心路历程就开出花来，所以没有渡人的能力，只会自己灿灿地开放着。

因为没有更好的办法，没有亲尝的机缘，我开始胡乱在书里找，武侠小说和《武学七书》一起读，文革简史和《文心雕龙》一起读。很快喜欢上了三个人，李渔、曾国藩、你。

李渔是个闲不下来的闲散人，他放弃通俗意义上的名利，他的一生是吃喝嫖赌抽的一生，是把吃喝嫖赌抽的温润精细做到极致的一生。他和我一样，喜欢显浅的文字、白皮肤的女人、雅素的房子。

曾国藩是个勤谨蛮狠的耕读人，他追求通俗意义上的名利，他的一生是克己复礼的一生，是向自己一切小鸡鸡引刀自宫的一生。他读书、明理、做事，不要钱，不怕死，五十岁前就实现了立德立功立言三不朽。

你是个天生的写字的人，你追求对人世超越时间和空间的理解，你的一生是做一件大事的一生，是不惜失去一切鸡鸡也要做成这件大事的一生。你游学、探问、书写，在乌江边上，听亲历的老人回忆虞姬头发的味道、乌骓马的腰肌，你经历、你理解、你表达。

综合你们三个人的共同特征，偶像的标准基本成型。

第一，因材。不能拧巴。是关公就耍大刀，是孔明就论天下。第二，尽力。哪怕一生要理解的是草履虫的纤毛前端的一个蛋白的一个基因，也要争取做到前无古人、后无来者，在当今提刀而立，为之四顾，为之踌躇满志。即使做不到这种牛屄，至少要做到用尽自己的力气。第三，笃定。操南墙他妈，操棺材他妈，操命运他妈，不着急，不害怕，不要脸，做到底。被骂反道德，又怎样？因为要遵从道德而做出来的傻逼事儿还少吗？被切了鸡巴，又怎样？睡一觉再长出十七八个来。被放逐，又怎样？"李白当年流夜郎，中原不复汉文章"，损失的不是我。

一切都是游戏：八万年前，原始人取火、狩猎、采集、做贝壳项链。八百年前，蒙古人打猎、攻城、掠地。今天，我们进财富五百强、做对冲基金、搭便车周游地球、订制一个岛屿、爬遍地球所有的G点（南极、北极、珠峰），把大理、拉萨和香格里拉活成一种新的宗教。见过一则游戏机的广告，记得深刻：Life is short. Play! 生命短促，耍，往爽里耍！

书不能悉意，略陈固陋。

冯唐再拜

大 佬

杜月笙、黄金荣、张啸林三先生：

见信如晤。

近春多梦，昨夜梦见一个好像无风无雨的早春午后，一个有两棵海棠的院子，一个早清铜香炉，点一炷沉香，香篆缥缈，缓缓上升。

佛说，香飘的每一刹那都是确定的，但是每下一个刹那都是不确定的。一期一会，冥冥中自有定数。一切是浮云。

党魁说，一切都是力量的对比，一切都是利益的平衡，一切偶然都是必然，一切都是矛盾的实践。为了实现利益长期稳定最大化，我们时刻调整、精心宣传，坚决占据最战略的资源，坚决代表最粗的胳膊，坚决维护自己的地位，不是你死就是我亡，你死好过我亡，你去死吧，你去死，你死。

游侠不说话。游侠揣在袖子里的左手食指和无名指暗暗发力，烟柱在瞬间扭转方向，拍向海棠树，树干动摇，落英缤纷，游侠伸出袖子的右手还稳定地握着茶杯，茶微微有些凉了。

写字的人说，写了一首诗，《沉香》，送给你：沉你在心底，偶尔香起你。

黑帮大佬说，最近好像人类基因改变了，不抽鸦片了，改闻沉香了，也上瘾，也被政府禁了。你开这个地下私家香院，位置非常好，口碑也好。我注意一阵了，我知道其他人也注意很久了。这样，我给你提供上好的沉香，保证货真，保证价钱比你现在进货便宜一成，我帮你处理其他相关利益方，街面上的工商、税务、司法、公安、城管、街道、环卫、电力、燃气、水务、网监、媒体、流氓、地痞等等，你完全不用操心，你的收益我收一成，如何？你如果不干，我剁掉我左手小指头，你如果还不干，我剁掉你左手。你现在答应了，如果到时候你的收益我收不到，我也剁掉你左手。你如果去找帮手，我先剁掉你帮手的左手，再剁掉你鸡鸡的后半截。

黑帮大佬不是佛。佛不管具体事儿，越有事儿、事儿越急，佛越不管你。黑帮老大管事儿，越具体、越急、越风险，回报就越高，就越好。

尽管经常有交集甚至转换，狭义的黑帮大佬不是狭义的党魁。（在经典黑帮电影《美国往事》里，黑帮大佬和党魁也分得很开。那个工会党魁也是先反复被黑帮打，得势之后再利用黑帮，让黑帮背同样颜色的锅。）与党魁相比，黑帮大佬更有才情，更真实，更善良，更不找借口地杀人如麻，更张扬地热爱妇女，所以通常走得不长远。黑帮的构成更同质化，价值体系过分简单粗暴，激励体系过分偏向于物质。黑帮如果在扩大到几万人之后，明确远景目标和战略构想，锻炼好核心团队，构建好管理流程，黑帮大佬开始经常不说真话和人话了，不碰女明星了，黑帮就开始有政党的模样了。

尽管边界越来越模糊，狭义的黑帮大佬不是狭义的企业家。黑帮老大基本都轻资产运营，投资回报率高，息税摊销前利润率不到百分之六十基本不好意思说。黑帮的行业组合基本类似，传统的如黄、毒、赌，近代的石油、煤炭、码头、烟草、酒水、杀猪、娱乐、城巴、军火、高利贷，新兴的如金融洗钱、生物科技。

少年读书，读过司马迁的《游侠列传》、马里奥普佐的《教父》、古龙的《枪手，手枪》，见过三五成群的小流氓在中学校门骚扰学校里最水润云灵的女生，他们的文身像敦煌壁画一样煽情。少年顽劣，搜看毛片，看过《美国往事》（尽管是个纯正的黑帮片，其少量色情内容的自然、简单、坦诚处理在我心目中的地位崇高，比如偷拍警察操逼，比如兄弟抓阄决定轮奸顺序，比如为贪吃蛋糕宁可省出一操），打PSP游戏，打过GTA罪恶城市和伦敦黑帮。快到不惑的年纪，立下志向，要做个写字的人，要从自己的角度写历史，写时间轴上提示的真实。如果老天赏寿，对于每个有趣的时代，写个十万字的小长篇。从弘忍的角度写初唐，从一个巫医的角度写晚商，从李鸿章的角度写清末。对于民国，那是一个喧嚣而丰富的时代，如果写，我会从你们三个黑帮大佬当中选一个写，而不会从蒋宋孔陈或者毛朱刘邓中选一个写。

遥祝天上安翔，地下安睡。

冯唐

刺客列传 2004

0. 马加爵的公元二〇〇四

新华网北京三月一日电：公安部一日发布Ａ级通缉令，通缉在逃杀人犯罪嫌疑人马加爵。

二〇〇四年二月二十三日，云南省昆明市发生一起四人被杀案件。经做工作认定，马加爵有重大作案嫌疑，现已潜逃。

马加爵，男，一九八一年五月四日出生，汉族，云南大学生化学院生物技术专业二〇〇〇级学生，户籍地址：广西壮族自治区宾阳县宾州镇马二村一队十二号。身高一点七一米左右，体型中等、方脸、高颧骨、尖下巴、双眼皮、凹眼、蒜头鼻、大嘴、下唇外翻。操广西口音。身份证号码为：452123198105045232。马加爵在潜逃时随身携带两名被杀害者身份证：龚博612325198306120917，邵瑞杰450421198201175530。

公安机关将对提供准确线索的公民给予二十万元人民币奖励。发现线索举报的公民，请拨打110报警电话，或向当地公安机关报警。凡知情不报，包庇或窝藏犯罪嫌疑人的将依法追究其刑事责任。

喜马拉雅山麓，杀手学校。

一峰、一石、一松、一鹰、盘旋在松顶峰尖。

一花、一杖、一老者、一群短衣少年，眼睛齐齐盯住左手莲花右手竹杖的老者。

老者问：人能长生不老吗？

一少年答：不能。

老者右手微动，竹杖慢如竹子拔节快如闪电出云，答题少年的右拇指已变成紫红。在杀手学校，答错一个问题，轻则十天使不了剑，重则少一根手指。

老者问：人能长生不老吗？

一少年答：能。

老者右手微动，竹杖慢如竹子拔节快如闪电出云，答题少年再低眉就看见竹杖的一端已经插入他的人中，但是没有一丝疼痛，没有一滴血。"能？我在多使一毫力气，你就再也不知道生是什么滋味了。"

老者问：人能长生不老吗？

一少年答：人类能，一个人不能。

老者问：为什么？

少年答：人为血肉之身，都是要腐朽的。人阴阳相合，子孙相续，就能长生。老者左手微动，莲花的一片花瓣无风而飘落，答题少年伸左手接了。在杀手学校，答对一个问题，可以单独学三式剑法或者去学校图书馆老干部阅览室看三小时《全本绣像金瓶梅》："……西门庆脱了衣裳坐在床沿上，妇人探出手来把裤子扯开，摸见那话儿，软叮当的，托子还带在上面……"

老者继续问：那你活着的最终目的是什么？

少年答：让我的基因保存下来的几率最大化。

老者继续问：用什么方法？

少年答：做帝王，想谁就是谁，章子怡、林志玲、吴妈、莎娃。

老者继续问：如果当不了帝王呢？

少年答：杀。不为帝王就当杀手。杀掉所有比我繁衍几率更大的人。

老者问：连帝王都杀？

少年答：最该杀的就是帝王。我一直问您，你为什么训练杀手？

老者右手微动，竹杖慢如竹子拔节快如闪电出云，答题少年再低眉就看见竹杖的一端已经插入他的人中，没有一丝疼痛，没有一滴血，然后他就一动不能动了，左手心里的那瓣莲花瓣滑落到山谷间。

老者看着那瓣莲花的轨迹说：你不是好杀手。好杀手不问问题，你没看过电影吗？杀手啰嗦两句，就反被好人杀死了。好杀手杀死人之后再向死者倾诉，好杀手知道所有他们需要知道的答案。他们的脑子做他们手的主，他们的手做他们剑的主，他们在瞬间做出一个决定：杀。

■

Ⅱ. 荆轲的公元前二二七

公元前二二七年冬天的一个中午，燕国都市，街上，人声稀过狗吠。

狗肉张的狗肉火锅摊子刚刚支起，炖狗肉的大锅里还没添葱姜蒜，浓重的酸臊气。高渐离的天上阴间夜总会还黑灯闭户，个别早起的小姐，从旁门出来，裹着棉大衣，就着街道上的下水沟刷牙洗脸。

身材矮小的荆轲站在狗肉火锅摊子和天上阴间夜总会，大吼一声：早睡早起身体好，狗肉张，高渐离，你们丫别睡了，起床。

狗肉张看见荆轲身上一个的包裹，问：你包裹里是不是一个狗头？这么大？藏獒的吧？值钱啊，还是老规矩，卖我吧？我在试着做白水狗头肉。

荆轲说：你妈，我这种街头霸王，包裹里当然是人头，一颗贵重的人头。

高渐离说：你早上就喝二锅头啊？你要出远门啊？

荆轲说：我今天要最终证明，我才是真正的街霸。真正的任何东西都能不朽：真正的烂妹褒姒，真正的傻逼孔丘，真正的奸夫吕不韦都不朽了。我要是不朽了，你们也能沾光，也能不朽。我欠你们太多，狗肉张，我白吃你的狗肉，白喝你的二锅头。高渐离，我白睡你的波霸，白看你的老婆。我生在世上，让你们白听我念《诗经》，白看我舞剑，我泯灭之后，让你们白白不朽，我们扯平。

狗肉张说：你别臭牛逼了。盖聂和鲁句践才是街霸。他们一个剑术比你好，一个棋艺比你好。人家骂你，瞪你，蔑视你，你连屁也不敢放，就跑了。

荆轲说：我比他们更街霸。街霸不骂人，街霸杀人。街霸不瞪人，街霸挖人眼珠子。

狗肉张说：田光和樊于期两个豪杰才是真正的街霸，他们说，你的《诗经》都念错了，发音不对。他们说，你的剑术也不好，你没有杀气。

荆轲说：我比他们更街霸。我没有杀气？田光和樊于期两个豪杰都在我面前自杀了，我的剑都没有出鞘，他们的人头就在我包裹里了。你知道什么是成为街霸的最好材料？就是我这样的，我不会吓唬人，因为我从小就没有害怕的概念，我不知道杀和不杀之间的区别。

狗肉张说：好。你去杀了秦王嬴政，你就是街霸了。我送你一条酱狗腿，路上吃。

高渐离说：好。你去杀了秦王嬴政，你就是街霸了。我击缶，送你一首歌，你抱着波霸二重唱吧，别抱我老婆，我老婆还没刷牙洗脸。

燕国的北风呼啸，伴着似冰屑似雪粒的东西，小刀一样削脸。荆轲双手抱起波霸，波霸穿得很少，但是荆轲巨大的双手环绕，仿佛一件狗皮坎肩，波霸听见荆轲叮当乱响的心跳，她一点都不冷。荆轲唱：风萧萧啊，易水寒。壮士一去啊，不复还。荆轲说：狗肉张，我屋子里有一次抱不动的金子，太子丹给的，我知道你缺流动资金，送你了。高渐离，我箱子里有你青春偶像的右胳膊和长头发，太子丹剁的，我知道你暗恋她很久了，送你了。我去杀嬴政。

荆轲右手微动，剑杖慢如竹子拔节快如闪电出云，然后嬴政低眉就看见剑杖的一端已经插入他的人中，但是没有一丝疼痛，没有一滴血。

荆轲问：你知道，人能长生不老吗？

嬴政说：我能，人类也能。

荆轲问：你知道，什么人最让顶尖的杀手下不去手吗？

嬴政说：不知道。

荆轲说：真正的帝王。顶尖的杀手会算出，这些帝王的基因比杀手的存活几率大。你比我更该活下来，我爱你胜过爱我自己，你爱你的伟业胜过你爱自己。好杀手不问问题，我知道所有我需要知道的答案。我死之后，你杀掉这大殿上所有的人，然后告诉天下，我的剑没有拔出来。你知道么，我在瞬间做出一个决定：不杀。

III. 朱增禄的公元二〇〇四

云南大学，男生宿舍。

一桌、一椅、一床、一杯白水、一个馒头、一支暖壶，朱增禄已经三天没出宿舍去上课了。

朱增禄没有鞋，没钱买鞋。二〇〇〇年，父母在送他来云南大学的时候，带了六千元，交完学费，父母买了回家的火车普快硬座票和几个馒头，把所有剩下的钱都留给了他，包括一圆的硬币和一毛的纸币，鼓鼓地装了一个信封。

朱增禄一直在等学校的助学贷款发下来，然后去学校门口的小杂货铺买双温州造的假耐克鞋。温州小老板说，现在不比以前了，十几年前，他们把耐克的弯钩和阿迪达斯的烟叶钉在同一双鞋上，现在，他们镇上牛逼的老板，从意大利聘来顶级的设计师，住在自己家里负责设计新款皮鞋。朱增禄看上的耐克鞋，白地黑钩，干净利落，一点不像假的。他喜欢耐克的那一道弯钩，像是一把弯刀，一把大铁锤，又像一道因失血过多而渐渐稀少的血迹。

这三天，朱增禄反复做三个梦，他无法分析出它们之间的联系。

梦之一是军训。

剃完头，他和所有入学新生统一穿了夏常服，和白杨树一起，一排排站在军营操场上，夕阳下，红闪闪绿油油的一片。他喜欢这种感觉，大家都一样，穿得都一样，头发都一样，不用说话，站着就好，没人知道你家里没钱，没人逼你说话。教导员站在队伍前面，胖得很有威严，两腮垂到下颌骨，头从侧面看，成直角梯形，底边很长，下巴突出。头顶基本秃了，仅存的几缕被蓄得很长，从左鬓角出发，横贯前额，再斜插脑后，最后发梢几乎绕了一圈，回到出发点。

教导员在大喇叭里用河南话喊：

"同学们！同志们！祖国新一代大学生们！你们第一次来到军营，欢迎你们！"

他们鼓掌。

"同学们！同志们！你们来自二十六个省市，一百一十九个县，我的办公室有张空白全国地图，我把你们的家乡全用大头针标出来了！"

他们鼓掌。

"同学们！同志们！到了军营，穿了军装，就是军人！第一次，你们跟我喊个高音，'杀！'"

"杀！"他们齐声喊。

"声音不够大！女生先喊，'杀！'"

"杀！"女生喊。

"好，男生喊，'杀！'"

"杀！"男生喊。

"男生比女生声音还小！大家一起喊，'杀！'"

"杀！"他们齐声喊，杨树叶子哗哗乱动，营房屋顶上的瓦片落地，他们自己被自己的声音吓着了。

"好！吃饭！明天起，吃饭前唱歌！杀！"

梦之二是一个老者。

一峰、一石、一松、一鹰，盘旋在松顶峰尖。

一花、一杖、一老者，朱增禄眼睛齐齐盯住左手莲花右手竹杖的老者，问：我如何能长生不老？

老者答：杀掉所有比你繁衍几率更大的人，比你有钱的人，比你能说的人，比你更招小女生喜欢的人，比你更招老师喜欢的人。

朱增禄继续问：什么是杀手最好的成长条件？

老者答：仇恨和苦难，洗冷水澡，享受孤独。天将降大任于斯人也，必先苦其心志，劳其筋骨，饿其体肤，空乏其身，行拂乱其所为。所以动心忍性，曾益其所不能。

朱增禄继续问：最厉害的杀招是什么？

老者答：是最简单的招数，一击，毙命。没有花样，就是更快，快得别人没有反应。杀，一个字而已，杀。

梦之三是燕国都市。

街上，人声稀过狗吠，狗肉张的狗肉火锅摊子飘出一阵阵炖狗肉的香气。荆轲在唱：风萧萧啊，易水寒。

朱增禄说：偶像，你好。

荆轲说：我怎么是你的偶像？

朱增禄说：我向你学习。盖聂和鲁句践，一个好像剑术比你好，一个好像棋艺比你好。他们骂你，瞪你，蔑视你，你连屁也不放，走开了。我的同学在我面前摔杯子，骂我，我连屁也不放。有人给我两毛纸币，让我替他洗袜子，他的袜子两个月没洗了，在地板上能立着，我洗了，两毛钱，我买了一个馒头。他们喝酒不带我去，喝多了回来，在我床头撒尿。我的枕头湿了，我等他们尿完，我把枕头翻过来，稍干的一面朝上，继续睡。你是我行动的偶像啊。

荆轲说：你只学会了我的沉静。

朱增禄说：我也只学你的沉静。你不是真正的街霸，不是最好的杀手，你最后还是没有杀死嬴政。

荆轲说：所以说，你只学会了我的沉静。你知道么，我在最后的瞬间做出一个决定：不杀。

朱增禄说：杀和不杀，在最好的杀手面前，是一样的，就像池塘里的荷花不会在今天开败一样。我想告诉你的是，我一定能杀死嬴政，我才是真正的街霸，我才是顶尖的杀手，我如果在瞬间做出一个决定，一定是，杀！

朱增禄喜欢军训，那是他最美好的大学时光。那个手把手教杀人的老头，长得像极了电脑游戏里的杀手学校校长，靠，就是这个倒霉老头，老是问怪问题，让他总是过不了这第七关，不能在打通关后，看长着小尖屁股和小尖乳房的仙女姐姐跳脱衣舞。《史记》的刺客列传几乎能背下来了，但是朱增禄还是想不明白，荆轲为什么不杀了秦始皇嬴政。"拔不出剑来？扯鸡巴蛋！"这三个毫无联系的梦通过最后的一个杀字联系起来，在朱增禄的脑海里盘旋不去：杀，杀，杀。

朱增禄双手用尽力气堵住耳朵，不想在任何时候都听到那个杀字，但是那个声音还是从他双手的指缝中渗进他的耳朵，在他的手掌和耳膜之间反复撞击。不能再一个人待了，他在宿舍凑了一桌牌，算他在内，五个人。他的耳朵听不见那个杀字了，但是那几个牌友的声音响起来了，比杀字更难听：

"你丫作弊。"

"你丫没教养。"

"你丫没前途。这种小事作弊，别的事情可想而知。"

"你丫没姑娘喜欢，真不奇怪。"

朱增禄笑了，他找到了一个比杀字更难听的声音，他礼貌地把这四个牌友请出宿舍。

其中一个在另一天第二次进入这个宿舍，关好门之后，感觉到风声，抬头看到一个没有鼻子没有嘴巴的大铁锤扯地连天落下，然后就听见自己头骨粉碎的声音。

朱增禄觉得那个牌友躺在地板上，弯曲着仿佛耐克的标志，于是对那个尸体说：你骂一句，我打一锤，你我扯平。他把尸体放进黑色垃圾袋，胶带封了，锁进衣柜。然后，啃了一个馒头，喝了一杯开水，虽然只是一击，但是很耗力气。

如此三次，四记铁锤，还四句话，衣柜里多了四具尸体。他一共啃了四个馒头，喝了一壶开水。他扭头看了眼坐在他上铺的荆轲：看到了吗？我演示了四遍，你该学会了吧？杀，一击，毙命，杀。

杀过四遍，朱增禄耳朵里听不到那个杀字了，就像上完厕所，尿空膀胱，耳朵里就听不到吹口哨的声音了。他晚上又约了一桌牌，他想听听，人世间是否还有骂声。他想：如果有骂声，也是麻烦，虽然铁锤还可以用，但是柜子却装不下更多的尸体了。

这天晚上，没人骂朱增禄。开始，他的手气一直不好，连输了好几把牌，其他人自然开心。朱增禄分析了一下，这个不奇怪，碰过尸体的手，自然有晦气。他连续上了好几次厕所，手摸阳具，小便。后半夜，手气渐渐好了起来。后来好到别人一直叫他身手朱，运气太好，旁人开始崇敬，也没了一句骂声。

牌局散后，一轮弯月挂床头，宿舍因为没有别人，格外安静。朱增禄很快睡着了，他没梦见军训、老者，或者荆轲。他梦见他有了一个儿子，朱增禄叫他朱大锤。儿子摇摆着走来走去，朱增禄喊着他儿子的名字：大锤，大锤，大锤。

图书在版编目（ＣＩＰ）数据

如何成为一个怪物 / 冯唐著 . -- 北京：新星出版社，2011.9

ISBN 978-7-5133-0369-9

Ⅰ . ①如… Ⅱ . ①冯… Ⅲ . ①随笔 - 作品集 - 中国 - 当代 Ⅳ . ① I267.1

中国版本图书馆 CIP 数据核字 (2011) 第 171837 号

如何成为一个怪物

冯唐 著

主　编：李银河

责任编辑：高微茗

装帧设计：朱赢椿　霍雨佳

出版发行：新星出版社

出版人：谢　刚

社　址：北京市西城区车公庄大街丙 3 号楼　　100044

网　址：www.newstarpress.com

电　话：010-88310888

传　真：010-88310899

法律顾问：北京市大成律师事务所

读者服务：010-88310800　service@newstarpress.com

邮购地址：北京市西城区车公庄大街丙 3 号楼　　100044

印　刷：三河市三佳印刷装订有限公司

开　本：889×1270　1/32

印　张：11.5

字　数：178 千

版　次：2011 年 9 月第一版　2011 年 9 月第一次印刷

书　号：ISBN 978-7-5133-0369-9

定　价：28.00